茶金 GOLD LEAF

黃國華 著

故事原創／徐青雲、湯昇榮、羅亦娌、徐彥萍、
黃國華、林君陽、張可菱

出　　品／公共電視、客家委員會

目錄

（序）

來。來喝茶

徐青雲

提起臺灣茶，大家都不生疏，但說起茶葉曾經是臺灣重要的出口加工品與經濟作物，那卻是很久以前的風光，現在許多人可能都不清楚了；而提到「北茶南糖」，也是你我不陌生的產業分布區塊，但臺灣現在的茶園多在中南部又是怎麼一回事？

臺三線上的桃竹苗地區與新北市坪林、三峽等地，在早年是臺灣茶葉重要產地，完工於一九四九年的新竹北埔「姜阿新洋樓」，是茶商姜阿新為了招待洋行貴賓而興建，更見證了當時茶葉的繁華榮景。二〇一四至二〇一六年，姜阿新的女婿廖運潘先生自費出版、寫給自己家族子孫「想到什麼就寫什麼」九冊浮生手稿，書中對一九四〇、五〇年代他的岳父姜阿新多所描述，從新竹北埔的製茶產業，到與洋行貿易商業的往來，都有翔實的描述；姜阿新曾經擁有臺灣最大的茶廠與最新的設備，也是臺灣紅茶最高的產量與出口量，這樣的故事絕對是戲劇的好題材。在已有文字資料上，又有可以採訪對象，經由當代人去看當代，實屬製作與時代相關作品的珍寶。

一九四九年前後，臺灣茶葉外銷是特許經濟作物，是外匯重要來源，後更成為外交推手，創下了茶金時代。一九五〇年後，許多人都有著穿著美援麵粉袋製作的衣服或短褲的記憶，同時期美援除了對臺灣民生物資援助，也提供基礎建設所需的物資；當年，美國為了美援成立懷特公司（J.G. White Engineering Corporation），該公司的負責人狄寶賽（Valery Sergei de Beausset）保留了整批在臺灣期間的相關資料與文件；二〇〇六年這批史料移回臺灣大學圖書館，並成立狄寶賽文庫。耙梳史料清晰可見狄寶賽在臺灣美援時代的重要角色。

臺灣與時代相關的作品，較少觸及商業經濟的層面，公視一直希望有更多的作品能夠打破已知與想像。因此，《茶金》在姜阿新原型人物的概念下，以茶葉商人與出口貿易出發；再加上，美援與狄寶賽在臺灣發展脈絡中的份量，設定了劇本的架構。

《茶金》希望以微觀的一個茶商、一個茶廠，看到一個產業，更到一個國家的宏觀視野。劇中，每個人都是獨一無二的味道：有人一輩子為了一個人，如文貴；有人一輩子為了家，如薏心；有人一輩子為了家鄉，如吉桑；有人一輩子為了國家，如ＫＫ；有人一輩子為了製茶，如山妹、阿土師；有人因為局勢離鄉背井，如夏慕雪、靳將軍；有人為了利益合作，如副院長、迪克。他們各自展開不同的旅程，在臺灣這塊土地成為彼此的交集。

《茶金》除了戲劇，也規劃出版劇本書與小說，讓導演的視角，編劇的視角，小說作者的視角，透過影像與文字作品各展現其魅力，也將故事的脈絡與結局都開放給創作者，不希望限制創作者的想像，而觀者也可以在不同型式的作品中找到相對應的感動或共鳴。

從劇本開發初期組成編劇團隊，有製作人湯昇榮、共同製作人羅亦娌、編劇徐彥萍、助理張可菱與我外，也因故事有經貿關係與外匯匯兌等專業，同時邀請有財經背景專業、也出版過多本財經小說的作者黃國華，加入編劇團隊。在茶樹品種、製茶工序、茶葉種類、化肥、美援、貿易、外匯等田調與消化後，期許將熟悉的歷史感，參考當時人物的原型與精神，以無距離感與違和感的編劇方式，讓人物角色的狀態在情境中；而劇本還有一個特色，附註了大量田調的資料來源與圖片，讓參與製作環節的每個人能延伸想像，也讓演員更理解身處的時代環境。

小說由黃國華執筆，以其一貫著重在人的書寫方式，以人為線條，不刻意註解時代，除了還原劇本創作時期的原創概念，也加上作者自己的觀點，讓小說更容易閱讀；另外，語言也是那個時代生活中的特殊氣味，因此，為了閱讀的順暢，兼具語言氣味，小說中也保留了一點點客語、河洛語的詞彙，增添閱讀的語感。

在此，容我借點版面謝謝成就《茶金》完成的推手。謝謝公視董事長陳郁秀、文化部長李永得、客委會主委楊長鎮，四年前，李永得為客委會主委，他與陳郁秀兩人促成了《茶金》的合作案，而接任主委的楊長鎮也全力支持與協助；謝謝無條件投入製作資金的瀚草影視曾瀚賢、世詮多媒體沈東昇、中保科技林孝信、夢想創造林家齊；謝謝導演林君陽、統籌蘇國興與所有參與製作的伙伴，一百一十四天拍攝、環島臺灣兩圈的堅持；謝謝所有協助拍攝的單位、好友、鄉親，甚至是素未謀面的人給予的援手。

二〇一九年早春，我們投入《茶金》IP的開發，二〇二一年中秋出版小說、初冬播出戲劇、出版劇本書。誠摯的邀請大家：來，來喝茶，品小說、讀劇本、看戲……，感受一九四九年臺灣的溫度與滋味。

本文作者為《茶金》製作人

第一章

1

一九四九年年初，臘月三十，窮途末路的國民政府在中國的戰事已經兵敗如山倒，糟糕的是，相對安定的臺灣，基於剿匪的需要，各種物資源源不斷地被運送到大陸戰區，米、糖、茶、豬肉、木材、煤炭……所有想得到與想像不到的物資，說運送是好聽，橫徵暴斂才是事實。

這一天北埔的天氣與時局很像，綿密陰雨不斷，山巒始終籠罩著看不透的濃霧，天高皇帝遠的北埔雖然感受不到內戰時局的陰霾，只是日常生活已經被一日三市的物價給壓得喘不過氣來。

「這個年難過了！去年過年在街上吃碗麵只要五角錢，今年漲到一碗一百元。」在張家當廚娘的順妹，一邊在張家洋房廣場趁還沒下大雨趕緊收著曬衣，一邊對著幫老闆洗車的阿榮抱怨。

「是啊！還是我們社長夠力，今年過年的紅包直接發米、發豬肉、配茶葉，如果換作那些臺幣、金紙，根本沒路用。」阿榮把老闆的汽車擦得閃閃發亮。

「講你沒知識就是沒知識，是金圓券啦！不是金紙啦！」順妹笑著回答

「臺票也好金紙也好，都沒有什麼用處啦！」

「飯可以亂吃，話不要隨便亂講！」門口傳來一陣對阿榮的斥責聲。

罵阿榮的正是吉桑，繃了張臉鑽進車子大聲地交代：「去催小姐與老太爺趕快上車，家祭快來不及了。」

「小姐正在鬧脾氣，說什麼也要穿洋裝，老太爺犯大煙癮，還要再抽個幾口才能出門。」回話的人叫做春姨，是張家小姐的奶媽，自從吉桑的太太過世後，一肩挑起母職，雖然只是掌管廚房雜事，儼然是張家的大管家，除了不碰錢財出納帳務外，張家大大小小的事情幾乎都是春姨張羅著。

春姨的話剛說完，一個戴頂寬邊洋帽，身穿白色高領襯衫連身套裝，外面披件紅色外套的女孩走出洋房大門。

「看看妳自己穿什麼樣子，還以為妳還在臺北念書嗎？女孩子家花枝招展，現在不是日本時代了，時局很亂，到處都有唐山仔充員兵、逃兵、地痞流氓！」吉桑滿臉不高興地斥責。

「PAPA！只不過到祠堂去拜祖先，都是自己親戚家族，哪來什麼地痞流氓。」

與吉桑頂嘴的是他的獨生女張薏心，從臺北的女子家政學校畢業，和同學一起擔任幼兒園老師的工作，但卻被吉桑以女孩子不適合在外拋頭露面的理由叫回北埔家中。

「她已經不是小孩子了，女孩子愛美是天性……」春姨幫薏心緩頰。

「女孩子家嫁了人才算大人，還沒嫁人之前都得聽我的話。」吉桑心情不好的主因是家族祭拜祖先的紛爭，卻把氣出在女兒與自己父親身上。

薏心毫不在意地跳上汽車前座，阿榮從屋內小心翼翼攙扶剛抽完大煙的阿公上車。

薏心的祖父人稱盛文公，十七歲被張家收養，收養後無所事事天天抽鴉片，為了抽鴉片方便還刻意留長小指頭的指甲，他的指甲少說三十年沒剪，長度大約半尺。男人留長指甲，在當年農村有其特殊意義，意味著自己根本無需勞動工作，連生活起居都有專人伺候，藉此來彰顯自己財富與尊貴地位。

張家祖祠位於吉桑新落成的洋房不遠處，由吉桑的上一輩的張家大老斥資興建，日治大正十三年（一九二四）竣工，格局採用兩堂兩廊兩橫屋，正殿供奉張家歷代祖先牌位，兩邊橫屋中央為側殿，兩廊與橫屋之間各有水池相連，蓄水池在客家建築經常可見，除了風水考量外，也兼具消防與調節屋內溫度的功能。

參與祭祖的張家一共三代五十多人，分成三房，大房的大家長張清文，在張家以及北埔被稱伯公，吉桑與養父盛文公是第三房，主祭者是伯公與其長孫張大欽張醫師。

伯公身著黑布長衫，有著不容侵犯的威嚴及深邃的眼眸，狠狠瞪著祠堂門口，已經超過開祭時間一刻鐘，才瞧見三房那一家子姍姍來遲，不疾不徐的吉桑，對自己的遲到毫不在意，還狠狠地回瞪伯公。

一旁侍禮的司儀看親族都已到齊便開嗓：

「吉時到，各正衣襟！」

眾人聽令，吉桑、伯公與張醫師與其他男性紛紛往堂前走，女性往堂後走，原本散亂的人群排成整齊的陣列隊伍。第一列男人有三十多人；第二列女人也有二十多人，第三列只有二人，分別是輩分最低的薏心，與無法站立只能坐在竹椅的盛文公。

伯公捧著祭文一鞠躬，一票子孫跟著躬身。

伯公唸唱：

「伏以（拜），日吉時良，萬事吉祥，六神通利，四道生祥，謹發誠心，立案焚香，香煙沉沉，祖必降臨，香煙郁郁，請神降福，躬身拜請……」

薏心聽著祭文，看著身旁枯瘦的盛文公，香火插在竹椅縫中，他吃力地聽著祭文，雙手緊握住膝蓋，哈欠連連，正用意志力控制鴉片癮頭。

每一房的每一代都必須指派一人上香，薏心自告奮勇地說：

「我代表上香！」

伯公繃著臉：

「細妹不能代表宗族，至少是螟蛉子[1]，或者是過門的女婿。」

吉桑轉過頭來罵著薏心：

「拜就拜，不必廢話！」

吉桑與盛文公的兩枝香火被插入爐中，與幾十枝香火同在，其中吉桑那枝新香顯得特別高（其他香火都燒短五公分了），微亮的香火在幽暗祖宗牌位前顯得格外亮眼，彷彿意味著連香火都講究界線與距離。

半個鐘頭的祭祖儀式，對吉桑來說簡直是度日如年，挨到司儀唱出禮畢兩字，連寒暄幾句都不說，頭也不回地命令司機阿榮抬起盛文公，連人帶椅離開祠堂，跳上汽車，只留下祠堂內閒言閒語。

「大大方方吸鴉片來？」

「祭祖怎麼能遲到，時辰也不顧，到底是不是張家人啊？」

「人家是螟蛉子，管你什麼時辰？」

「福吉很忙，是大頭家人呢！」

2

車上的廣播傳來北京腔調的政令宣導：

為確保本省治安秩序，保安司令部即日起全面禁止民眾從事集會活動，禁止遊行請願，禁止罷課，禁止罷工、罷市、罷業等一切相關行為，亦嚴禁以文字標語或其他方法散布謠言、禁止隨身攜帶槍彈武器與危險物品，無論居家或外出，應隨身攜帶身分證，以備檢查；即日起亦禁止聽取大陸地區之廣播……

聽不懂北京話的阿榮問：

「社長，一直講『禁止、禁止』，到底在『禁止』什麼？今年這麼多命令下來，會影響到我們做生意嗎？」

「沒要緊啦，那是政府的事，日子怎麼變，飯還是要吃，茶還是要喝！」吉桑霸氣地回答。

「你不要一副什麼都沒關係的態度，我問你，你剛剛拜祖先時，是吃到什麼炸藥嗎？大過年的給親戚擺什麼社長派頭！」坐在車後座的盛文公忍不住發起脾氣來。

「親戚？大房的伯公有把我們當親戚嗎？張家三房大大小小包括小孩上百口，都靠我一個人做生意拚事業在張羅，伯公有沒有想到，他的孫子去東京讀醫學院的學費是誰幫忙賺的？北埔茶菁收進來是誰在製茶的？大坪山幾座山頭的木材是誰在種的？」吉桑一口氣接連抱怨好幾句。

「大家族就是這樣，不要忘了，你跟我現在的家產，都是張家的，沒有一分錢是我們私人的，你和我都是張家的螟蛉子，精明點，人家沒有期待我們做什麼大事，只要不要做張家的敗家子就好了！」盛文公邊說邊打哈欠。

---

1 螟蛉子是指收養的義子。

「哼！家族財產，日本人戰敗要離開的時候，是誰擔心我們張家因為和日本商社合作，怕被國民政府認定為日產找麻煩，課稅？是誰逼得把幾座山林、茶廠和土地過戶到我的名下去避風頭？現在國民政府不查了，又是誰急著來找我要回去？要殺頭要課稅就丟給我，風平浪靜有利潤之後就跑出來要分，阿爸，這世間的道理不是這樣吧！」

原來在前一陣子，臺北那邊已經傳來風聲，駐臺美軍想要出高價到新竹山區買軍用木材，其中相中了張家的大坪山，於是伯公上門找吉桑，想追討回當年張家的共同資產大坪山的產權，與吉桑鬧到不歡而散。

張家灶房炊煙裊裊，一幫下人連茶廠的工人都來幫忙製作番薯餅，張家年輕長工團魚搗著一大盆蒸好的地瓜泥，茶廠技工嗶嗶哥負責加糖調味，交給順妹把一個個番薯餅丟到油鍋裡炸，炸到金黃的番薯餅撈起鍋給阿榮，阿榮再把餅端到客廳。

「你們聽說社長過年後打算幫小姐找夫婿的消息嗎？」阿榮笑笑地說，在煎好的番薯餅一個個印上紅色「福」字，反面則印上「日光」兩字，福代表張福吉社長，日光代表公司名稱。

這些閒話恰好被站在廚房門口的薏心聽得一清二楚，羞得滿臉通紅不知所措，春姨見狀斥喝解圍：「番薯餅做好了？薏心的事，都不要再講了！」

大家立刻繃緊神經閉口不再多講。

春姨端了一小盤番薯餅到盛文公房間，房內昏暗如封塵數世紀，鴉片臭味逼得薏心摀住鼻孔不敢用力吸氣，盛文公躺在太師椅上抽鴉片捧著番薯餅，分給吉桑跟薏心一人一塊。

盛文公虛弱地問吉桑：「一開始你是做什麼生意？」

「在大坪山種樹。」

「然後呢？」

「做茶賣茶。」

「接著呢?」

「國民黨來臺灣以後做客運生意。」

盛文公把太師椅旁茶几上的一面獎章丟到吉桑面前,「咚」一聲響亮。

薏心嚇了一跳,對於前面這位整天躲在房間抽大煙的祖父,與其說是敬畏,不如說是莫名的害怕,這種害怕並非源自威嚴或管教,而是來自長年的陌生。

盛文公說:「你種樹做茶就算了,還玩馬賽馬,這獎章可以吃嗎?」

吉桑不發一語。

「你養幾十匹馬,聽說現在一匹馬賣幾千萬[2],十幾匹要好幾億,你不如學我抽大煙,抽一輩子也不必花好幾億,別人做生意是賺十塊花三塊,你福吉是賺三塊花十塊。」

「你養的馬有翅膀嗎?長大會飛嗎?不要以為我整天只會抽大煙,不知道你在外面亂花錢的……」盛文公越罵越起勁。

吉桑已經五十好幾歲了,早就習慣父親(其實是養父)抽完煙就亂罵人的脾氣。

「我買精製茶廠的機器,是投資,不是胡亂花錢。」但一講到事業,面對父親,吉桑往往是據理力爭,畢竟吉桑是日光茶廠與張家事業的社長,受日本權威教育的他,無法容忍社長的權威受到無理的挑戰,更何況還是在女兒面前。

---

2 以一九四九年當時狂飆的物價來算,一匹馬應該要價幾億舊臺幣,深居簡出在家成天抽鴉片的盛文公無法實際了解紊亂的真實物價。

盛文公也是知道這些道理，只能嘆口氣放軟語氣說：「福吉，伯公那一房想當頭人就依他們去，換他們賺錢養我們，又得理又輕鬆啊！」

摸過放在旁邊的番薯餅；「不要浪費，吃！」盛文公細細地「含」著番薯餅，薏心小口咬著，吉桑則鐵青著臉，心不甘情不願的一口吞下去。

離日光公司門口不遠處，傳來長串鞭炮聲，聽訓中的吉桑如釋重負：

「林經理與阿土師載錢回來了！」

炮聲炸天，七臺卡車從炮竹的煙霧中出現，魚貫停到日光公司門口，每部卡車上堆滿膨鼓鼓的茶葉麻袋，茶廠、日光公司與張家所有老老少少員工或幫傭，以及守候多時的北埔、峨眉的茶農鄉親們都衝出來追著卡車跑。

「錢回來了！」、「七臺車的錢全部載回來了！」

嗶嗶哥依慣例燃起鞭炮大聲喊：「發月給！發紅包！」

邊喊邊抬出磅秤到公司正門口，對著坐在第一臺卡車上，戴著眼鏡看起來好像整晚沒睡飽的中年人喊著：「林經理，開始秤重吧！」

林經理笑著說：「應該等社長來才能開始，規矩不要亂。」

受夠了盛文公的吉桑三步併兩步走到公司大門口，看到七部載著滿滿茶葉的卡車，臭了一整天的臉總算有了笑容。

「報告社長，收到各家洋行與大稻埕大大小小茶棧的賣茶應收帳款，一共七十億，一車十億，每捆麻袋是一百萬，一車一千袋，頭兩番車發的是茶菁欠款，第三番車發的是日光公司、日光北埔廠與洋房員工月給，第四臺車發的是還利息錢與往來商號欠款，第五番第六番兩臺車，點收入帳清楚後由阿土師押車去其他五個製茶廠發月給，第七番車去峨眉結茶菁欠款……」林經理撥著算盤扯開喉嚨大聲地對所有人報告。

點收與入帳經過吉桑同意確認後，幾十億臺幣鈔票同時卸貨甚至壯觀，堆滿了日光公司門口，甚至滿到旁邊的製茶工廠的涼棚。

「錢用點的太慢了，臺票用秤重的比較快，一斤一百萬，大家慢慢來，嗶嗶哥會幫忙秤重……」

林經理開始一一唱名：「夏茶茶菁貨款，太田叔，一億三千七百萬，臺票秤重一百三十七斤。」

「秋茶茶菁貨款，良叔、游阿良，七千萬，臺票秤重七十斤……」

「識字的請簽名，漢文日文都可以，不識字的打手印……」

發完了欠款、月給與紅包後，又發番薯餅給在場的員工鄉親，折騰到傍晚總算送走所有人，林經理見四下無人拉著吉桑到新洋房的偏廳開會。

「社長！你交代的事情、想見的人，我已經安排好了，大年初五約在臺北總公司見面。」

「大年初五？他們都不用過年啊？」

「是你要他們越快越好，而且市面不太穩定，他們也希望趕快敲定。」

吉桑從銀菸盒掏出一根香蕉牌紙菸，緩緩地抽了一口說：

「國民政府撐不久了，臺幣終究會變成廢紙，你聽過日本時代分現金要用秤重的嗎？」

3

大年初五，大稻埕街道不若往年熱絡，很少有洋行與貨運行開門營業，來往臺灣與海外、大陸的船隻，幾乎全數被國民政府徵用去載運從大陸撤退來臺灣的人貨，就算洋行有貨要載也抓不出船期，索性放假到元宵開張，再看看船運情況，街上也因為實施各種緊急命令而異常冷清。

受林經理邀請來日光臺北總公司的一共只有兩人，第一個是五十多歲閩南人，名字叫萬水來，人稱萬頭家，是聚源貿易行的老闆。聚源貿易行是大稻埕一帶規模數一數二的地下錢莊，號稱不怕客人借不到錢，但利息也比衡陽路的銀樓高出許多。

日光公司在幾年前曾經向萬頭家調過幾回頭寸，這一次是為了日光最新完工的製茶廠所需要的大批茶菁收購款，不得不來找萬頭家，過年前日光最新的北埔精製製茶廠完工，平均每天可做出將近五百公斤的精茶或一千公斤以上的毛茶，根據日光的技術，從茶菁到精製茶，經過萎凋、浪菁、炒菁、揉捻、乾燥、烘焙等工序，一百公斤茶菁只能做出四十公斤的精製茶，但這種耗損比率已經是全臺灣茶廠的最低，多數小型製茶廠多半只能做出毛茶，然後將毛茶賣給洋行，洋行再找像日光這種製茶公司將毛茶做成精製茶。

但其他幾間位於大稻埕的製茶公司，不是產能不夠，就是耗損率偏高，日光去年添購最新的機器所蓋的北埔精製廠，可說是全臺灣最新最大且效率最高的製茶廠。

產量高也必須要有更大量的茶菁才能製作，日光本身的茶園與契約茶農所採的茶菁不敷如此龐大的製茶產能，所以日光必須在春天大量對外收購茶菁，蓋這座廠除了耗盡過去一年的盈餘外，吉桑個人的「庫底」也差不多被盤光，不得不找上萬頭家調頭寸。

況且，今天的目的還不只調頭寸這一樁。

第二個客人叫做范有義，與吉桑同為客家人，是寶山峨眉一帶最大的茶販子，也擁有幾座小型規模的毛茶廠，穿著不如吉桑派頭，是個油條的鄉下人。

萬頭家一臉神祕兮兮，從口袋取出一張面額「六十億元」的紙鈔[3]，講著不流利的客家話：「昨天拿到的，新疆的錢，六十億啊！」

范頭家笑著說：「我們大家都會講日語，你不必勉強講客家話，況且臺北這邊的客家話也和我們慣用的海陸腔差很多。」

接著萬頭家將鈔票捲成一捲用來點菸，鈔票瞬間燃燒，范頭家驚嘆著。

萬頭家叼著菸：「這張六十億鈔票在大陸的新疆買不到一碗飯。」

沒見過世面的范頭家好奇接過六十億「火種」，好奇看著被燒個大洞的錢，一旁吉桑倒是一派輕鬆笑著范頭家說：

「隨便抓半兩茶菁還比這張六十億值錢！說到錢，萬頭家，今日要跟你商量調錢的事。」

范頭家不知道吉桑約萬頭家的目的，一聽到調頭寸，立刻知趣地插嘴：

「我不方便在這裡，要不，我下午再來。」

吉桑笑了笑：「都快要變成一家人了，一起聽聽這趟生意吧！」

范頭家聽到一家人三個字，心情頓時放鬆不少。

---

3 中華民國史上發行最大面額「六十億」，新疆省限定發行。

萬頭家笑：「我看還是把生意趕緊講一講吧！大過年的，喜事卡重要啦！不過，難聽話得說在前頭，這種時機，利息會高一些！」

在旁邊作陪看著燒破洞的六十億新疆鈔票的林經理有點緊張：

「多高啊？」

萬頭家壓低聲量：「七分囉！利息錢先扣一個月！」

「夭壽哦，萬頭家，您是開錢莊還是開黑店啊？」范頭家吃了一驚

吉桑豪情地說：「生意做得成，一點利息算什麼！」

「是啊！做得，就做得！吉桑家大業大怕什麼！」萬頭家附和著。「不知道吉桑想借多少？」

「不多，三、四張新疆鈔票面額而已。」吉桑指著擺在菸灰缸的鈔票灰燼。

萬頭家掐指一算後吞了吞口水：「你是說要借……？」

「兩百億而已！」吉桑一派輕鬆。

在場除了吉桑外，包括一起來的林經理、阿土師與作陪的范頭家，異口同聲地驚呼起來。

「你開錢莊怕人借錢嗎？有困難的話我去找洋行借也行。」吉桑故意搬出洋行兩字，事實上，茶廠向洋行借錢的確很稀鬆平常，而且利息也比較輕，但跟洋行借錢有其限制，譬如要連帶簽茶葉買賣契約，賣茶價格一旦簽死，等於一整季替洋行賺微薄工錢而已。

阿土師對吉桑努嘴，這是他們兩人長期的默契，意思就是要吉桑先緩一緩，或自己人先商量清楚。

阿土師身為日光的總製茶師，除了製茶外還有項過人的長處，他總能在關鍵時刻，幫忙吉桑做出重要正確的決定，或者幫吉桑踩剎車，思考細膩面面俱到，才是他的真本事，吉桑能在臺灣茶市闖出一片天，阿土師居功厥偉。

「土生！買茶菁要現金，老舊的大坪廠翻新也要現金，不必煩惱還錢的問題。」

「這二十年來，從來沒有我吉桑還不出的債！」吉桑豪邁地端起面前的茶一飲而盡。

萬頭家拿出隨身攜帶的算盤撥弄一番：

「兩百億就兩百億，不過……這麼大一筆款子，如果不多一點手續，我很難……」

多年來習慣以債養債來調度生意的吉桑聽得出萬頭家的弦外之音，毫不猶豫地接著說：

「你想跟我要擔保品出來，對不對？你說吧！你想要哪幾個茶廠或茶園？」

萬頭家想了一會兒，吞吞吐吐地回答：

「你把茶廠茶園押給我也沒用，醜話講在前面，萬一你還不起錢，我一個茶葉門外漢哪有辦法做茶賣茶啊？」

吉桑知道錢莊這種生意人，敢出來談生意，早就已經打好算盤，他不急著接話。

「吉桑！不然這樣，你能拿出張家那塊位於竹東北埔交界的大坪山作擔保品設定抵押給我嗎？那座山不種茶也沒茶廠，也不至於會耽誤你的茶生意。」

聽到大坪山，這次換林經理著急了，拚命對著吉桑使眼色，料想萬頭家應該也已經聽說美軍打算採購大坪山的軍用木材消息。

「萬頭家應該知道抵押權並不包含地上物的使用權吧！」林經理搬出中華民國民法的規定。

「當然當然！你如果不熟習法規帳務，可以請代書來一起談借款契約。」萬頭家看了林經理一眼。

林經理不甘示弱地頂了幾句：「從日人時代到現在國民政府，我對法規可是……」

「林經理，你就和萬頭家的代書在會議室慢慢地談。」吉桑知道林經理最無法忍受別人譏笑，如果不打斷，勢必會和對方爭辯不休，況且，今天還有椿更重要的事情要談，他話鋒一轉：

「范頭家，你今天有什麼事情要找我商量嗎？」

范頭家恭敬地說：「這幾年我跟著您做茶，從一個挑畚箕翻山越嶺的茶販子，到今日可以蓋小毛茶廠開公司，全是託您的福氣！公司名叫『富記』，專門為『日光公司』做茶，請多多關照啊！」

吉桑有點吃驚：「唷，有義兄你也開公司啦，以後要叫你社長了！」

范頭家笑著：「不敢當！喝茶、做茶，我還要跟張社長學習，有事盡量吩咐！」說完之後親自取出自家茶廠的白毫烏龍，沖泡一番畢恭畢敬地親手對吉桑、萬頭家與阿土師奉上。

吉桑聽到范頭家提到開公司，老練的他知道范頭家是為了自抬身價。就財力、家族實力與社會地位，張家是臺灣第一大的茶廠，而范家不過是寶山鄉下的小小茶廠，讓自己的么兒入贅張家雖說已是高攀，但提親時的場面話還是得說足，以免自己么兒入贅張家後被人輕視。

由萬頭家當介紹人，范頭家么子范文貴入贅張家獨生女張薏心的婚事，就在日光公司的辦公室，與兩百億的大借款一起談定了。

回北埔的途中，林經理忍不住心中疑惑：

「社長啊！婚嫁講究門當戶對，大稻埕一堆商社、政府高官，一年來透過各種關係來打聽薏心的婚事，就算是為了日光公司的未來，也輪不到范頭家……」

「范文貴好歹讀過大學，時代不一樣了，讀過書的人，很難願意入贅，就算願意，如果對茶一竅不通，以後怎麼接手茶廠呢？」

阿土師坐在前座笑著對林經理說：

「你別相信頭家講那堆好聽的話，其實根本就是捨不得薏心離開身邊啦！」

「社長！借這麼多錢，以後怎麼還？」林經理在車子後座撥打著算盤「連本帶利一年後要還五百四十億，把我們自己採收、從北埔峨眉茶販子收來的茶菁，就算把范頭家能幫我們收的毛茶也算進來，春夏兩季十座廠日夜趕工，最多只能做二十噸的精製茶，現在洋行每公斤收三十萬塊，頂多只能賣五六百億，到時候賣掉茶葉，還債都不夠，別說收茶菁的本錢、工資，工廠公司開銷，吉桑……」

吉桑揮了揮手打斷林經理的財務報告：

「你跟我做生意這麼多年，難道還不知道我們賺錢的祕密嗎？」

「茶做的好只是最基本的，我們賺的是物資財。」

「物資財？」

「別把茶葉看成單純茶葉，要把茶葉看成像黃金一樣，現在是茶金的時代，你想想看，戰後上等茶，一公斤從五毛漲到三十萬，連以前沒人要的茶骨茶渣，一公斤也漲到好幾萬。等今年的茶做完之後，一公斤茶就會從三十萬漲到五十萬，甚至一百萬。」

「你記得日本時代，我們茶廠剛起家時，向日本三井商社借臺幣五千塊，那時候五千塊可以蓋茶廠、剩的錢還可以收上一兩年超過一噸的茶菁，三年後還債時隨便賣個百來斤粗茶就連本帶利輕鬆還清負債，你應該還記得吧？」吉桑洋洋得意地說著。

「所以，你認為國民政府根本控制不了物資物價的波動？」阿土師提出疑問。

「國民政府？明年此刻還債時，它還在不在？很難說！」吉桑始終認定國民政府遲早要完蛋。

「這道理你我都懂，難道在錢堆裡打滾幾十年的萬頭家會不懂嗎？他都不擔心他借出去的現金會變薄嗎？」林經理始終無法信任萬頭家。

「哼！他的錢？他哪來這麼多錢！他也不過是過個水，從銀行搬錢來套我們的利息。」吉桑對大稻埕錢莊的運作瞭若指掌。

「為什麼我們自己不去銀行借利息比較薄的錢，他就借得到呢？」林經理問完便發現自己的問題很愚蠢。

「關係啊！今年這幾季的茶，只要讓我賺到手，接下來就換我們自己去攀關係了。」吉桑手中捏著一張臺灣省茶業公會的改選公文。

4

一九四九年清明

客家傳統在正月元宵過後開始掃墓祭祖，不像福佬人或唐山人集中在清明，且清明正逢春茶採收季節，張家自然不會在清明祭祖掃墓。

春姨指揮廚房製作艾粄（客家的草仔粿），為了這幾百個艾粄，廚房家裡上上下下忙了好幾天。

「今天是什麼日子嗎？又買鞭炮又辦酒席。」嗶嗶哥踩著三輪車載著一堆從北埔街上買回來的鞭炮。

「放鞭炮時自然會叫你，那麼多廢話！」春姨罵了幾句。

吉桑與薏心在盛文公陰暗房間裡。

「范頭家第五兒子文貴，妳還記得嗎？」

「不記得！」薏心不願與父親有視線交集，轉望窗外。
「阿爸，對方是寶山范頭家第五個兒子，是個大學生，人很古意，很乖！」
「乖？同你這般乖嗎？」盛文公哼了一聲。
「人，我今天已經請來了，雖然不太合禮數，但大坪廠要翻新，新廠也快要開工，我希望他趕快上手，范頭家也同意了他先來幫忙，過了端午挑個好日子再行嫁娶……」
「不必講那麼多，反正張家現在是你福吉說了算，薏心她媽媽如果還在世，不可能讓你胡亂主張，這麼大的事情也不找別人商量。」盛文公看了薏心一眼。
「茶廠生意太忙，一時忘了跟阿爸講一聲。」
「是薏心嫁人又不是我，你有問她一聲嗎？」盛文公替薏心抱屈。
「這事，我有選擇的權利嗎？全家上上下下過年前就知道了，就我一個人不知道。」薏心氣呼呼地走出盛文公房間。
「早訂晚訂，遲早的事，對妳沒壞處。」吉桑望著薏心的背影自言自語。
此時，外頭傳來茶廠的放炮聲音，吉桑聽著炮聲，忍不住臉上露出笑意。
等在公司門口多時的嗶嗶哥，遠遠看到公司幾部熟悉的卡車開回來，耐不住性子就燃起鞭炮大聲喊：
「分錢了！分錢了！」
嗶嗶哥興高采烈地指揮卡車司機將一車車的鈔票放了下來，此時，茶廠的大門外牆牆邊站著一位二十出頭歲的男人，個頭中等提著箱包，黑黑瘦瘦地穿件過小的舊西裝，下意識拉了拉身上，想讓它稱頭點。
「新來的？」男人正要走進茶廠，卻被嗶嗶哥攔住，打量著他。
「我姓范，從寶山富記茶廠來的，張社長叫我來日光工作實習。」文貴恭敬地回答。

「我叫嗶嗶哥，我對新人最好了！你手腳乾淨嗎？」

文貴張開手掌，表示剛洗過手很乾淨，嗶嗶哥白了文貴一眼，是那種「手腳乾淨」，不是這種「手腳乾淨」，嗶嗶哥看他忠厚老實樣，就不和他爭辯了。

「把這幾袋搬上去磅秤。」嗶嗶哥使喚文貴。

文貴立刻放下箱包，把地上裝錢的茶袋死命地搬上臺秤，秤著重量，不料，一動身出力，身上西裝的肩胛處撕裂開來。

「這茶袋怎麼這麼重？」文貴氣喘連連。

「你鄉下來的？不知道我們公司都是用茶袋裝鈔票。」

文貴看著幾部卡車卸下的幾千包茶袋，整個人都看傻了，在寶山鄉下的老家小毛茶廠哪能見識如此驚人的場面。

不遠處，吉桑催促薏心來到茶廠，文貴見兩人到來像看見警察一樣自動立正站好，放下錢袋，並緊張地遮住肩胛處的西裝破洞。

「社長好！」

「文貴，一路辛苦了！」吉桑叼著菸斗。

「不辛苦！這趟路值得走。」

「文貴，坐！休息一下！」吉桑指著茶廠門口的椅子。

「可是嗶嗶哥前輩交代要搬的袋子還沒搬完。」文貴不敢坐下。

「你不坐，那我陪你搬袋子好了。」吉桑說完捲起袖子作勢彎腰去搬。

文貴見狀趕緊坐下。

吉桑轉頭吩咐站在旁邊還搞不清楚狀況的嗶嗶哥：「去叫阿土師出來接，然後去廚房叫春姨趕快開桌，就說日光的姑爺已經來了。」

聽到文貴以及姑爺幾個字，嗶嗶哥突然感到腦袋空空地不知所措了。

腦筋一片空白不只有嗶嗶哥一個人，從頭到尾站在茶廠角落看著這一切的薏心，面無表情地望著這位命中註定的男人范文貴。

吉桑叼著菸斗，比了手勢要大家圍過來。

「從今天開始，文貴加入我們日光，大家歡迎他！」

文貴對所有人鞠了九十度的躬，大家拍手鼓掌，其中拍得最大聲的是嗶嗶哥，想彌補之前的失敬。

「請多多指教！請多多指教！」文貴躬身之際，西裝的破口更明顯了，十來位員工發現姑爺竟穿了件破西裝，看愣了，幾名員工訕笑。

吉桑對薏心說：「你還記得文貴嗎？有空帶文貴去臺北做套禮服，順便做幾套合身的衣服。」

文貴跟薏心二人的眼神首次照面，薏心禮貌性向文貴點頭，隨後便將目光移開。

「大小姐好！」文貴很羞澀，漲紅著臉，眼前女子就是他未來的「妻子」，他卻不知該看哪裡才好。

薏心沒有尷尬、沒有羞澀、沒有雀躍、沒有悲愁，只是安安靜靜地看著文貴，看著擺在文貴後面的茶廠的新機器，以及遠方山嵐霧霾。

茶廠裡面機器轟隆響比火車發動還要大聲，每個人得像吵架似的開口大喊，吉桑帶文貴步入茶廠，第一次踏入日光茶廠，文貴看著四周巨大機器，他寶山家中的小毛廠簡直只能稱得上工寮。

「我有十座茶廠，設備都是全臺灣最大、最新的，尤其這一間北埔精製廠，是去年才特別請日本的建築師設計過的！」吉桑對文貴得意介紹著，文貴對製茶機器很感興趣，薏心則是興趣缺缺。

有意巴結的文貴扯開喉嚨回答：「我爸有跟我講，日光茶品質好，全省都要日光的著蜂茶來併堆，才有辦法賣得好價錢！」

「只有好的機器還不夠，還要有最棒的茶師、技師，你知道我們日光為什麼可以請到最厲害的人手嗎？」吉桑指著在旁邊的揉捻機指揮的阿土師。

「你自己也種茶做茶，應該知道桃園新竹的茶樹，一年三收，頂多四收，第四收的茶菁，我們就不用，一年三收，每季收茶菁的日子了不起二十天，茶菁收來要在最快的時間做成精製茶，所以每季收成，工廠頂多開工一個半月，一年下來工廠最多開工半年，從收茶菁到精製完成可以賣出去，需要大量的人工，包括師傅、徒弟、雜工，機器也需要技師。」

「你們家怎麼找工人呢？」吉桑反問文貴。

還沒等文貴答話，吉桑自己就講下去：「一般小茶廠就是一家人一起做，人手不夠的時候才臨時請雇工，做幾天就發幾天工錢。」

懂這些道理的文貴頻頻點頭。

「我們日光，就算是農閒的冬天，照常發薪水，我們發的是月給，許多人笑我是阿舍，但是每個來日光工作的茶師、技工或雜工，他們可以全心全意地在日光工作，不用擔心青黃不接的農閒時的吃飯生活問題，而我們日光也不必每幾個月就擔心找不齊夠熟練的人手，做出來的茶的品質也就可以維持高水準。」

一口氣講這麼多，文貴似懂非懂，但他知道這裡是安身立命大展身手的唯一地方，想到這裡，視線從揉捻機轉過去看薏心一眼，但薏心的眼神始終沒放在文貴身上。

一行人來到倉庫，茶廠工人們來來去去搬著毛茶入庫，文貴驚嘆著眼前倉庫的規模。

「這個茶不能收！你回去吧！」林經理搖搖頭。

「你們欺負小孩！」拿茶菁來賣的是個九歲小男孩烏子，茶農烏面叔的兒子，騎輛破腳踏車載著大包茶菁，他倔強地用不甘願的眼神盯著林經理。

「茶，一摘下來就開始發酵了，你拖太久才拿過來，還塞滿一布袋，茶菁本身沒有好好保護，葉破斷枝，你自己聞看看！」阿土師見吉桑前來打開茶袋，給烏子看，文貴也積極湊上去學習。

烏子與吉桑一聞，同時眉頭深鎖。

「小茶販，你的的茶菁做不了茶，很抱歉，不能賣錢。」林經理委婉地對烏子說。

「文貴你來看一看！」吉桑有意藉機測試。

別說從小做茶長大的文貴，就連剛入行的學徒也分辨得出烏子這批茶菁不能收，但文貴心思很細膩，他猜想吉桑絕對不會用這麼簡單的題目來考自己，他假裝聞一聞捏一捏，看著烏子焦急的模樣，又瞧瞧吉桑看著小男孩滿臉慈祥的笑容。

「的確不是什麼好茶，只是，它的茶骨茶枝還是可以收進來，做成廟埕菜市場的奉茶……不然也可以收進來做茶肥……」文貴只是察言觀色，自己當然知道這番話實在經不起檢驗。

「你今天走運，一斤五萬塊錢收！」吉桑和阿土師相視而笑，林經理則悶悶摸著鼻子，打開錢袋點著鈔票交給烏子。

烏子喜極而泣，收下錢放在空茶袋。

「小茶販，阿伯教你，錢要綁緊才不會掉，茶菁裝袋要留點縫隙給葉子喘氣，茶才不會壞掉，知道嗎？」阿土師藉機指導眼前這位小小茶販子。

烏子點頭表示知道，點了錢收好綁緊，感激地看了一眼文貴恭敬點頭，踩著腳踏車離去，林經理收著錢袋，邊出聲抱怨：

「頭家和女婿收起茶都這麼大方，唉！」

「走，坐車來去巡茶園！」吉桑命令阿榮備車。

吉桑的座車是美國雪佛蘭進口車，他刻意選綠色車身來與茶葉生意匹配，整個北埔包括附近的峨眉寶山，吉桑的雪佛蘭是唯一一部私家轎車。

阿榮開車，文貴坐在前座，後座載著吉桑、薏心、阿土師，阿榮指著一望無際正在忙著採收春茶的茶園：「這片山頭的茶園，都是社長的。」

「整個山頭！」文貴驚訝著。

「不只，後面你看不到的也是，董事長的茶園，鳥飛三天三夜也巡不完。」

「有幾座山頭不是最要緊，這些茶農才是我們公司的水源頭，要好好照顧。」吉桑藉機對文貴教育一番。

「別的地主是出來巡田水，我們社長出來是巡茶農，打聽誰家娶媳婦、誰家有人生病、誰家有什麼困難。」身為日光二當家的阿土師也藉機指導文貴。

車經過茶園停下，採茶婦們見到吉桑、阿土師等人熱情揮手，文貴也忘情地揮著手，便發現自己實在沒什麼立場，尷尬地手放下。

車子繼續往深山開去，來到一座偏僻老舊卻有古樸氛圍的茶廠，這是日光創業時蓋的第一座茶廠大坪廠，進入廠內，員工們禮貌地跟吉桑與阿土師招呼，此時，後方角落的電源處忽然冒煙，茶廠員工趕緊關掉電源。

「說幾遍了電壓不夠！如果要打開前面機器，後面那一臺就要關，你想嚇死社長？」大坪廠領班出來罵新來技師。

新技師等了半晌後重新打開電源，只看到星火冒出，整座茶廠跳電，原本轟隆隆的機器停止運轉，茶廠忽然安靜了下來，文貴看著與全新的日光廠有著天壤之別的老舊大坪廠，倒是和家裡的茶廠很像。

吉桑安撫犯錯的員工，走近冒煙處仔細視察，摸摸跳電的老機器，露出一副嘆惜的樣子：

「老了！東壞西壞的。」

茶廠內有張老審茶臺，地方雖然狹小老舊，但維護得很乾淨，牆壁上有阿土師得獎的獎狀及報紙裱框，薏心仔細看著得獎剪報。

「平時都不知道事情的人，幹嘛看這麼仔細？挑錯字啊？還當自己是保育院老師啊？」吉桑笑著。

薏心被父親消遣，不以為意地注意到一處像神壇的地方，放著造型奇特的雙層水滴型玻璃茶樣。

「那是阿土師為日本天皇做茶時，留下的茶樣！」吉桑看著滿牆事蹟與茶廠歲月，遙想著當年光輝。

阿土師泡著茶：「每次有人來，你就要講一遍？不會口渴嗎？」

審茶臺上一排阿土師沖好的茶，吉桑拿了兩杯。

「文貴啊，這是我第一間茶廠，二十多年囉，大坪廠老了，我們也老了，」吉桑望著四周，「我要把它翻新，交給你……」吉桑拿了一個茶杯交給文貴，文貴慎重地接過茶杯。

「你要把我的茶傳下去！」吉桑與文貴將茶一飲而盡，薏心看著父親把心愛的事業交予陌生的文貴，她感到羨慕。

吉桑把茶底翻出來鋪開，檢視著茶葉，手指頭輕壓一下：「這茶葉硬身沒有彈性，全是老茶？」

「這款又粗又硬的老茶梗，阿土師竟可以做成這樣的好茶？」識茶的文貴也喝出端倪讚嘆著。

「社長，這好茶不是我做的，我找了很多年才找到有能力接我總茶師職務的人，是深山茶寮的細妹[4]做的。」

「是個細妹？」吉桑感到十分驚訝。

「是個細妹。」阿土師很篤定。

說完，阿土師熟練地拿出另一茶罐，翻轉茶蓋，讓蓋子承接住一堆濕濕的「茶底」，把鼻子湊進茶底裡，嗅入完整的香氣，專注沉靜評估著茶的味道及等級，慢慢沖泡後端給吉桑。

吉桑好奇看著眼前茶杯，對坐的二人很有默契的同時喝了一小口，連低頭品味的動作都一致，感受著舌尖上的味道，互看一眼。

「澀！」

「苦！」

「這是石頭師用同一批老茶焙出來的。」吉桑喝著茶，思量著。

「細妹做茶師真的行嗎？」

「做茶這件事，要夠努力，但也要看天分。」

「石頭呢？」

「石頭繼續努力了。」

「阿土師說行便行吧！細妹做茶也無妨。」

薏心聽著父親與阿土師這句對話，眼神發亮起來又品了一口手中的茶。

5

端午節前

春茶的製作告一段落，生長狀況良好的茶樹會有下一波春茶採收，再怎麼快也得等到農曆六月，此時茶廠只剩下少數的特殊茶還需要製作，這段期間阿土師會盯緊各個茶廠的機器保修，尤其是老舊不堪的大坪廠，閒暇之餘還會利用剩下的次等茶菁枝葉做成老茶保存下來，或者拿出賣剩的精製茶，親自烘焙些手路茶、個人送禮茶或特殊的比賽茶。

凌晨，茶師與技師都已經沉睡在廠房旁的宿舍內，阿土師獨自一個人在廠內的小帳篷前焙茶，剛焙完一批重火的熟茶，很滿意地裝入茶袋時，卻嗅到什麼味道。

不遠的電路冒出火星，才剛綁好茶袋，火勢就蔓延開來，阿土師隨手抓起旁邊的空茶袋想要撲滅起火點的火苗，卻不慎點燃帳篷，這時阿土師突然想到外面宿舍還有幾個茶師技工正在熟睡，人命關天顧不得滅火，只能先衝出去把人叫醒。

清晨前最黑的夜色中，電話聲在張家洋樓一樓劃破寧靜，房間離電話最近的是司機阿榮，睡眼惺忪地接起電話後臉色大變。

連睡衣都來不及換的吉桑，帶著私家轎車與幾部卡車迅速上山救火，文貴、嗶嗶哥、石頭（日光公司

4 細妹是客語的年輕女孩子。

僅次於阿土師的二茶師）等員工與住在附近的茶農全都趕上山，只見大坪廠外一片混亂，地上是水痕、焦土、與散亂燒焦的茶，或被水淋濕的毛茶，流著「茶湯」色的地面，以及茶廠的熊熊烈火。

「阿土師還在裡面！」吉桑聽到有人喊這一句，剎那間雙腳一軟連站都站不太穩，心急如焚的他也顧不得社長形象，跟著大家一起提水滅火。

經過一個多鐘頭的灌救，火勢才被控制下來，只剩零星火花，幾個年輕的技師奮勇地衝進去火場大喊：「阿土師！你在哪裡！」

沒多久幾位技師垂頭喪氣地走出來，只見他們扛出一具濕漉漉的遺體。

吉桑難以置信地看著，前一天還在一起喝茶、陪伴自己三十年創業、亦師亦友有如兄長的阿土師。

原來，阿土師發現廠內起火後，趕快衝到宿舍把所有人喚醒，茶師與技師各個年輕力壯，在最短的時間就逃離火場，正慌張地尋找救火工具打算滅火時，聽到阿土師大喊一聲：「我的天皇茶！」他頭也不回地闖進火場，幾個年輕技工來不及拉住他，眼睜睜地看他衝進火海，二茶師石頭想冒險進火場救阿土師，卻被其他人拉住。

「沒多久，社長和公司的人就趕上來了！阿土師拖出來的時候，懷裡還護著這幾瓶茶罐！」石頭指著擺在遺體邊的幾甕陶罐。

了解事件始末後，吉桑激動地大哭：

「土生！你怎麼這麼笨！就為了這些茶嗎？茶會比命重要嗎？茶再做就有……傻瓜！真的是傻瓜！」吉桑跪倒在地上。

薏心跟著嚎啕大哭，看著父親抱著阿土師遺體不放，她這時才想到，自己好像從未得到父親如此真情的擁抱。

第二章

1

一九四九年陽曆初春三月，一架美國道格拉斯 C-47 大型運輸機在破曉時分緩緩降落松山機場，駐臺美軍的地勤與松山機場的工人忙著卸下一箱箱的物資，美國懷特公司總經理迪克從機艙內匆匆地走出來。

來迎接他的是在印度盟軍俘虜營認識的ＫＫ。

一年多不見，太多往事等著敘舊，但ＫＫ知道現在不是聊天的好時機。

「一路從洛杉磯飛到關島基地，待了兩天才等到這班運輸機，足足花了四天才來到臺灣啊！」迪克伸伸懶腰，整理一下衣容，ＫＫ舉手行個軍禮，才發現迪克穿的是一般西裝。第一次看到不是穿軍裝的迪克，ＫＫ有點不太習慣。

「ＫＫ，電報上忘了告訴你，基於懷特公司的特殊地位，我來臺灣之前已經辦理退伍，不再是迪克上校，正式場合上要稱呼我迪克總經理，懷特公司受美國國務院全權委託，負責在臺灣的美援與投資業務。」

「看了你穿兩年多的軍服，是有點不太習慣。」ＫＫ看著有點發福的迪克，眼前這位一起共患難過的老外，舉手投足早已擺脫軍人氣息。

「戰爭老早就打完了，還天天想著打仗，許多人就是想不通。」走在機場大廳的迪克經過懸掛在牆壁上的蔣介石照片說著。

「這一兩年辛苦你了！」坐上安排的專車後，迪克才卸下緊繃的神經，掏出 LUCKY STRIKE 香菸，一根給KK，自己也點上一根。

「這趟來臺灣恐怕得待上好幾年，特地帶了幾百條美國香菸，怕抽你們中國菸不習慣。」

「哈哈！你太久沒來亞洲了，在臺灣，只要你出得起錢，美國有的臺灣都有，要不要幫你找位白人淑女晚上陪你……」KK笑著。

「資本主義萬歲！」KK與迪克一起歡呼著。

「別鬧了，到宿舍休息一下，下午就要和領事館以及這趟一起來的官員專家開會，你替懷特公司工作快兩年，知道我們美國人，個個都是急性子。」

一九四七年，在聯軍戰俘營的KK獲得釋放，回到臺灣就進懷特公司工作，這是當年在印度與迪克的約定。迪克與幾位美國商人官員合組了懷特公司，打算在臺灣與亞洲承攬戰後的重建工程，會講英文又有化工專業、且在俘虜營與迪克建立起深厚情誼和共事經驗的KK，自然被相中並邀請擔任懷特公司在臺灣的專員。

KK回到臺灣，兩年來不眠不休地工作，除了擔任懷特公司在臺灣的籌備工作，也負責蒐集臺灣的產業貿易條件、政經政策甚至包括國民政府高層祕辛等等。

七雙精緻雪亮的男鞋在美援聯合大樓走道發出叩叩聲響，美國駐臺領事約翰領著懷特公司總經理迪克、工程顧問歐文、通譯專員KK、美國經濟學者及美國國務院與軍方代表，一行人西裝筆挺地在會議廳坐定。

「經濟合作總署已經正式發布命令，從今天開始，臺灣的所有美援工作，不再由官方或軍方主導，由你們『懷特工程顧問公司』全權負責，官方雖然退出主導，但會另外委任迪克總經理為國務院顧問，享有與臺灣各級政府官員議定合約的權力……」[5]

「我真的能『全權』主導嗎？蔣介石政府不會干涉嗎？」迪克再度提出疑問。

約翰領事取出正式官方授權文件給迪克：「當然，說到底這些都是我們美國出的錢！」

受到充分授權的迪克，高興不到三個月。

一九四九年六月二日上午九時三十分在臺北寶慶路懷特公司辦公室舉行「行政院美援運用委員會」（簡稱美援會）第一次會議，出席的除了懷特公司人員、美國在臺官員外，還有行政院副院長、經濟部長、臺灣省政府財政廳長、建設廳長、交通處長、農林廳長、糧食局長以及物資調節委員會主委等多位高級官員，

現場中外媒體群集，鎂光燈此起彼落。約翰領事、懷特公司迪克總經理、國府袁副院長和經濟部長四人笑著握手，四人各執「美援會」合約，背景是中、美國旗，氣氛歡快。

臺上的司儀用標準的北京腔國語與英國腔美語做開場：

「中華民國與美國簽定雙邊協定，美國每年提供一億美元援助貸款，進行各項經濟建設，中美將聯合建設臺灣，成為亞太地區反共抗俄民主的堡壘……」

ＫＫ負責拍照記錄，工程顧問歐文來到ＫＫ身旁。

「老兄，中國和美國成了一樁美事，對吧？」歐文開心極了。

「對臺灣是一件大事，對美國只是小事一樁。」ＫＫ語氣平淡。

行政院副院長邀請迪克與美國領事入列合影，ＫＫ拿起相機按下快門，但他看得出迪克的笑容有些僵硬。

會後迪克回到自己辦公室，氣憤地將自己的名牌用力摔在桌上：「無能、貪心！整個國民政府，上上下下都是小偷，令人作嘔！什麼三民主義節制資本，根本就是要拿我們的援助去養他們的軍隊而已，完全不反省自己怎麼把大陸丟掉的。」

KK聽著迪克的抱怨，一邊收拾東西回答：

「顯然中、美對美援運用有著不同的想像空間。」KK一副理所當然的答覆讓迪克很困惑。

「KK、別忘了你是美國懷特公司專員的身分，凡事要以公司利益為優先。我對他們說過幾百遍了，美援資金的運用必須放在公共建設及扶植民間企業，不是為了維護領導威權，把各種資源握在自己手中！」

迪克不耐煩地指著臺灣省政府農林廳來函請求援助南部水災農戶的賑災公文說：「我們美國人有句諺語，與其送人魚吃，不如給把釣竿並教他釣魚。最好笑的是想騙我們的錢去蓋兵工廠，要不要乾脆叫美國人幫蔣介石反攻大陸算了。」

「他們的確是這麼想的，好比一個心態只是短期的租客，而我們卻要資助他們打地基、重新上梁柱，對他們來說沒有任何意義。」

「你的說法易懂又貼切，下次我打報告回美國會提到這個比喻。」迪克心有戚戚焉。

KK專注於撰寫今天的典禮活動與會議紀錄報告，除了中英文之外，他還必須另外再打一份日文報

---

5 美國的「經濟合作總署中國分署」（Economic Cooperation Administration, Mission to China，簡稱ECA）與「行政院美援運用委員會」（簡稱美援會）的共同運作，聘請工程顧問公司J.G. White Engineering Corporation（簡稱懷特公司），擔任美援運用與執行上的工程顧問，直接參與對臺灣的經濟、工業、社會發展等建設的規畫與監督。

告。

迪克從保險箱中取出一份密件對著KK說：「我要告訴你一件美國政府對於全世界美援的最新指導備忘錄，我今天以榮耀的軍人身分告訴你，也請你用軍人的榮譽心來聆聽，美援資金未來不再撥給各國國營事業，尤其以貪腐著稱的臺灣的國民政府，上頭要我們懷特除了資助公共建設外，更要積極扶植民營企業。」

KK愣了一下後開懷大笑：

「這意味著我們可以放開手去生產化學肥料與塑膠了。」

迪克看著KK的打字機靈機一動說：

「KK，我們來寫一篇文章，用中文！讓大家明白『美援』該怎麼用？」

「我們要蓋公路、水庫、橋梁、發電廠、大學、港口、化肥工廠……已經夠忙了，現在還要辦雜誌嗎？」KK疑惑著。

迪克拿出一本中文雜誌《民主思潮》給KK說：「別誤會，我只是打算投稿到中文刊物，用輿論影響政府！」

聽到只是投稿KK鬆了一口氣，翻開版權頁看到編輯名字王瑛川三個字後，整個人又陷入沉思，久久無法言語。

2

一九四九年六月上旬

為了下午的會議忙了一早上的ＫＫ，扛著布袋去公司後面巷子吃麵，路上所有行人都費勁地扛著大布袋，還有不少人推著板車，布袋與板車上裝的是一捆又一捆的臺幣鈔票。

「頭家，一碗切仔麵加一顆滷蛋，怎麼賣？」點餐之前必須先問清楚價格，否則會出現鈔票帶不夠的窘狀。

「二十萬一碗，但是今天沒滷蛋，養雞的販子今天沒出來賣。」攤販老闆報價之前先打了一會兒算盤。

「什麼？我上個月來，一碗麵加滷蛋才十萬，一個月就漲了一倍？」ＫＫ裝作嚇了一跳的樣子，其實他每幾天就要負責調查物價並報告給迪克以及懷特公司，只是報告上的數字歸數字，實際上街買麵更能感受萬物飛漲的可怕。

「少年仔，我這攤是這條街最便宜的了，你去問隔壁賣便當的，一粒已經漲到二十五萬塊錢，而且整條街就只剩下我們兩攤開門做生意。」麵攤老闆愛莫能助。

「巷仔尾那間雜菜麵呢？我看他好一陣子沒出來擺了？」ＫＫ最喜歡吃閩南口味的雜菜麵。

「一斤麵粉一千萬，誰買得起？而且想買也不見得買得到！」

「奇怪！聽說美國仔的船天天載幾百噸的麵粉來，怎麼會？」ＫＫ一大早才去基隆港點收美援送來的物資。

「哼！貨一下船，美國仔點收後，立刻就偷偷裝到去唐山的船，全部都載過去大陸。」

「那是我們臺灣人的麵粉啊，政府怎麼這樣搞。」負責第一線點收美援物資的ＫＫ忿忿不平。

「少年仔！你不想買麵就別在這裡亂講話，你沒聽過擺攤賣菸的，黑白講話，就被開槍……」

這次換ＫＫ打斷麵攤老闆的話：

「好啦！頭家幫我包起來，我臺幣帶不夠，給你美金，美金一碗麵怎麼算？」

ＫＫ扛來的布袋，裡面只有十多萬塊，由於ＫＫ在美國公司上班，發薪水是直接用美金，為了方便起見身上總會帶些現金，幸好領的是美金薪水，如果領的是臺幣，月初所領到的臺幣，幾天就不夠用了。

「不早講，你用美金，美金最好了，一塊美金我換大碗的麵給你，還加你兩粒滷蛋。」

「你不是說沒滷蛋了？」

麵攤老闆喜孜孜地回答：「有美金，什麼都有賣！如果你拿米、茶葉、美國菸來換切仔麵，我也收。」講完之後用最快的速度煮麵，深怕這位有美金的小財神後悔不買。

ＫＫ剛離開，就聽到麵攤老闆對下一個客人吆喝著：

「一碗切仔麵二十五萬！」短短不到十分鐘又漲了五萬。

下午一點，美援聯合大樓的懷特公司長廊迎來一群高官，其中官階最高的是國民政府行政院袁盛平副院長，帶著幾位財經相關的部長、軍方與臺灣銀行高層主管[6]。

「打到哪了？」

「報告袁副院長，共產黨已經渡過長江了，南京、上海、九江都失守了。」

副院長一行人在一道門前停下來，他不滿地看著官員及將軍們，思忖了一陣：

「美國人應該會在我們的貨幣改革上作文章，你們有什麼想法？打開這道門之前先商量好。」

幾個人你看我我看你的不發一語。

袁副院長心裡有數：「臺灣島內現在多了一百多萬人要吃飯，大陸的前線更是有千萬人等著吃飯！沒米沒糧，沒槍沒彈，這個仗要怎樣打下去？唉！有辦法就不用來找美國人了。」

操著濃厚江浙口音的經濟部長說：「反正美國人有的是錢！臺幣他們既然不喜歡就再搞另一個新臺幣。」

「還是那套改貨幣的老方法啊！」沒有什麼其他方法，袁副院長心知肚明。

中美雙方站在長條桌邊，一邊一國激辯著。

「我們打算中止現在的臺幣，改發行新貨幣。」副院長拿出事先準備好的「幣制改革方案」給美方官員，美方這邊由KK負責翻譯。

「……近數月來，中央之軍公費用及各公營事業之資金，多由臺省墊借。歷時既久，為數又鉅……今年以降大陸局勢緊張，中央軍政款項之墊借尤為龐大。以致臺省金融波動，物價狂漲……決定以四萬元臺幣兌換一塊錢新臺幣……」臺灣銀行官員唸著。

聽到四萬換一塊，約翰領事拍桌怒罵：

「新貨幣這件事，我美國政府堅決反對！幾年來你們胡亂搞了法幣、金圓券、銀圓券，現在你們又要搞新臺幣。」罵歸罵，心裡卻有數。

---

6 一九四九年，中央銀行還沒遷來臺灣，掌管臺幣與臺灣金融的主管機關是臺灣銀行。

「為了幣值改革穩定金融，這也是沒辦法中的辦法。」臺灣銀行官員嘆了一口氣。

「發行新貨幣是很危險的事，你們不就是這樣才把大陸搞丟的！」迪克毫不留情。

「如果你們不支持，那麼我們只好宣布臺灣地區使用美元，以美元為唯一法定貨幣。」經濟部長提出最後的法寶。

懷特公司總經理迪克一聽大表反對：「開什麼玩笑，這豈不要我們美國完全扛起你們中華民國的經濟負擔，搞清楚，我們只是來幫助你們的，不是來養你們的。」

KK邊翻譯邊看著雙方一來一往，像打乒乓般來回激辯不休。

約翰領事改用流利的北京話回答：

「要我們同意臺灣幣制改革，你們必須答應立刻切斷與中國大陸之間的所有物資與金錢的來往。」現場國民政府官員很吃驚，領事約翰的北京話如此流利。

國民政府官員面有難色，經濟部長臉色一沉，看著美國人，不同意也不敢反對，因為過去的失敗經驗的確如約翰所言。

「不要以為我們是瞎子，我們援助的物資一船一船被你們偷偷載到大陸去，這些物資是要援助臺灣的，大戰都結束四年了，你們內戰到現在還沒打完……」約翰攤牌。

「我們也希望戰爭早點結束，要是有足夠的物資，我們一定可以反攻大陸。」袁副院長果斷回答。

「反攻大陸？對臺灣人來說沒有吸引力，你去問問，有幾個臺灣人要反攻大陸？」約翰反唇相譏。

大家目光突然投向KK，因為現場只有他一個臺灣人。

「劉專員，你說說，你會想反攻大陸嗎？」約翰好奇地問著。

袁副院長語氣尖銳地問KK：「你打過仗嗎？」

迪克一聽感到不妙，這種敏感且兩邊不討好的話題，實在不能由KK在國府官員面前回答，只好站起來打圓場：「今天討論的是貨幣改革與美援，不是軍事會議……」

「打過，而且是當日本軍官！」KK誠實面對，迪克一聽心想不妙。

「在哪個戰區？」袁副院長繼續追問。

「馬來亞婆羅洲，我是和美軍英軍打仗，沒和中國軍隊交戰過，而且才剛到南洋，不到兩個月就被盟軍俘虜輾轉送到印度，懷特公司的迪克先生當時是戰俘營的指揮官。」

「哼！日本皇軍要求軍官要戰死，你怎麼活了下來呢？」一位國府將軍嘲諷KK是個俘虜逃兵。

KK不卑不亢地回答：「我是臺灣人，在一個不是屬於我的戰場，我有自己活著的理由。國家也是，臺灣如果活不下去，還談什麼反攻大陸。」

在座的將軍不能接受這種反動言論，但副院長卻示意KK繼續講下去：

「這是我今天的午餐，一碗麵加一顆滷蛋，你們知道多少錢嗎？」KK指著來不及吃的麵說道：

「二十萬，吃完後漲到二十五萬。」

KK走到窗邊，打開窗戶指著外面懷寧街上的大小板車說：

「每個人吃碗麵都要推板車載鈔票，物價越來越貴，很多臺灣人賣房、賣地、賣黃金，只求能換到三餐溫飽，這種最迫切的吃飯問題才是我們臺灣人最關心的事情。」

「劉專員，把你剛剛說的話用英文對在場的美國人也說一遍。」袁副院長用惜才的口吻命令KK。

說完之後默默坐下，KK拿起筆記本繼續他翻譯與記錄的工作。

約翰與副院長不發一語看著對方，現場只剩下臺銀官員繼續唸著冗長枯燥的臺幣改革方案。

3

一九四九年六月十五日，茶廠外收音機傳來陣陣廣播，茶師與茶農聚集到廣播機前仔細聆聽。

收音機傳來標準北京話：

即日起依「新臺幣發行辦法」，實行舊臺幣四萬元兑換一元新臺幣，兑換時間為每日上午七時四十分至下午四時整，即日起亦停止與大陸地區之金圓券及其他貨幣匯兑業務，並保持美元固定匯率制度，可以一美元兑換新臺幣五元；若有哄抬物價者，一律依法處置；勞工工資方面，即日起，物資供應局聘顧之臨時小工，工薪資亦調整為每日新臺幣一元三角七分……

茶農太田叔問著：「嘰嘰咕咕，阿山仔倒底說什麼？聽得懂唐山話的大人都去臺北。」

嗶嗶哥裝出一副權威口吻：「我聽得懂啦，依法處置這四個字就是要大家聽話別亂跑別亂來，我上個月跟阿榮哥去臺北，大街小巷都聽到依法處置這四個字。」

全臺灣的臺灣銀行外擠滿了要換新鈔票的人群，有人扛了幾麻袋，有人一家五口推了五部板車，也有從田裡趕著牛用牛車載舊鈔票來的，也有些做生意的老闆、後面跟著幾十個挑著舊臺幣的挑夫。

最大的陣仗莫過於臺北的臺銀總行前，包括吉桑的日光公司的十部卡車在內，臺北大大小小商社公司所派出去的卡車少說好幾百部，車陣從重慶南路排到東門，這幾天最熱門的生意就是卡車運輸業，一堆大戶急著僱卡車把家中上百億甚至千億的舊臺幣載到臺銀換新鈔。不知道是業務量過大，還是臺銀那些外省公務員只顧看報喝茶的官僚作風，導致點鈔換鈔的速度太緩慢，兌換新鈔的人群不滿抱怨著：

「搞什麼鬼，銀行沒有錢，做什麼銀行！」

「四萬塊換一塊，是要我傾家蕩產嗎……」

「本來二十萬換兩支蚊，現在我一隻雞換兩塊錢！」

「新鈔票早就被大官換光了！」

三天前才剛從怡和洋行收到茶款四百億，共裝了十部卡車與兩部客運巴士，天還沒亮，日光臺北總公司的湯進東湯經理就指揮著司機與工人去臺銀總行排隊，挨到下午三點總算輪到，結果卻因為新臺幣印製數量太少，只能先換一張臺灣銀行本票。

「四百億的貨款，剩一張一百萬的支票？」捏著一張薄薄的紙，吉桑哭笑不得。

晚上十點，卡車伴隨嗶嗶哥放的鞭炮聲開回日光，石頭哥，嗶嗶哥和莫打（北埔茶廠技工）老早準備好機械臺秤，林經理翻著帳冊拿出算盤站在秤臺旁邊的帳務桌，近百名茶農、茶販，在臺秤前自動排成一列，等著領錢，茶農太田叔照往例排第一個。

卡車駛過鞭炮的煙塵，吉桑拎著一只扁扁的公事包下了卡車，頭也不回的就走進日光辦公室，卡車的後斗空空如也，讓大家嚇呆了，所有人看著吉桑離去的背影，一臉莫名其妙。

精明的林經理知道大事不妙，歉意地請大家明天晚上再過來領，茶農與廠商雖然沒拿到現金，基於對吉桑多年的信任，也只好明天再來了。

四萬塊換一塊讓張家現金一夜緊縮，各事業部經理齊聚一堂討論對策，席中包括林經理、湯經理、林業部廠長、客運公司經理[7]，茶廠二師石頭仔以及即將入贅的文貴。

吉桑拿出一張薄薄的支票交給林經理：「今天開始，四萬換一塊，賣給怡和的茶款，四百億茶款就只能換到一百萬的支票。」

「支票？十幾臺車載出去……變一張紙？」林經理拿著支票對著燈端倪半天。

「臺銀總行開出來的，明天可以去臺銀桃園分行換新臺幣，臺北兵慌馬亂，到處都換不到新臺幣，有支票就要偷笑了！」湯經理解釋著：

「免煩惱，反正所有的貨款、欠款都統統除以四萬，算盤打一打就可以解決，一覺醒來天也不會塌下來。」吉桑一派氣定神閒，弄著菸絲。

整個新竹地區沒有臺灣銀行，離北埔最近的臺銀在桃園，臺北桃園分頭兩地跑了一天的銀行的湯經理與林經理眉頭深鎖，他們可沒老闆那麼樂觀。

果然被林經理他們所料中，第二天的臺銀桃園分行一樣是亂烘烘的，除了少數從半夜就去排隊的小攤販商人外，沒人能領到足夠的新鈔票。

「我老母要看病救命，沒現金！」

「今天如果領不到錢，討債的人會對我不利啊，拜託啦！」

「我家米缸沒米……」

「拜託啦！我媳婦要生孫，沒人比我更急！」

「今日是我兒子訂婚要下聘金，沒聘金，我兒子會娶不到老婆啊！」

「我的田已經半個月沒澆肥，沒錢買肥料，今年整甲的菜園……」

不只升斗小民販夫走卒，連日光這種有錢的商社都陷入前所未有的危機。

奔走了一天，只領到新臺幣二十萬塊，這還是透過層層關係才能領得到，已經發覺不妙的吉桑納悶起來：「為什麼大家都換不到新的臺幣鈔票？」

「消息很亂，臺銀的經理偷偷告訴我，負責印鈔票的臺灣銀行，也搞不清楚四年來到底印了多少舊臺幣，而且還聽說福建廈門的臺灣銀行分行，最近一年也偷偷摸摸自行印了好幾兆的舊臺幣，根本不知道該印多少新鈔票的臺銀，只能根據臺灣省政府公文的指示來印製新的鈔票，照這種速度，舊臺幣換新臺幣，至少得耗上半年才換得完。」林經理整理一下兩三天打聽下來的消息。

「我們換不到，別人也一樣換不到，別操煩了，國民政府政策初一十五不一樣，新臺幣一定會失敗，到尾又變成一堆廢紙，很快又跟以前一樣，不用愁！我們的茶葉還是會比鈔票還值錢，茶菁照收，茶照做。」吉桑看著大家，一副無事樣。

「可是，社長，公司門口整排的茶農與廠商站著等我們發現金，還有日光的員工薪水、客運巴士等著要加油、養馬的飼料……這些款如果沒有先清一清，下一季不會有茶農挑茶菁來賣。」林經理比著門口。

「還有，木材生意雇工都是按日計酬……」

「怡和下一季的出貨新約還沒簽，茶菁要不要先少收一點……」

「沒賣茶，我們吃什麼……」

「大家別吵了，社長，今日外頭來請款的差不多是六十萬，我們手上的新鈔票是二十萬。十天內還要付蓋洋樓的尾款、薪水、林林總總大約七十多萬……」林經理老早就把帳務算得一清二楚。

---

7 吉桑的事業包括新竹地區最大的客運巴士公司。

吉桑心算一番後說：「今天來請款的人，每人先還三分之一，剩下的先欠一個月……等臺銀存款剩下的八十萬拿到後就可付十天後的債務，過兩天大稻埕的王記黃記兩家小貿易行，會給我們茶款……」一開始四萬換一塊，吉桑有點算不清楚。

林經理看看大家，吞了吞口水說：「王記黃記兩家欠我們十萬元，但是，聽說已經倒閉跑路了，我昨天派人去大稻埕，人去樓空什麼東西都要不回來……」

一點也看不出慌張的吉桑說：「做生意被倒點小錢，難免，我聽說萬頭家昨天來到北埔，去找他商量商量。」

「這種時機，社長還要再借錢？」

「生意是靠借出來的，利潤是靠周轉拚出來的，沒有我吉桑還不出的債，去打聽萬頭家住哪家旅社，晚上請他吃飯。」吉桑自認解決了，輕鬆地泡了一壺最新做出來的青心大冇種紅茶。

林經理幾個人面面相覷，最後由湯經理開口：「萬頭家人就在外頭，一堆鄉親就是他慫恿來要債的。社長，現在不是泡茶的時候，你最好到外面去看一看。」

阿榮急忙衝進來結結巴巴地叫著：「社長，外頭連白布條都拿出來了！」

吉桑與幾位幹部推開公司大門走出去，發現在旁邊的工廠倉庫門口以及洋房外牆的榕樹，掛滿了寫著「吉桑大頭家！我要吃飯！」「欠債還錢！天公地道！」等布條。

一群人看到吉桑出來，鬧烘烘地七嘴八舌，萬頭家還帶著幾個看起來面生的外鄉人起鬨：「還錢！還錢！」

一輩子在生意場上相當順遂的吉桑哪看過這種場面，一張臉氣炸了宛如豬肝紅，二十年前剛開始做茶葉生意時，也曾經碰到要債上門，但那次上門的畢竟是張家自己人，而且當時是由阿土師斡旋奔走才度過難關。

「要是阿土師還在世就好！要是阿土師還在世就好！」亂了分寸的吉桑嘴裡念念有詞。

「吉桑！你說什麼！聽不懂啦！什麼！沒錢！」萬頭家用彆腳的海陸腔客家話來故意曲解吉桑。

「萬頭家，欠你的錢的期限還有半年多，你憑什麼來亂。」林經理發現除了萬頭家以及他帶來的人以外，幾個北埔茶農鄉親和廠商，都只是跟著小聲嚷嚷，基於擒賊先擒王的道理，先把萬頭家的嘴堵住再說。

「還有你，你家又不缺錢，為什麼只為了區區兩千元來為難社長。」林經理指著太田叔。

聽林經理一番話後，眾人竊竊私語起來，以太田叔為首的幾位和吉桑熟識二十多年的鄉親的態度似乎軟化不少。

沒想到萬頭家話鋒一轉，大聲地咆哮著：「對！大家不是沒錢，只是臺銀和農會的新臺幣全部被你們日光領光，大家還要吃飯，小孩讀書要註冊，新錢被你們領光，太過分了！」

萬頭家一番謠言的確打中大家的要害，一堆鄉親去銀行與農會排了幾天，連一塊錢新錢都換不到，就算存摺有錢也領不出來。

不忍父親受此汙辱的薏心默默地看著現場，叫春姨順妹去廚房準備端午節的點心，她跳上茶廠倉庫門口的出納桌對著大家不徐不急地說：

「各位叔叔伯伯，大家先進來我家泡茶，有事情坐下來慢慢說。」

薏心想起幼兒園當老師的經驗，當糖果不夠發給每個小孩子時，得先叫小孩子乖乖坐好，給點時間跟小孩子講道理，往往可以平復一場吵著要糖吃的哭鬧。

「是薏心啊，長這麼大了，變漂亮了，什麼時候要嫁人，記得通知我來喝喜酒啊！」一些看著薏心長大的老茶農老廠商笑了起來。

林經理見大家坐定喝茶後氣氛漸趨和緩：「日光讓大家照顧這麼久了，也從沒欠過各位，可張家畢竟不是銀行啊！」說完對著薏心投了個讚賞的眼神。

「各位鄉親，聽我講，我這裡不是銀行，我也沒有新錢，大家給我一點時間，等我跟怡和洋行簽夏茶約，訂金拿到就給各位，大家改天再過來。」吉桑激動的心情也已經平復不少。

萬頭家繼續咄咄逼人：「是你欠錢不是我欠錢，今天你一句『改天再來』，改天是改幾天，舊錢換新錢的期限是半年，半年內不去換，舊臺幣就變成一堆廢紙，你張家家大業大，隨便一塊田，種稻種菜也餓不死。」

這時站在吉桑後面的薏心又開口：「就像萬頭家講的，我張家家大業大！既然換錢的期限是半年，大家是否可以用半年的期限來商量商量呢？我能理解大家的擔心，新臺幣才剛發行，大家全急著換新錢，當然換不到！」

部分債權人聽了，覺得薏心講的有道理，吉桑看著女兒說服大家，情緒複雜地看著女兒，好像她才是社長。

薏心看林經理一眼，兩人似乎取得某種默契，林經理叫阿榮把辦公室新臺幣現金拿出來，全部攤在客廳桌上。

「原來新臺幣長這種樣子，橫的改直的，國父的大頭怎麼印成這樣……」所有人都是第一次摸到新臺幣，七嘴八舌的研究起來。

林經理趁機把剛剛開會的決議說出來：

「公司有現金二十萬，我算了你們來的人，一共欠六十萬，今天來請款的人，每人先還三分之一，剩下的欠債，每兩個月還三分之一，半年就可還清。」

大家看著吉桑紛紛點了點頭。

「嘿嘿嘿！且慢！俗語說不怕討債的凶，只怕欠債的窮。」萬頭家不願意讓自己好不容易掀起的風波就此平息。

吉桑眼見局面對自己有利，反唇相譏：

「萬頭家，你在臺北放利息當金主，你不要跟我說你沒錢吃飯，眼前這些現金是還我的鄉親讓他們度難關，和你沒關係啦！」

萬頭家拿出年初與吉桑簽的借據說著：

「你欠我舊臺幣本金加上半年利息連本帶利是五百四十億，四萬換一塊，債務也是四萬換一塊，你欠我新臺幣一百三十五萬。」

大夥聽到五百多億這種天文數字，瞬間鴉雀無聲。

林經理見招拆招回答：

「你仔細看看，借據上頭的還款日期，清楚寫著民國三十九年一月三十一日，還有大半年，你憑什麼現在來討債。」

有備而來的萬頭家攤開借據指著說：

「裡面有一條規定，如果法定的貨幣有變動，甲方也就是日光公司必須在新發行之法定貨幣發行日後一周內提前以新發行貨幣償還或者雙方在合意洽商下更換新契約……」

「白紙黑字很清楚，一個禮拜內也就是五天後要拿新臺幣來還，不然，大家就法院見了。」簽約時誰也不會把這條條款當一回事，只是任誰也沒想到局勢的變化會如此之劇烈，萬頭家一付得理不饒人的姿態。

萬頭家還故意對著上門的所有債主大聲講：「到時候法院來查封，不光是抵押品大坪山，連茶廠都得查封。」

誰也沒料到萬頭家會藉要債來掀吉桑欠下巨債的底，大夥先聽到幾百億又聽到法院查封，心想一旦連茶廠都被查封，張家靠製茶賺錢的管道就被封死，以後根本不可能靠做茶賣茶來還債，好不容易重新建立起對日光與吉桑的信心馬上蕩然無存。

「我跟你無冤無仇……」吉桑一聽整個人抓狂起來作勢想要毆打萬頭家，林經理與阿榮在旁使勁地拉住吉桑。

洋樓大廳、後廳與廚房，所有人連氣都不敢喘一下。

「我看這樣子，吉桑，你把抵押的擔保品過戶給我，我們的借款契約就當著眾人的面註銷，你如果覺得不划算，我還可以當場補差額付四十萬新臺幣現金，你可以立刻還掉現場鄉親的所有債務，大家也不必再等半年。」萬頭家故意在現場鄉親四個字加重語氣。

說完之後叫隨從攤開公事包掏出四十萬新臺幣現金，擺在桌上。

吉桑知道自己無路可退，林經理、湯經理、薏心、文貴、春姨、石頭師也知道。

一群債主坐滿了家裡客廳，在自己房間抽著鴉片的盛文公聽得一清二楚，他氣得把鴉片煙捽到地上，把吉桑叫到房內訓斥一番：

「我抽鴉片一輩子，我可沒欠人半毛錢！現在居然連債主都上門了。」

「以前叫你別去做什麼生意，你不聽，好啦！現在連祖產都守不住。」盛文公打了吉桑一巴掌，從床下的箱子拿出大坪山的地契，扔到吉桑面前。

「印章去蓋一蓋，丟臉的事情趕緊處理處理。」

盛文公狠狠地抽了口鴉片大煙，讓自己麻痺。

「不肖子孫啊！」

4

四萬換一塊錢的風波足足拖了三個多月，造成民間經濟相當大的損傷與動盪，一開始因為現鈔印製不足造成民間買賣交易陷入停擺還只是小兒科，更大的傷害是債權債務之間的糾紛，這絕對不只是把債權債務金額除以四萬來計算那麼簡單而已，如債權債務的抵押品價值認定的混亂、佃農與地主對於土地作物與租金的分歧，大自山林礦產小到青蔥大蒜，買賣雙方無法清楚定價導致交易秩序大亂，市場機制完全遭到破壞。

如果說舊臺幣物價上漲的禍害是火山爆發，則新臺幣用四萬換一塊的做法則像是冰雪寒災，臺灣也許不再萬物飛漲，卻跌進一個「萬物跌跌不休」的緊縮浩劫。

吉桑、日光公司、北埔茶農甚至遠在臺北的高官巨賈，任誰都無法知道，經濟緊縮時代即將到來。

吉桑將大坪山過戶給萬頭家後，張家大家長伯公找上門來

「聽說你把大坪山過戶給萬頭家！你憑什麼賣祖產！」一見面就是劈頭大罵。

「憑什麼？大坪山本來就是我的！」吉桑講完立刻發現自己講話態度太過火，立刻放低姿態話鋒一

轉：「伯公，請你放心，萬頭家他只是個放高利貸的，山頭給他也不會經營，等我再收兩三季的茶賣給洋行，就會想辦法把它買回來，最多讓他賺點差價。」

「福吉啊！不是我倚老賣老，你這款做生意方法，家底遲早會敗光。」

剛經歷過大敗一場的吉桑知道自己沒有立場辯護，只好委婉地說：

「經過這次教訓，自己也認真檢討了很久，以前我不重視和國民政府與各界的關係，才會落得如此下場。」

吉桑認定這次風波肇因於自己和臺銀等金融界關係不夠深，才換不到足夠的現金，自己平常也沒和各級公家機關的大官往來，才被萬頭家用上法院的手段給擊敗。

「所以……」

伯公打斷吉桑說話：「我不是來聽你懺悔的，我是要來告訴你這次臺灣省茶業公會理事長的選舉……」

吉桑聽到茶業公會四個字精神就來了：

「阿伯也這麼關心理事長的選舉？剛好我正想去找你商談這件事情，你以前勸我不要小看國民政府在臺灣的實力，這次我想通了，我認為一定要選上公會理事長，做理事長多少能接到政府的大單！藉此改善與政府的關係，以後做生意才不會吃政治悶虧。」

正在喝茶的伯公差點嗆著：

「你說什麼？你要選理事長？我今天就是來通知，我們張家這次決定要支持三峽的蘇家出來選，你要選？張家上下難道只有你會做茶賣茶嗎？你要選？去掂掂自己的實力，別說大坪山，搞不好連茶廠都快保不住了，憑什麼出來選。」

「伯公的意思是不支持自己宗親，要去支持外姓？」吉桑感到既震驚又沮喪。

最重視宗親血脈的伯公聽到這種指責有點心虛：「福吉啊！聽伯公一次，你的好兄弟阿土師剛剛過世，這一陣子又因為四萬換一塊的事情，我勸你暫時歇歇手整頓一下，先讓蘇理事長再做一任，下一屆換你做，就這樣說定吧！」

「送客！」吉桑感到伯公的羞辱，心中不是滋味，不想再跟伯公廢話。

吉桑頭也不回地走回二樓，留下氣呼呼的伯公與尷尬的薏心。

5

阿土師的獨子幾年前被皇軍徵召到南洋當充員兵，不料運兵船剛駛出基隆港，就被美軍轟炸機擊沉。出殯當天由義子石頭與義弟吉桑捧阿土師靈牌，阿土師是吉桑最得力的助手，更視其為兄長，喪禮自然辦得極為盛重，當天所有茶廠停機一天，日光所有員工與張家上下全部參加。

客家喪禮講究時程，天還沒亮出殯隊伍就已經出發，剛走過天水堂，只見留守茶廠的嗶嗶哥急急忙忙跑過來告訴吉桑：

「臺北湯經理打電話過來，要我立刻告訴你，怡和洋行那邊的單子有點問題，要你無論如何親自跑臺北一趟當面去見怡和社長。」

在旁邊的林經理心裡有數：「看樣子……」

「出殯時別講太多話，」吉桑轉過頭看著薏心與文貴說：「你們幫我跑一趟代表我去簽約，大衛叔叔跟妳也很熟，請妳轉告他今天是阿土師的喪禮，我改天再去拜訪。」

阿榮車開得飛快，早上不到九點就來到臺北，和大衛叔叔約定的下午三點還很早，薏心支開了文貴與阿榮，來到附近的天主教教會附屬的幼稚園，薏心曾經與同學圓仔在此擔任幼稚園老師。

走進幼稚園，看到小孩慌張害怕亂成一團，兩位修女安撫著孩子，拉著他們，生怕讓他們跑了，排頭是一名洋醫生在注射天花預防針。

「薏心，回來的剛好，來幫忙安撫小孩！」薏心的出現對圓仔宛如看到救星。

「妳做什麼都比我早一步，早一步嫁人，早一步懷孕，連當年學校考試都比我早一步交卷。」先一步嫁人的圓仔已經懷胎五個多月，薏心也即將嫁做人婦，三個月不見，一見面就有聊不停的話題。

「早點交考試卷可以趕著去看電影啊！」二人笑開了，旁邊的加拿大籍修女瞪了她們一眼：「小孩子打針的時候，身為老師別帶頭嬉鬧。」

薏心調皮地吐了吐舌頭。

「我的情況有點特殊。」薏心嘆了一口氣，把文貴招贅的事情說了一遍。

「也對，我是嫁，妳是娶，所以遇到妳，吃虧的絕對是對方！」圓仔是閩南人，會感覺招贅比較奇怪。

「我很羨慕妳，至少妳們是談了兩年的自由戀愛，我呢！PAPA一句話就決定我的一輩子，別說後悔，連個商量的餘地都沒有。」薏心反覆折著隨身小手帕。

此時，加拿大修女向薏心與圓仔求助：

「月婷不見了！每次打針都跑不見人影！」

「月婷？」

「這學期才轉來的，身世很可憐，媽媽與祖母、外婆在空襲被炸死，阿公因為案件而被……」

圓仔講到案件兩字時，神情緊張東張西望深怕不小心被人聽到，當時二二八才發生不久，臺灣社會依然處於風聲鶴唳人人自危的狀態。

「輾轉由一位沒有血緣關係的叔叔撫養，沒空的時候就丟給一個唱戲的去帶。後來，以為早已經在南洋戰死的父親居然活著回來，只是……唉，不知道是被嚇到還是怎樣，連話都說不出來。」

薏心了解情況，自告奮勇幫忙找，最先去廁所找，推開一間一間廁所，彷彿聽見什麼，站定原地，頭上傳來咚咚聲響，她爬上育幼院頂樓，看見一位女童正在攀爬閣樓的尖形屋頂。

隨即趕來的圓仔與修女見狀尖叫起來，月婷聽到大人的尖叫與責罵聲，更加緊張地握住閣樓屋頂的避雷針，順勢爬了上去。

「月婷的爸爸上班的地方就在附近。」修女趕緊要圓仔去找月婷爸爸過來

薏心牙一咬，脫了鞋襪也跟著爬到閣樓的斜瓦狀屋頂，強忍害怕裝出一副鎮靜模樣：

「月婷，妳為什麼不要注射？」

看見老師爬上來，月婷更加慌張，差點把避雷針折斷，如果摔下可能會斷手斷腳。

「哎呀！」下面的修女嚇得連看都不敢看。

薏心連忙出言安撫月婷：「注射很痛，我每注射一次就哭一次，連現在我長大了都照哭不誤。」

薏心胡亂猜測一通，沒想到還真的猜對了，因為月婷從有記憶以來，每年都有至親慘死，喪禮時被大人交代不要亂哭，但她總是會忍不住，到最後月婷居然自認都是自己不聽話亂哭才讓爸爸（當時傳回已經戰死南洋的死訊）、媽媽、祖母、阿公一一死去，好不容易盼回從戰場回來的爸爸，她擔心自己一哭又會

失去唯一的親人，可是打針真的很痛，又無法忍住痛哭，所以只好乾脆逃避。

慢慢地，月婷態度已經軟化，這時月婷的父親也來到現場。

薏心抬頭問月婷：

「現在可以下來了嗎？我保證等妳不想哭不會哭的時候再注射！」

月婷點點頭，低頭看看離地面的高度才完全嚇傻，開始放聲大哭，此刻，已經不是願不願意下來的問題，而是不敢下來，薏心就算在屋頂上站立起來，也抱不到月婷，更不能用爬竿的方式順著避雷針往上爬，因為細細一根避雷針根本無法承受一大一小的重量。

在下面的月婷爸爸ＫＫ見狀出聲提議：「老師這樣好不好，我爬上屋頂，然後妳踩著我的肩膀，伸出手就可以抱住我的女兒。」

薏心一聽，穿長裙的自己，豈不讓眼前這位陌生男人看到自己裙底風光，但救小孩要緊也顧不了那麼多，只能漲紅著臉點點頭答應。

月婷爸爸很快地攀爬上閣樓斜瓦狀屋頂，蹲好馬步，一手緊緊抓住薄薄一片屋頂的屋簷瓦片，另一手攙扶著薏心讓她能順利地踩著自己雙肩，要求薏心雙腳一定要夾緊他的脖子與頭，待薏心站穩後，他整個人靠肩膀與腰力將薏心往上抬。

這時候的薏心也不知道哪裡來的勇氣，明明自己雙腳已經抖個不停，還抬起頭來對著月婷叫著：

「快，跳到老師身上！」

對薏心已經建立百分之百信任感的月婷，毫不猶豫的朝薏心懷裡撲跳下去。

月婷被安全救了下來後，抱著薏心嚎啕大哭起來。

「沒事沒事！」薏心抱著月婷輕聲地在耳邊安慰著。

反倒是看著這一幕的修女，在危機解除後暈了過去。

「妳比男孩子還要勇敢果斷。」嚇得臉色蒼白的圓仔對薏心刮目相看。

薏心看著手表大呼來不及了，為了營救小孩，時間不知不覺已經來到下午，她穿好鞋襪整理儀容再一次抱著月婷：「別再亂跑亂爬！」之後便匆忙趕去怡和洋行赴約。

月婷的爸爸追了過去喊著：「謝謝老師！」

6

午後的怡和洋行，除了此起彼落的打字機聲音外沒人交談，薏心與文貴被請到二樓最深處的審茶室，室內有張長條型的審茶桌，以及幾張椅子，兩旁的櫃子一邊擺放茶具，另一邊則是酒櫃，坐在他們對面的是一位看起來有點老邁的英國人大衛，他滿臉歉意地看著眼前兩位年輕人說：

「很遺憾，阿土師不幸過世，吉桑還好嗎？我應該親自去參加阿土師的喪禮。」大衛來臺灣已經四年，加上曾代表怡和派駐上海多年，講得一口標準的北京話。

薏心及文貴表示感謝，二人對望，尷尬地不知道由誰來回話。

最後是文貴出聲：

「謝謝，社長正忙著處理阿土師喪禮以及火災善後，他叫我們來代表日光簽約。」

大衛瞇著看看兩人後：

「薏心，這位是妳未來的夫婿范文貴？新竹寶山富記茶廠老闆的兒子，是吧？」眼前這位在臺灣紅茶界稱得上是喊水會結凍的老外大人物，居然叫得出自己的姓名與來歷，文貴受寵若驚。

「你一定很好奇，為什麼我連你這位小朋友都叫得出來？」大衛指著審茶室外面幾十部打字機。「我們怡和負責亞洲所有茶業的採購，臺灣所有茶種茶樹，大大小小的茶園茶廠茶販子以及貿易商，每個茶區不同茶廠的採收與出貨數量、成本、大中小盤的售價，北到三峽南到鹿谷日月潭，連氣候都掌握了最完整的情報，每一家茶廠，家裡有哪些人，甚至財力狀況，我們都知道，不只臺灣，連印度、越南、馬來西亞、印尼的茶區，怡和都知道的一清二楚。」

「別小看外面那些忙碌的打字員，他們才是掌握臺灣茶葉命脈的人。」

大衛泡了壺紅茶，示意要薏心文貴品嘗。

淡黃茶色異常清澈，茶湯在嘴內慢慢散發果香，且有著大部分紅茶少有的回甘。文貴從小在茶園茶廠長大，見識過各種冠軍茶比賽茶，但手中這杯卻讓他驚豔地說不出話來。

「如果我說這杯是第六次沖泡，你們信不信？」大衛的說明連對品茶還算外行的薏心都感到無比震驚。

「這是印度大吉嶺產的紅茶，戰爭已經結束四年，印度茶園已經從戰火恢復，光一個大吉嶺省的產量，一年就有五千噸的產量，這還沒把其他幾個更大的產茶省分算進去，這杯茶的收購價格每磅才〇．二美元，而另一個產茶國印尼，雖然品質差一點，他們的茶葉甚至只有印度的一半價錢。」

已經來日光幫忙好一陣子的文貴快速地心算，大吉嶺紅茶的產量是日光公司的二十倍以上，就算把其他茶廠的紅茶算進去比，產量的差距幾乎接近天文數字，更要命的是成本，文貴聽到每磅〇．二美金，連算都不用再算了。

大衛收起笑容繼續說下去：「其實吉桑叫你們來也好，有些話我實在對他開不了口，來臺灣做生意多年，也慢慢地了解到臺灣生意人的人情味，想當年我隻身來臺，也是靠吉桑的幫忙，才能讓我把戰後第一批紅茶運回英國，讓飽受戰火摧殘的英國同胞有溫暖的紅茶可以喝，這些都要感謝吉桑與日光公司。」

「你們剛才也喝了印度紅茶，站在怡和公司的立場利益，我必須轉到印度去採購，更何況，臺灣這陣子四萬換一塊，搞得連我們也無法精準估算在臺灣採購紅茶的成本。」

說到這裡，大衛站了起來對著薏心嘆了一口氣：

「臺灣的茶在國際市場已經沒有競爭力了，很抱歉，今年的夏茶……我們沒辦法簽了，也會暫時停止在臺灣的所有採購計畫。」大衛對兩個年輕人感到十分抱歉，起身離去。

「大衛叔叔！」薏心看著大衛背影，不簽約了？那家中在等的錢怎麼辦？她急中生智，看見了一旁酒櫃。

大衛走到門邊，停下腳步，看著薏心倒了二杯ＸＯ。

薏心端著兩杯ＸＯ走向大衛，她的手微微在發抖，但試著維持住端莊優雅，她把一杯端給大衛。

薏心端起手中ＸＯ，試著用不太流利的簡單英語：

「生意歸生意，我想替父親感謝你，這些年……敬你們的『友誼』。」

（Business is business, I'd like to thank you for all these years ... To your "Friendship"）

薏心一飲而盡，臉都紅了。

「只是，現在我父親遇到難關了，這一杯也同時敬臺灣的人情味。」

大衛聽著，他知道自己說的話術被薏心拿來套住自己，大衛接過酒杯喝下了那杯ＸＯ，然後自己又倒了一杯一乾而盡。

「哈哈，我這杯是回敬妳這位有膽子向我敬酒的臺灣小女孩，就當作是我個人對妳的投資，妳要好好加油，等我們怡和重回臺灣。」大衛露出一副愛才惜才的模樣。

文貴在一旁傻傻的搞不太清楚狀況。

兩人回到位於大稻埕的臺北總公司覆命，湯經理一臉難以置信，看著坐在對面的薏心跟文貴，文貴坐在旁邊，像個小跟班看著薏心。

「大小姐，您確定？」湯經理聲音在發抖，望著手中的訂單

「往年怡和夏茶每個月至少下兩三百萬磅，今年只訂二十萬磅？」

薏心一字不漏地轉達大衛的話，湯經理桌上散亂著一堆報表，快速打著算盤，長嘆一口氣說：「這一天遲早要來，只是沒想到竟然是現在這個時機。」

「這個時機？」薏心聽出湯經理語氣中的苦澀。

「妳難道不知道我們公司負債高達三百三十萬嗎？」

「三百多萬而已，一碗麵就二十萬塊啦。」四萬換一塊才剛實施沒多久，許多人包括薏心，一時還轉不過來。

「那是舊臺幣啊，我說的三百三十萬是『新臺幣』，大小姐！」湯經理快崩潰了，

「新臺幣？……等於負債一千三百多億舊臺幣。」薏心才驚覺事態嚴重。

「萬頭家的債不是已經清了？臺銀那邊的錢不也都已經領到了嗎？」薏心只知道最近的狀況，根本不清楚在這些風波之前，父親的負債狀況。

「三百三十萬可以買下大稻埕半條街的房子與店面。」湯經理指著窗外的街景。

腦中已經一片空白的薏心再也喝不下半口茶了，坐在旁邊的文貴更是心中一驚，這是個超出他想像範圍的天文數字了。

「不是每個人都像萬頭家那麼陰險，其他債權人看得起也同情社長，從上個月開始就同意停止付利息，讓社長設法度過難關，現在，只有五萬塊錢，要怎麼還錢？」湯經理焦慮地看著手中訂單。

原本打算幫父親辦完事之後，留在臺北買結婚要用的禮品與衣物首飾，薏心知道家中真實狀況後，完全沒有心思逛街，要阿榮趕在半夜前載他們回北埔，薏心文貴一路無語，面色凝重地回到北埔的日光辦公室。

早上在車上還說說笑笑，現在的薏心目不轉睛地看著前方，沿途的景色在薏心眼中全變了樣，山巒不再秀麗，街景不再絢爛，她知道自己已經再也沒有天真無邪的權利。

壓力是成長的動力，但欠下巨債是殘酷的動力。

「才五萬塊！」林經理點著鈔。

「怡和給的訂金就這麼多。」薏心再把大衛轉達的意思再說一次。

「怎麼辦啊！我們光是欠工人的薪水就超過四萬五千塊了。」林經理翻著帳冊本唸著「烘乾機傳動帶，三個廠的揉捻機的零件費用、電費也超過繳費期限一個禮拜，再不繳就要被斷電了，該死的『四萬塊換一塊』，簡直是一堆爛帳……」

薏心聽到抱怨臉色一沉：「講這些話小聲一點，傳出去不好聽。」

林經理立刻警覺起來，警覺的不是這些無解的爛帳，而是眼前這位從小看到大的大小姐，似乎完全變了一個人。

「林經理，這些事你跟社長報告吧！」薏心在外面跑了一天很累，而且父親也交代過她，日光的事她無權介入。回洋樓時看到桌子下邊有張公司支票，隨手撿起來看了一眼：

「新竹農會信用合作社甲存二號憑票支付邱繼文兩萬參仟圓。」

「剛才社長交代，一收到錢就立刻開支票明早送出去。」

「這是什麼錢？」

「社長贊助朋友的錢。」

「家裡要破產了還亂花錢！」疲累的薏心聽了，整個無名火上來了。

薏心手上拿著支票，氣沖沖地從公司跑回洋樓二樓的書房，一進門就看見吉桑在「換盆」，刷著五十年茶葉小盆栽的細小根莖，薏心簡直快氣炸了，林經理和文貴跟著薏心進來。

「PAPA！」薏心按捺不住怒氣。

吉桑不搭理薏心，細心扶著快禿光的小盆栽，小心翼翼地刷土，薏心拿著支票正要問父親時，吉桑開口了：

「阿土，茶就是喝的，不是拿來看的。以前，全是你做茶給我喝，這次，換我做茶給你喝……你哦，你這麼喜歡喝茶、打嘴鼓，現在沒人陪你，一定會很無聊，有人可以講話嗎？」吉桑難過地紅著眼眶把茶樹移到新盆裡，手上還帶著傷。

薏心看著難過的父親，她開不了口，只能倒吸一口氣，把手中的支票默默交還給林經理。

林經理失望地看著薏心，薏心低著頭閃過文貴，走進琴房闔上門，既生氣又無奈。鋼琴就在牆邊，上面放了幾張照片，是薏心與父母的合照，角落有一臺留聲機及一排黑膠唱盤，樂譜跟譜架和一排整齊的剪貼本。薏心直接走向窗邊，關上窗打開鋼琴。

吉桑抽著菸斗，失神地看著禿光的茶葉小盆栽，樓上傳來琴聲，吉桑抬頭看著天花板良久，貝多芬的《悲愴》從正常速度慢慢變成急行軍版，本來琴技就不太靈光的薏心，彈起來滿是雜亂，他「聽」出女兒的悲傷與心煩。

文貴並沒有離去，坐在院子裡看著二樓琴房，聽著他根本不懂的《悲愴》，想給薏心安慰，卻什麼事也做不了。

躺在床上的盛文公揉著頭，聽著狂亂不成調的鋼琴聲，嘆了口氣後再點燃鴉片緩緩燃燒。

聽著琴音，吉桑緩緩走上樓，打開房門，開燈，看見薏心仍以最快的速度彈著《悲愴》，發洩她不知該往哪去的怒氣與悲傷。

「跟文貴鬧脾氣嗎？」吉桑溫柔地問。

一個大滑音，讓彈奏停止，薏心起身壓抑情緒問道：

「PAPA可知道，我們已經負債三百多萬吧？」

吉桑鬆了一口氣，在他心中，薏心的婚姻比欠下巨債還要重要。他一臉海派裝作沒事樣：「哪個生意人沒欠過錢？生意本來要看得長遠點。」

「PAPA上百甲的大坪山也過戶給萬頭家了。」

「有錢再買回來就好了，這些事情，不用妳操心！」吉桑不想多談

「怡和洋行幾百萬磅的夏茶訂單縮水成二十萬磅，也不用操心？」薏心對父親的樂觀感到吃驚。

「大衛叔叔給我打過電話了，他對妳讚不絕口，還說一定要喝完妳的喜酒之後才要離開臺灣。」吉桑

壓根不願讓女兒碰家裡的生意，只是對薏心的變化感到困惑。

「家裡快破產，為什麼還大方送錢給別人？」

吉桑沒有回答，薏心與父對望，空氣凝滯。

隔天，吉桑把臺北總公司與幾個茶廠的重要幹部召集在洋樓旁邊的日光辦公室開會，文貴旁聽坐陪，薏心堅持也要參與，會議陷入膠著，氣氛越來越糟。

「我們太依賴怡和洋行了，它一抽手，我們一點辦法都沒有。」林經理抱怨著。

「拚低價的印度茶來勢洶洶，我問了臺北所有洋行，現在沒有人要收臺灣茶，對洋行來說，在臺灣印度印尼收茶都是一樣，哪邊便宜就到哪邊收茶。」負責銷售的湯經理急於撇清責任。

「除了北埔廠，其他幾個廠太過老舊，修理維修的費用太高。」負責製茶的石頭也加入卸責的行列。

「怎麼沒人要說公司花錢花太凶啊。」列席的薏心忍不住冒出這句話，所有人都知道問題出在吉桑本身，也只能尷尬地低頭不語。

吉桑默默不語，對薏心的說法不置可否，這卻讓在座的其他同事，錯誤解讀以為公司要朝降低成本方向去努力。

「現在茶葉市況不好，已經燒壞的大坪廠就暫時先停建吧，這樣可以減少許多開銷。」

「我建議茶廠暫時仿照其他茶廠，只在開工製茶的月份發薪水，這樣可以省下……」

「收茶的秤重方式可以先剔除三等茶菁、茶骨茶梗的重量也得剔除……」

「製茶剩下的茶渣茶骨，別再大方地送出去。我聽說有些西藥廠專門在收茶渣去做藥用興奮劑。」

「其實……日光的員工實在有點多，暫時先裁員一部分……要不然公司前途堪慮……」林經理鼓起勇氣說出這句話。

聽到裁員兩字，吉桑勃然大怒：

「堪慮？我什麼風浪沒見過？昭和八年大恐慌、昭和十年大地震、臺北大空襲、國民政府來臺、金圓券法幣亂發……哪次我沒有挺過來？堪慮？堪慮？你們不會想點辦法找訂單嗎？」

在座許多人進來日光工作多年，這還是第一次看到吉桑對自己人大發雷霆。

「七十趴的北埔人靠我們日光吃飯！一定要找到單！」

「報告社長，現在賺最多的就是直接出口賺外匯，不用怕被洋行掐死，又可以直接收美金，什麼四萬換一塊都不必擔心……」文貴小聲地提議。

吉桑聽到後心情稍微好一些：「不愧是念過大學，只是別讀成書呆子，臺灣茶的量只占全世界的百分之二，簡單的說是小到不能再小的小戶，憑什麼可以自己飛出去？而且，美金外匯這池子深不可測，能夠不碰外匯就別去碰。」

吉桑話鋒一轉：「文貴的想法雖然有點不切實際，但他也點出我們日光的困境，不能固守北埔這塊彈丸之地，一定要走出去，臺灣省製茶公會快要改選理事長，我如果選得上，跟政府與其他大業者認識溝通的機會就多，也是一條找訂單的路，各位要努力透過關係替我們日光拉票。」

吉桑看了薏心一眼後宣布：「文貴和薏心的婚事往前提提吧，趕在阿土師百日前，我們日光需要沖沖喜。」講完後宣布散會，又躲進書房繼續修剪盆栽。

會議室留下一堆不知所措的人，沒人跟得上他的跳躍式思考，解決破產危機的結論竟然是選理事長和提前辦薏心的婚事！

7

薏心文貴招婚吉日前一天

嗶嗶哥、莫打、阿榮與團魚四個大男人喘著氣，合力把嫁妝「高檔烏心木床」搬到新房。

「社長，這樣可以嗎？」嗶嗶哥問。

站在門口的吉桑抽著菸斗，看著新床，抬起手左量右比：「要放在房間正中心。」嗶嗶哥費勁地挪正床位，吹了一聲口哨喘口氣。

「等一下你也來大廳預演走一遍。」吉桑交代滿身是汗的文貴。

文貴把汗擦乾淨後，檢查一下掛在牆上的典禮用西裝，撥了撥灰塵把衣領線條拉正，感覺相當滿意。

下人與員工來回穿梭布置會場，現場張燈結彩，氣氛愉快，正中央擺著一張桌子，桌上披著紅布，有文房四寶。

二樓的鋼琴室內，春姨口手並用又拉又咬著細線，細線在塗滿白色香粉的薏心臉上擠壓摩擦，不小心夾斷薏心的一根眉毛。

「哎呀！」

「新娘挽面不能喊痛，會觸霉頭，婚姻會不美滿，要忍。」薏心咬著唇忍住挽面的刺痛與灼熱不適，乖乖地讓春姨挽面。

薏心幼年喪母，吉桑又忙著事業應酬，一手把薏心帶大的春姨等於身兼母職，在情感上，薏心也已經把春姨視為第二個母親，為了照顧薏心，春姨耽誤了自己婚事，隨著招婚日子越來越近，春姨的心情越來越複雜。

「還好是招女婿，妳一樣住在家裡。」

洋樓大廳，一位比吉桑略年輕些穿著長袍馬褂的中年人，手捧著兩張紅紙，指揮著阿榮與莫打排放招婚典禮的桌椅，對著吉桑交代：

「椅子要雙數，不可以單數，你女方家，明天就坐右手邊。」

「邱議員，明天就萬事拜託你了。」

「我做主招婚人坐中央，文貴你來先代替你爸坐對面。」邱議員指揮文貴坐在左排第一張椅子，然後在紅紙上用毛筆寫著三個漂亮的標準楷書字體：「招婚書」。

「招婚儀式是這樣走，我會講，立主招婚字人張福吉，有女名張薏心，現庚十九歲，尚待字閨中，今次憑媒說合匹配與范有義之五子文貴為室……」

吉桑聽著招婚書內容，看著文貴，抬頭看著二樓琴室，一下子想抽菸斗，一下子又放下，一隻手上上下下的。

邱議員見狀笑了笑：「捨不得了嗎……」

「她媽死前，拉著我的手，千交代萬交代，一定要給薏心找個好人家……」

「公會的理事與幹部，都請到了吧？」吉桑想趁這次招婚典禮正式對外宣布參選理事長。

邱議員點了點頭。

廚房裡面更是忙翻了，由順妹掌廚，公司與茶廠的女工以及鄰居幾位阿嬸阿姨，全部投入廚房準備明天的喜宴，又煮又炊忙得不可開交。

春姨一邊要幫薏心梳理，一邊又要打點廚房，忙上忙下地叮嚀著：

「那個湯圓、粢粑全備好，明天是張家的大日子，三張桌，三十個人，全是地方有頭有臉的人啊！」

「春姨，妳比要嫁掉自己還緊張！」也跟著忙進忙出的嗶嗶哥開起玩笑。

「連我的老豆腐也要吃，小心你娶不到老婆。」

阿榮哥突然跑進廚房：

「范頭家來了，快準備茶點。」

春姨愣了一下，滿臉狐疑地想著范頭家這時候提早來幹什麼呢？

范頭家帶著大包禮品，走進洋樓，阿榮和團魚忙著將范頭家帶來的禮物放在一旁。吉桑見他提早一天來訪來吃驚地站起身迎接：「唷，親家，怎麼這時候來呢？」

「邱議員，你怎麼會在這裡？」范頭家愣了一下。

「我受吉桑所託擔任主招婚人，提早一天來預演，文貴！讓座給你爸爸。」邱議員得意地答著。

范頭家走經過中央桌子，看見上面的「招婚書」，不知道如何開口，只能尷尬坐在左手邊的椅子。吉桑坐回原來的椅子，二家人一左一右坐者，如進行儀式般。

邱議員順勢地排演下去：「那我繼續啊，（邊寫邊念）雙方言定，由范家備出花紅酒禮參仟參佰元正……」

范頭家坐立難安，忍不住出聲：

「吉桑，那個……」

招婚或結婚時，總是會計較彩禮大小，見怪不怪且大方的吉桑笑了說：

「哦，那花紅酒禮好商量，不收也可以。」

看到彆扭的準親家，吉桑笑著說：

「親家啊，你又不是第一次辦兒子的婚娶，怎麼會比我還緊張，你知道，我張家這房已經三代無男丁，只有一個女兒，你范家男丁旺盛，這招婚只是形式而已，頭胎孫子，給我姓張傳香火就好了，第二個孫兒不論男女都跟著你姓范。」

「啊？唉！」范頭家不知該如何開口。

知道鄉下人最重面子的吉桑接著說：「是我比較失禮，茶廠裡阿土師剛過世，婚禮就從簡來辦。可是你們放心，之後等孫子出世了，我們再來開流水席宴請鄉親，我會派十部客運去寶山載范家的親戚鄉親來，到時保證風光體面。」

文貴聽見生小孩的事，頓時紅著臉，感到很不好意思。

站在琴室門口偷聽的春姨，轉頭對正在整理頭髮的薏心抱怨：

「奇怪，招婚好像沒有親家公提早來探房這前例？你爸爸怎麼講的一副很委屈啊？」

范頭家點著頭，咬著牙，鼓起勇氣，站起身說：「吉桑，今天過來是有件事想跟你私底下商量一下。」

吉桑跟范頭家離開了現場，走到洋房後面的小房間，只見房內傳來一陣陣的抱歉，幾分鐘後，吉桑綳張臉走了出來，范頭家則低著頭彎著身，小碎步一副深怕踩壞地板跟著走了出來，大家面面相覷，在大廳的邱議員與文貴都不明白到底發生了什麼事。

剛好順妹從廚房端出招待范頭家的茶點，只聽吉桑對順妹咆哮了一句：

「茶點拿出去餵狗！」

接著吉桑命令站在大廳門口的阿榮與團魚：「把范家帶來的東西統統搬出去！」不知所措的阿榮與團魚面面相覷。

「動作這麼慢，沒吃飯嗎！」吉桑把情緒遷怒在員工身上。

已經走到門外的范頭家轉過頭來命令文貴：「跟我回去。」這一幕文貴看在眼裡早已心裡有數，但聽到父親命令回家，他也亂了分寸像尊石像一動也不動地站在大廳正中央。

「快走啦！他們都說要餵狗了，難道你要留在張家當狗嗎？」范頭家也藉著罵兒子反譏張家一番。

「兩個人加起來一百多歲了，有什麼話好好說啦！」吃驚的邱議員想出面打圓場。

此時文貴也回過神來，知道事情已經毫無轉圜空間，他走到吉桑面前鞠躬：「社長，感謝這三個月的照顧。」

「每一步只看眼前，賠點小錢就難過，賺點小錢就得意，看見利益就想分，聞到風險就想躲，這種生意人我一輩子看過成千上百，但沒一個會成功，走之前我送你這些生意經。」吉桑其實相當欣賞文貴。

這些話范頭家聽起來格外刺耳，三步併作兩步帶著文貴離開。

從琴房門口看到離去的范頭家與文貴，臉上敷著一層新鮮蘆薈的薏心看不出喜怒哀樂，吉桑上樓走到琴房門前手上拿著招婚書。

「明天，范家的人不會來了。」薏心不明白為什麼被退婚，所有人都不明白，吉桑視線移到薏心，父女對望良久。

吉桑看著招婚書：「我絕對會再幫妳找一個更好的人家！」

范家父子走在北埔街頭，文貴生氣跟父親理論起來：

「阿爸，這事為什麼沒先問過我意見？」

「你有什麼意見？你真的那麼想給人招贅？」

「被招贅也是你決定的啊！」

「要不是那日你回來講，我還真的以為吉桑事業做的很大。」文貴滿臉驚愕的臉，原來是自己的多話，斷送了自己婚約。

「這跟退婚有什麼關係？怎麼不能結？」

「張家三四百萬的債務，你背得起嗎？」范頭家自顧自走在前面，不理會兒子的辯解。

「背不背得起是我的事，阿爸為什麼不先問我意見？」

范頭家比著自己的臉說：「問你的意見？我自己拉下老臉不要臉，找臺階給你下，你還一直想站上去，我供你讀書白讀了？」

「張家一定有辦法還清債務，我對日光有信心，張社長教給我的，不只是日光，還有臺茶的未來啊……」

范頭家氣瘋了，覺得兒子腦袋壞去。

「未來？你是為什麼來？我以為我是送你去當駙馬，結果是去跟人做牛做馬背債務而已！」

「阿爸你根本不懂『茶業』，難怪人家是茶虎，我們是茶猴！」

范頭家氣得打了文貴一巴掌，穿著禮服的文貴與范頭家在人來人往的街頭激烈爭吵，引來路人側目。

「回家再慢慢地教訓你！」范頭家懶得再理會文貴。

邱議員在主招婚人桌旁坐立難安，只好抽著菸掩飾自己的尷尬。

「今日，真是給你見笑了。」

「范頭家總得給個理由啊？」邱議員按捺不住地問起。

「他講他兒子背不起我們家的債，哼！我吉桑欠的債，哪還輪到他兒子來背！」

「那現在……」

看見春姨正交代團魚阿榮等人把喜慶裝飾拆卸下來，吉桑心念一動交代春姨：「明天一樣準時開桌，廚房該準備哪些菜肴繼續準備。」

春姨疑惑著：「明天招婚不是已經……」

「除了范家的人不來，其他的人還是會來吃飯，我吉桑請客吃飯，不需要找理由。」

轉頭對邱議員交代：「請你再聯絡理事們，明天務必賞臉撥空來張家吃飯。」

「聯絡是沒問題，我和你是二十年交情，今天能當議員都是吉桑你的栽培，我還是要講一句難聽的話，你不怕他人來看笑話嗎？」邱議員勸阻。

「笑話？手中如果有權，什麼笑話都沒有，就像你，選議員買票欠幾十萬，有哪個債主敢到你家去要債嗎？有權就有錢，要是我有權，還怕找不到好女婿嗎？」邱議員實在無法理解吉桑的想法。

第二天中午，吉桑熱絡地招呼著陸續入席的客人，張家上下依然是按照婚宴流程忙碌著，一切如常只缺喜氣。

「李理事，姜理事，大家交流一下，這杯是上等比賽冠軍茶！喝完喜歡，再來我倉庫搬。」

「這罐茶實在沒話講，不過，吉桑你實在太慢講。」同為北埔鄉親的姜理事面有難色。

「你要是早點出聲，我們一定投給你！恕我直言，我們希望吉桑今年先讓一下……」明白話中含意的吉桑跟邱議員面面相覷。

「是誰要出馬？我來去找他溝通一下？」邱議員在姜理事的耳朵旁低聲問起。

「哎唷，議員，我不方便替人宣布啦，這樣很歹勢！國際茶市訂單斷頭，大家都很煩惱，下次啦，三年後，換吉桑做啦！」

吉桑聽了也不方便再追問，本來打算利用宴客要來搓湯圓的，反而被人先搓掉了。

「鄉長、蘇理事長、各位理事，大家上桌了！」他原本就打算藉婚宴來拉票，范頭家退婚的消息早在昨天就傳開，只是客人們都識趣地避免談論到。

臺灣省茶業公會現任的閩南籍蘇理事長即將任滿，依慣例是由閩客輪流擔任理事長，吉桑身為全臺灣最大的紅茶商人，出馬競選本屆理事長可說是實至名歸，吉桑始終認為這個慣例不會被打破，且至今也沒聽到半個桃竹苗一帶的客家理事要出馬的消息。

此時洋樓大廳出現了不請自來，穿著白衣服白皮鞋的伯公，依照客家輩分，在座的所有客家人，不管年紀再大，都算是伯公的晚輩，眾人看見紛紛起身。

伯公看著一桌大菜，直接毫不留情地點破：

「福吉啊，今日是什麼名目來吃這頓飯？」

知道來者不善，吉桑也只能堆著笑臉：

「請大家吃飯，商討一下臺茶未來要怎麼做才好？」吉桑從印度茶區恢復、洋行抽單、臺茶過度競爭講到大小茶廠各自為政無法統合……長篇大話的用意就是不讓伯公有見縫插針的機會。

蘇理事長好不容易等到上菜的空檔直接挑明地問：

「吉桑你講這麼多，就是要出來選理事長的意思？」

邱議員起身替吉桑回答：「請大家多多支持吉桑，來，大家乾一杯。」

伯公冷冷地哼了一聲：「我們小小公會選舉哪需要邱大議員關心。」幾位理事面面相覷，不知道該不該舉杯。

眼見場面很僵，坐在旁桌的盛文公勉強由阿榮攙扶下站起來：

「是怎樣？我張家的酒不好喝嗎？」盛文公瞇著眼睛看不出情緒，客人們對盛文公也是敬重，伯公見到盛文公開了口，只好站起來一乾而盡，其他客人也順勢跟起身乾杯。

「盛文啊，身體有好一點嗎？」伯公調侃抽鴉片抽到連舉杯都沒力氣的盛文公。

盛文公氣若游絲回道：「託你福氣，也活到現在！大家坐著吃菜啦。」

盛文公示意大家坐，但沒人敢坐，看著蘇理事長與伯公，在場人看著伯公，等坐下，才陸續坐下。

場面已經很明顯，再怎麼樂天的吉桑也嗅出濃濃的敵意與危機感。

伯公端起碗筷夾了塊扣肉給吉桑：「做主人還要客人幫忙夾菜嗎？對了，我張家的人，張家本來就是由我做主講話。」

說完再度起身舉杯對著所有人說：

「我們張家這次選舉，支持蘇理事長繼續連任。」

在座幾位與吉桑邱議員比較熟識的理事與賓客竊竊私語

「這次應該輪回客家人當啊？」

「以前沒有連任這個慣例啊？」

「客家茶占全省一半以上，這樣……」

伯公不管其他人的顧慮，直接用手指頭比了「5」，蘇理事長看到點點頭笑了笑：「時機不好，蘇理事長知道大家日子不好過，所以，一票開五千塊，不管福佬票還是客家票，人人有分。」伯公祭出殺手鐧，五千塊錢差不多是一座小茶廠一年的總收入了。

吉桑看著邱議員，原本吉桑開出兩萬三千塊的支票給他，就是請他去運作買票，一票開兩千，原本的算盤是打算給閩南籍的十一位理事，一人兩千塊，客家籍的理事則由吉桑用人情與業務關係去拉攏。

蘇理事長一一向在座賓客敬酒，獨獨漏掉吉桑、盛文公與邱議員三個人。

「選舉沒師父，用錢就買有，這是你們福佬人的話。」伯公與蘇理事長一搭一唱。

吉桑聽到五千元價碼、一張臉鐵青地呆坐，自己請吃飯卻演變成為人作嫁。客人陸續離開後，桌上的酒菜幾乎沒動幾口，剩下盛文公與吉桑坐在桌邊，

「選舉還有好幾個月，你去求伯公還來得及。」

「阿爸，憑我的人面，選個製茶公會的理事長還要靠別人嗎？伯公幫外姓就算了，還幫福佬人，我就不相信幾位客家理事會支持別人。」吉桑憤憤難平。

盛文公挑著眉，試著睜開目細細的眼說：

「你的眼睛比我還瞎嗎？看不出，整桌全是他的人？」

吉桑無法反駁，打算離去，一起身，不小心撞到一個碗，碗掉在地上破掉，吉桑忍不住怒火抬起腳用力把破掉的碗踩得粉粹不斷咒罵：

「什麼夭壽爛碗！退婚的退婚、討錢的討錢、要地的要地、跑票的跑票……今日就算我的飯碗全砸碎，我也不會去求阿伯！」

第三章

1

一九四九年秋末

雖然日光陷入債務危機，所幸四萬換一塊的風波已經逐漸平息，其他債務人也願意再度信任吉桑與日光的信用，但製作下一批冬茶的茶菁採收量卻不如預期。怡和洋行勉強下了幾萬磅「面子訂單」，臺北大稻埕幾家內銷茶的商號，其訂單數量不大且斷斷續續，冬茶的品質本來就是一年當中最差的一季，客人開出的價錢自然也不會太高。

正值整個大陸完全淪陷，國民政府上下官員各個如喪考妣，婚喪喜慶官民應酬幾乎陷入停擺，過激的貨幣改革也扼殺了民間消費力，臺灣茶葉陷入幾十年來罕見的蕭條，許多小製茶廠紛紛倒閉，收茶的茶廠無力買茶菁，連帶影響茶農生計與採收意願，難怪當伯公與蘇理事長開出巨額買票價碼，人人自危的理事同業紛紛倒戈，也顧不得什麼慣例、關係與閩客宗族。

吉桑不願意在理事長選舉上認輸，努力地盤算著自己還能動支的財力以圖背水一戰，動用各種關係拚命找新的茶葉銷路，以往那種不屑一接的百來斤的小訂單，如今也咬著牙接下來。

「林經理說阿旺叔想要結清這半年的應付毛茶款。」石頭師敲門進來吉桑的辦公室。

吉桑看著請款欠條：「阿旺叔，壹仟貳佰圓。」

欠條支付是林經理的業務，石頭師只是想藉機找吉桑探探口風：「社長，怡和茶雖然不多，但總得有『總茶師』來做吧！這個位子不能一直空著……」

看到欠條心情更是亂糟糟的吉桑冷冷地問著：「你有誰可以推薦嗎？」

「啊？」石頭有點不爽，吉桑竟然完全不考慮他，只好悻悻然地回了句：「我會打聽看看。」

阿旺叔是日光的契約茶農，如果北埔一帶的茶樹是全臺灣最好的紅茶品種，阿旺叔這片茶園所栽植的小葉種青心大有茶樹，則是日光最好的茶菁，不只是香茶濃郁，還是日光紅茶拼配的靈魂，誰的錢都能欠，吉桑絕對不欠阿旺叔半毛錢。

茶園位於北埔峨眉交界的番婆坑，對外交通只能靠兩隻腳或騎馬，吉桑與阿榮騎著兩匹馬上山，其實吉桑養馬的目的並不只是賭賽賽馬，而是桃竹苗山區有許多茶園，如果不靠騎馬，要走上一天一夜山路才能抵達，其他茶廠老闆在採收季節只會坐在工廠門口等茶農或茶販子挑茶菁或毛茶來賣，但日光與吉桑收茶的方法會主動去尋找合適的茶園，遇到優良的茶園或可靠的茶農，又是搏感情又是事先下訂金，納為旗下契約茶農。

烈日下，兩匹馬拴在阿旺叔門口的老樟樹下，放桶水在地上讓馬喝著水，院子裡大樟樹被陽光照得閃閃發光，門口還種了桂花茉莉花，每次來到這種猶如世外桃源的深山小茶寮，吉桑都能拋開繁重心事。

年約四十多歲的阿旺叔，在家聽到遠方的馬嘶叫聲就知道吉桑來了。

「種這麼多花要當香片的茶引嗎？留好茶自己喝嗎？」吉桑彎腰聞了聞花香開了阿旺叔玩笑。

阿旺叔用手揉著腰邊笑：「交你的茶就剩沒多少了，哪有閒工夫做香片，深山裡自己要喝茶，隨便烘一烘，什麼茶全要做。」

吉桑親手把裝好錢的信封遞了出去。

「怎麼好意思，讓社長親自送錢過來。」阿旺叔一臉疲憊的樣子。

「是我歹勢，公司大大小小事情太多，我忘了交代。」

「阿土師出事情前兩天還來我這裡喝茶挑茶，沒想到發生這樣的事……」

阿旺嬸從屋內端出四杯茶出來：

「山上沒什麼好茶，給吉桑止渴。」

吉桑拿起茶杯聞了聞茶味吸了一口茶，再舉起茶杯吸了第二口嗽了起來，確定味道和餘韻後，接著觀看好一回的茶湯，沉默不語地看著阿旺叔。

阿旺叔見狀，以為自己的茶出了什麼問題，連忙往自己的杯子看，試喝一口，感覺還好沒有變質也沒餿掉。

「這泡茶是阿土師送你的嗎？」吉桑所品嘗的這一杯茶和當年阿土師獲得日本天皇賞的那批茶幾乎沒有兩樣，但細微處還是有些差異。

「不對，不太一樣，這山裡有什麼好茶師嗎？誰幫你做這批茶的？」吉桑知道阿旺叔只會種茶但不會製茶，頂多只會做一些解渴用的茶骨仔茶。

「深山裡全是家庭茶寮，自己做自己吃，哪有什麼茶師。」阿旺叔讀不出吉桑臉上的意思是褒是貶。

阿旺嬸笑著說：「這泡茶是我家細妹山妹今天早上焙出來的，很粗啦，社長你沒棄嫌就當作解口渴啦。」

為了確認，吉桑靜靜地把茶壺的第二泡茶再喝一遍後，直接走進屋子後面的茶寮。

茶寮內溫度高達六十度，陰暗高溫卻保持通風，微弱的光線從牆壁的通氣孔斜射進來，照在一位年約二十歲左右穿著藏青色花布圍裙的女孩正在搗碎焙火坑中所準備的木炭，擊炭聲很有節奏，焙火上鋪上一層稻穀，細妹不知道身後有人，吉桑看著她搗炭焙火的模樣，根本和年輕時候的阿土師同一個模子。

「這是我女兒，山妹！」

聽到父親的聲音轉過頭來，山妹這才發現大老闆吉桑居然站在自己身後，

吉桑在山妹旁蹲下來，摸摸鋪了好幾層的稻穀問道：「鋪這層稻穀是為什麼？」

一個二十歲小女生根本不敢直接回答吉桑這等大老闆的問話，山妹有點遲疑，看著父親示意後才敢低著頭回答：「木炭的煙味才不會薰到茶葉裡。」

吉桑指著剛剛泡的茶問著：「這茶妳親手做的？」

山妹點頭承認。

吉桑將泡過的茶底直接倒在茶盤上鋪開，細細檢視著茶葉，用手指輕壓幾下：

「葉面僵硬沒有彈性，可見用的是老茶。」

「是！這批堆放在茶寮少說也超過十年。」山妹低著頭心虛地回話，以為自家的茶不好喝。

吉桑翻開另一片茶底並把它鋪平：「這是被蟲咬過的蛀芽茶。」

阿旺叔搶著解釋：「深山茶農製茶全都是副業，只能用次等的下腳茶葉或被茶廠退貨的次等品做茶，一斤頂多賣五毛，跟日光賣的一斤五塊錢的不能比，被退的茶菁放久之後什麼狀況都有……」

吉桑打斷自顧自地繼續讚嘆：

「把這樣沒人要的茶菁，做出這麼好喝的茶，細妹妳不是普通人哦！」

阿旺叔聽見這麼高的評價，一時傻了，突然間立刻想起幾個月的一樁往事，那時阿土師也曾說過類似的話，只是當時沒把這些話放在心上。

「原來阿土師生前說的做茶細妹就是山妹。」吉桑很開心，把自己倒出來的茶底收成一堆，眼底閃閃發光。

吉桑開心地問：「妳還有做其他的茶嗎？」

不再害羞的山妹聽到大老闆稱讚她做的茶，喜孜孜地跑到廚房取出好幾袋茶葉，一袋袋地打開：

「社長阿伯，你要喝生一點還是熟一點的？」

吉桑瞧了瞧並靠近聞一聞指著其中一袋顏色最深：

「我專門賣紅茶，那就來試試焙最深的吧！」

山妹慢慢地燒開水，取茶沖泡倒在茶碗：

「社長阿伯，我山頂人喝茶比較不講究，見笑了。」

「底下還這麼多茶角茶渣？」吉桑望著茶湯。

「先喝喝看！」山妹的話雖然帶點稚嫩，但不論製茶還是泡茶端茶，隱約有股日本人所稱的「職人」神韻，舉手投足透露著「這杯茶是我認真做出來的」令人不敢輕侮的氣息。

吉桑端起這杯紅茶吸了一口，不可置信般地再吸了幾口，即便日光用最好的機器與最上等的茶菁，就算阿土師再世，說不定也無法複製出這樣的味道。

吉桑握住山妹與阿旺叔的手，激動地問著：

「這批茶是怎麼做的？」

天真無邪的山妹毫不避諱地回答：

「配堆的啊，幾年下來賣剩的幾種老茶，這種配一點那種配一點，就配出來了，社長阿伯，如果你喜歡的話，我可以再多配幾斤賣給你，不過，你是有錢人，價格不要砍太凶！」

看著山妹認真的把他當成買茶的客人，吉桑哈哈大笑，一掃幾個月來的不悅，甚至有些激動，因為山妹就是阿土師生前想推薦給他的人，得來全不費功夫。

吉桑：「山妹，妳來我日光做事，好嗎？」

山妹看著生病的父親，意思就是由父親做主。

「真好啊，整個北埔只有日光有請人，在深山內也沒頭路做，但是她做事很慢……」阿旺叔替女兒又高興又擔心。

「我給妳的月給是一百五十塊！」吉桑開出的薪水，不光是山妹與阿旺叔夫妻，連坐在門邊喝茶的阿榮都嚇了一跳，當時一塊錢可以買兩隻雞，鄉公所工友一個月才領三、四十塊錢，一斤日光出產的高級紅茶才五塊錢，連幫吉桑開車的阿榮也才七十塊錢，一百五十塊錢的月薪在日光也已經僅次於林經理湯經理等高級主管。

山妹一年下來的薪水已經比阿旺叔種一年茶還要多。

「煮飯洗衣可以領那麼多嗎？」阿旺嬸細細地問著

「什麼煮飯洗衣，我請山妹是來當我的茶師。」吉桑斬釘截鐵地說著，女人不能當茶師根本是狗屁不通，他只相信嘴巴的餘韻回甘，以及對阿土師最後遺言，他賭上的是口中的香味與對逝去好兄弟的信任。

山妹一家人送著吉桑，吉桑眺望身後山坡的小茶畑，指著那一片綠意盎然的茶園，跟山妹約定：

「妳如果能作到總茶師，我那片小茶畑就送給妳！」

正在揉茶間忙碌的石頭師與嗶嗶哥，看見一位拎著包袱東張西望的細妹，有了上回「文貴的經驗」，這回嗶嗶哥知道要先問清楚對方的來歷。

「我叫山妹，社長阿伯叫我今天來茶廠上班找林經理報到。」天還沒亮，山妹拎著簡單行李離開家裡，翻山越嶺來到茶廠已經中午，一走進廠看到萎凋區的揉茶機器，成排運作的機器與工人讓她大開眼界，第一次與那麼多陌生男人說話顯得有些不自在。

「社長就社長，不用加個阿伯啦！」嗶嗶哥不脫愛開玩笑的本性。

「經理，這位很面生，是新來的女工？」石頭師問著剛走進來的林經理。

「什麼女工！山妹是新來的茶師。」現場的工人與茶農們聽到後全都愣住，以為自己聽錯。

「新來的？」

「細妹！」

「茶師？」

「妳暫時在北埔廠聽石頭師派任工作，有問題妳可以問他，他是所有廠的二師，資歷最深。」林經理比著石頭哥，聽到「二師」這個稱呼，石頭不悅地敷衍幾聲。

「麻煩石頭師。」

眼前製茶的壯觀景象讓山妹感到好奇，彎著腰湊近仔細研究揉捻機：「這機器好大！好方便耶！」

石頭、嗶嗶哥和莫打等人看著這位不知道從哪裡冒出來的無知村姑，上下打量著山妹，露出一副連機器也沒看過的輕蔑表情，只差沒有吐出「女人可做茶師？」的話而已，山妹雖然單純但不笨，三兩句話間便感受到眼前茶人三人組的懷疑與敵意。

「連傑克遜[8]都沒看過？真的能做我們日光的茶師？」藏不住話的嗶嗶哥第一個發難。

林經理故意放任眾人對山妹的質疑，畢竟女人尤其是年輕細妹當茶師，連他自己也認為吉桑用人過於大膽魯莽。

石頭、嗶嗶哥、莫打三個人帶著山妹走進茶廠介紹設備：「這是甲種乾燥機，是茶廠裡面最大，也是最吵的機器。」

石頭不懷好意看了山妹一眼繼續說明：「機器一開火，就像火車開過來一樣。」使個眼神叫莫打打開電源。

一開電，巨大的聲響爆了開來，石頭等人回頭望著身後的山妹，第一次進來茶廠的人，都會被這道比打雷還要大聲的巨響嚇著，山妹卻出乎他們意料沒被嚇著，還好奇地伸出手到出熱口感受熱度，摸著機器感受它的振動。

山妹的雙手完全不怕機器的熱度，輕易通過在不遠處冷眼旁觀的林經理第一道考驗。

「熱風可以快速讓茶菁乾燥，出來到這邊，就是毛茶了。」石頭師在吵雜的機器聲中拉高嗓門指著機器另一頭出口。

「石頭哥，還是做二師？」

「看起來是耶！」趁著聲響大作，嗶嗶哥和莫打二人竊竊私語。

「我來五年，還是做茶工而已。」嗶嗶哥有點不甘心

「她一來就做茶師？」

「我看不是哦，細妹是來做總茶師的！我是聽阿榮哥說的。」嗶嗶哥是最熱衷八卦、消息最靈通的人。

二人多看一眼在機器前面發呆的石頭哥。

「烘過的毛茶，再送到後面去精製就可以運給客戶，從萎凋後的茶菁到精製、包裝，一兩個鐘頭就完成。」石頭取出第一批烘乾的茶，強調一兩個鐘頭是為了凸顯小毛茶廠的簡陋。

「裁割去梗後直接賣出去，不用併堆？」山妹好奇起來。

「不用，洋行貿易商收到我們的茶，他們自己會去拚堆。」

石頭關掉機器的電源，剛好聽到嗶嗶哥那段「細妹是來做總茶師」的竊竊私語，臉色立刻垮下來。

「機器的火勢很大，不怕太旺太猛嗎？」山妹提出疑問。

「趕工時早上收幾千斤的茶菁，下午就要做出來，晚上靜置，第二天一大早就要包裝後立刻送臺北，又不是山頂茶寮用木炭焙火，烘三日三夜也做不出一百斤，笑死人啦！」石頭三句話就有兩句酸溜溜的話。

一行人走向茶菁的萎凋區，身著茶師樣式制服的山妹，眾人好奇的疑惑眼光讓她不自在。

工人們從一排排的萎凋架上卸下已經靜置一整夜的茶葉，石頭逐排檢查每架茶菁萎凋的時間是否足夠。

8 英國人威廉傑克遜（William Jackson）在一八七二年所發明的茶葉專用揉捻機，開啟現代製茶機械化的先河，一九四〇年代的臺灣只有少數大型茶廠才擁有這款揉捻機。

「這排是昨晚才收進來擺的吧？昨夜濕氣太重，還要再放三個鐘頭。」

石頭指揮著工人，趕緊把充分萎凋靜置去濕過的茶葉運進機器，如此才能騰出空間來擺放新收的茶菁。

來兜售的茶販茶農，正在搬運一袋袋早上剛採的新鮮茶菁，到萎凋區前等待驗貨。

茶販子太田叔挑來兜售的茶菁，遭到石頭拒收，不甘心被拒絕的他，看著山妹故意對嗶嗶哥酸了幾句：「好茶菁也要好茶師，才有辦法收！」

太田叔把自己的茶菁捧在雙手，靠近鼻子用力聞：「做茶師做到不識貨，石頭師要更努力一點啦！」

「太田叔，你這個茶菁沒那個價啦！」石頭皺著眉

「石頭，你鼻子爛掉了吧！做不出好茶嫌茶菁爛吧？」

「幹你娘咧，你今天是第一天做茶猴販茶嗎？這款淋過水的爛茶菁也敢送過來，就算茶神再世來也沒辦法做出可以喝的茶。」

太田叔這種專門到茶園向茶農去買剛採收的茶菁，再挑到茶廠去賣的職業稱為茶販子，又稱茶猴，因為大大小小茶園分布相當零散，在當時交通不便，以及許多茶園都只是一家人小量種植，沒有時間與精力自行挑運，所以便有了「茶販子」這種中介行業出現，茶販子和茶廠茶師由於各自立場相反，討價還價起來不會有好聽的話。

「你看清楚哪！什麼浸過水，這只是正常濕氣，石頭你到底識不識貨？」

石頭見山妹也在一旁看著茶菁，正好藉機出難題給她：「山妹，妳來看看這茶菁能不能收？」

眾人的眼光集中在山妹身上，她接過茶菁，手伸進茶袋捧了一把茶仔細看。

「是沾了露水沒錯，太濕……」

不料山妹接著迸出讓石頭氣炸的話：

「但是，可以收進來做茶，只能用二等價錢收。」

太田叔心裡有數，採收這批茶菁的茶農，早上太晚摘葉，他趁機用很便宜的價錢收了進來，想一起和其他品質好的茶菁混水摸魚賣給日光，聽到新來茶師口氣放軟，自然在價格上也跟著讓步，收到林經理開出的收據支票後，趕緊趁對方還沒反悔前拔腿就走。

石頭會順著山妹的話同意收這批茶菁卻別有用意。

「妳說可以做，那妳就試試用這袋茶菁做出好茶？」

山妹捧著這袋茶菁來到工廠後面廚房的灶邊，一道刺眼陽光照在她背上，蹲在灶邊，在畚箕堆內找出幾把起火用乾燥稻殼，起火點燃稻穀均勻地覆蓋在陶製燒炭爐上。

順妹帶著一畚箕菜和肉進到廚房，看見廚房裡正在起火焙茶的山妹，蹲在山妹旁邊，看見四個茶籠，裡面放了茶菁，好奇地問：

「妳不是新來的茶師嗎？怎麼這個時候在廚房？」

「石頭師要我做茶，茶廠的機器我還不會，只好借妳的灶用。」

「工廠的茶都是用幾千斤幾百斤的，妳這樣做，要做到什麼時候？」順妹看得出山妹炭火焙茶的熟練，但仍不解地問。

專心安靜焙茶的山妹笑笑沒有立刻回答，她見稻穀全轉白了，將茶籠置於燒炭爐上，雙手輕輕摸著茶籠，感受溫度變化。

石頭和嗶嗶哥、莫打以及其他幾位茶師在審茶室一起等著山妹。

「細妹不是嚇跑回山上了吧？過中午後都沒看到人。」

「太田叔的爛茶菁哪能做出什麼好茶？石頭哥你也太為難人了。」莫打替山妹抱屈。

「各位都是日光老員工，哪個不是十幾二十年的經驗，做茶師要替日光公司的品質把關，不能隨便收那種浸過水的爛茶菁，做不出好茶損失的是公司，以前阿土師不都是這樣教我們的嗎？」

吉桑和薏心在門外聽到了石頭師他們的對話，聽到阿土師三個字吉桑有些感傷，還是點點頭稱許站在公司利益著想的石頭。

「來了，茶做好了。」山妹走進審茶室雙手奉上四種茶給石頭師。

石頭見山妹在短短一個早上用手工焙出十來斤茶，感到不可置信，山妹靜靜地從烘好的四種茶中取出茶葉，每種茶葉各泡了四杯茶。

「我取這批收進來的茶菁大概三十斤，因為時間不太夠，我只焙出大約十來斤毛茶……」山妹緩緩地說。

聽到步留[9]如此之高，所有人都嚇了一跳。

「同一批茶菁，不同工序能做出不同茶，第一批是綠茶，完全不發酵，色相比較接近草青色。」

接著山妹比著第二包茶與其泡出來的茶湯：

「這是淺烘，算是輕微發酵，接近包種茶，蜜香略淡，味道可能有點澀，如果有其他種茶來配堆，喝起來會比較順口些。」

「第三包是烏龍，這批茶菁做烏龍最適合，烘的時間比較長，發酵更高，不用配堆就很甘醇。」

「最旁邊這包紅茶花最多時間去烘，差不多是百分之百發酵，這批茶菁的確不適合做紅茶，但是我用稻穀去壓味，所以勉強還可以喝。」

眾人對於山妹在短短時間用手工將一批茶菁做成四種茶，無不感到訝異，尤其是站在角落的薏心，更是聽得入迷。

「細妹手腳倒是俐落，不知味道怎麼樣？」莫打迫不及待地品茗起來。

「我來試試。」石頭沒想到山妹可以做到這個程度，他不服輸地想再三確認。

石頭用湯匙呷一口茶湯，便開始移動杯子，細細品味每一杯，喝了後不得不佩服山妹的功力。

吉桑看見石頭哥臉上吃驚表情，知道「茶」裡有學問，也進來加入品嘗行列，喝完之後滿意地問石頭：

「山妹的茶怎麼樣？」

「沒想到，爛茶菁可以做出這樣的好茶，而且還是一次四種茶，山妹做茶師的功力我沒話說！」石頭是直腸子個性，好就是好，沒第二句話。

「山妹是阿土師過世之前向我推薦的。」吉桑很滿意石頭的耿直。

聽到是阿土師的推薦，大家看山妹的眼光都不同了。

「石頭，你是二師，山妹年輕欠缺的經驗你要快幫忙帶起來，日光沒有了阿土師，再來要靠你們下一代合作了。」吉桑說完朝著薏心看了一眼。

「山妹，有什麼問題妳就直接來問我！」石頭這句話等於是認同了山妹當茶師的能力。

站在審茶室門口的薏心，羨慕起被茶師與員工包圍在中間的山妹。

---

9 焙茶的過程因為脫水、烘乾與其他損耗等因素降低重量，步留是指茶菁烘焙成毛茶後剩下的比率。

2

懷特公司花了三個月的時間籌備即將上路的「美援」計畫，其中最具急迫性需要的化肥廠，完全交給KK一手企畫興建，三個月來他走遍臺灣，調查工作從生產基地、區域需求到原料取得，已經獲得老闆迪克與國府官員的信任的KK，從擔任翻譯與記錄的低階幕僚，晉升到可以對國府高官直接簡報的高級專員。

KK代表懷特公司對臺下的行政院袁副院長說明：

「吃飯是臺灣現在的頭號問題，增加單位面積產量最立竿見影的方法，就是使用化學肥料，有了化肥可以增加六十％的農業生產量……」留著小鬍子的袁副院長很感興趣地打斷：

「可以增加一半以上的糧食？」

幾個月前的貨幣改革會議，KK的表現讓袁副院長留下深刻的好印象，認定KK在那次的「二十萬吃一碗麵」的脫序即席演出是說服美方讓步的關鍵因素，至於四萬換一塊造成交易失序而引起農業生產不足，身為高官的他就不管那麼多了。

「是的，為了盡快生產，我們建議在日本時代原有的地基上重建，目前全臺灣只有五個地點能蓋化肥廠，」KK翻到下一頁，指著紅點標示的五個廠地圖。

來臺灣一年多總算搞懂大致地理位置的副院長用濃重的江浙鄉音唸著：「基隆廠，新竹廠，高雄廠，羅東廠，花蓮廠。」

迪克聽出副院長的興趣，打鐵趁熱地說出自己的立場：

「懷特公司興建完成這五個化肥廠後，將持續主導化肥廠的經營，確保化肥產能與品質的穩定！」

袁副院長露出不苟同的笑容：

「我們政府的立場是主導未來的生產、營運與配銷，這樣才符合國父孫中山的民生主義的……非常時期有非常作法……」袁副院長滔滔不絕地說著。

迪克語氣很堅定地反駁：「如果副院長堅持要由國民政府主導，那只好套一句你們中國話：另請高明囉！」

副院長自知理虧地與國府幾名高官互望，話鋒一轉：

「當然，當然，我國政府一定全力配合美方建廠時的土地取得，至於產銷細節等以後再談，先讓人民吃飽最重要！」

送走了國民政府高官，迪克用力關上辦公室的門破口大罵：

「他們想緊抓著化肥廠經營權不放！國民黨和共產黨沒有兩樣，都想搞計畫經濟，都想把國家的手伸進民生物資的生產與經營，歷史一再證明，國家介入產業，到最後就是養出一堆貪官汙吏。」

迪克看看簡報上的地圖嘆了口氣：「可是，工廠選定的地點，地主不是省政府就是國民黨，如果不妥協……」

話才說完，倚在桌邊的KK跟迪克二人的視線被簡報上紅圈圈畫起的新竹廠吸引著。

「我想到解決方法了！」兩人不約而同脫口而出，迪克對著KK笑著，捲著簡報的KK明白那個笑容的背後意義。

幾天後，迪克與KK來到新竹北埔。

「我想這一趟的出差時間恐怕會很久！」

「我打算待到化肥廠建好再走了！」KK看著北埔這座第一次踏進來的小山鎮。

負責接待懷特公司化肥廠籌備人員的是北埔農會的陳專員，此人身材矮小，原本是隨著國軍撤退來臺的中士士官，來臺灣便從軍隊退伍，被安排到北埔農會任農業專員，這個職務在日治時代多半是由教育程度較高的地方仕紳擔任，但因為日本戰敗，來接管的省政府明定北京話為官方語言，導致許多不懂漢文不會講北京話的臺灣知識分子，一夕之間淪落為文盲，無法出任官方公務體系的職位，而類似像陳專員這種跟著逃難過來、勉強識點字會講北京話的大頭兵就一躍成為公務員，反觀原本高學歷精通英日閩客語的臺籍菁英卻淪為掃街工友。

「工廠還沒蓋好之前，你們從美國運過來的機器與原料可以先擺在這裡。」擅長觀察官場風向的陳專員，知道得罪不起眼前這幾位負責美援工作的人，上頭一聲令下，立刻清空了農會的倉庫。

KK和迪克抬頭看著幾乎空蕩蕩的倉庫，角落堆了少許進口化肥和稻米，KK丈量著天花板及大門的高度與寬度，計算著機器能否搬得進來。

「小事一樁，迪克總經理，要不就把門拆了，等機器運進來後，叫憲兵看守。」陳專員巴結美國人的模樣實在令KK感到作嘔。

迪克KK一行人步出農會大門，只見十幾個當地民眾圍著農會公布欄，討論茶葉公會理事長的選舉，你一言我一語地說：

「今年熱鬧啊，有三個人要選理事長！」

「吉桑做茶幾十年，北埔大半茶農都靠他吃飯，他來做最好。」

「吉桑最適合了，做生意大器，不會騙我們小茶農。」

「阿土師走後，日光壞事接連，很慘呢……」

「可惜我們又沒投票權，聽說好幾位理事都收了買票錢……」

「住口，飯可以亂吃，話別亂說……」

七嘴八舌的場面立刻鴉雀無聲，陷入驚恐的鄉民們東張西望，一個個低著頭默默走開。

聽到吉桑兩字，ＫＫ好奇地來到公布欄前。

在旁的陳專員問道：「聽說你們要找這位吉桑合作化肥廠？」

陳專員臉上露出訕笑：「這個人的女兒剛被退婚了。」

迪克嚇了一跳，找私人合作在懷特公司與美援會被視為機密，居然連鄉下農會小專員都一清二楚。

看到迪克吃驚的模樣，陳專員以為這個老外很喜歡聽八卦消息：「入贅的男人都去他們家睡了幾個月，現在退婚，誰敢娶她？」

心思沒放在八卦傳言、專心看著選舉公告ＫＫ好奇地問著：「吉桑選理事長是怎麼回事？」

「這回他是踢到鐵板了，公會理事們全講好了，沒機會了！」陳專員聳聳肩，

ＫＫ故意用英文問迪克：「你覺得，這位張福吉張先生會跟我們同在一條船上嗎？」

「美國人判斷事情會衡量有沒有共同利益。」迪克反問：

「但如果是中國人呢？你們會怎麼衡量？」

ＫＫ盯著選舉公報淡淡地回答：「如果是臺灣人，會看看對方送什麼大禮囉？」

3

第二天KK與迪克、歐文提著幾瓶Whiskey來到張家洋樓面前，這天恰好是盛文公七十歲的大生日，鞭炮聲四起，門前找來戲班子唱戲，屋內庭院演奏著八音團，氣氛熱鬧，各階層訪客絡繹不絕，大半鄉民甚至遊民乞丐全跑來湊熱鬧，看戲、吃流水席。

KK沒想到北埔的傳統客家鄉，居然有這麼一棟兼具日式大正時期與英國鄉間別墅風格的宅院。

踏入大廳，赫見大大「壽」字，一對壽燭，大廳中央的大圓桌鋪了張大紅紙，上供三牲、神飯、酒水、果品，圓桌上首，有張太師椅，盛文公坐在上面。

與張家關係良好的邱議員站在一旁拿出吉桑競選理事長的宣傳單，唸著上面的頭銜，院子的八音團聲響也不斷傳進來：

「日光公司董事長，新竹客運公司董事長，新竹貨運公司董事長，竹南木材行董事長，北埔日光棒球隊理事長……」

穿著盛裝的盛文公躺在太師椅上吸鴉片，吞雲吐霧，細眼看著下面拜壽的人，講起話來雖然氣若游絲，穿透力卻很強：

「事業做這麼大了，棒球隊理事長？還有做哪些我不知道的事！啊！連外國阿斗仔都來。」

盛文公看著剛好走進來的迪克、歐文與KK等三人。

拜壽者人來人往，吉桑對陌生人並不感到奇怪，只禮貌地點了點頭，真正吃驚的是站在後面的薏心，讓她嚇一跳是KK，他就是前一陣子去育幼院碰巧被她救下來的小女生月婷的爸爸，薏心一想到自己那天的醜樣與可能外洩的裙底風光，整張臉漲紅起來。

KK也認出「在屋頂上的老師」，從跟著盛文公與吉桑一起回禮的模樣，應該是吉桑的女兒無誤，

「吞不下去，就不要選了！」盛文公一直反對吉桑選理事長。

「阿爸，今日你大生日，非得要罵這件事嗎？」吉桑突然變得尷尬。

「要等我死才來講，是嗎？」

吉桑深呼吸一口氣，示意有外人在別失面子，盛文公倒是不在意，盯著兒子：「等你落選那才叫沒面子！現在全新竹，有誰不知道我們家的事？」盛文公的視線轉到薏心身上：

「妳如果是男的，就可以省掉很多麻煩，偏偏哦……偏偏我們家也丟不起這個臉……」薏心正式跟KK打過照面，卻是如此尷尬場面，她恨不得有個洞鑽下去，

礙於祝壽場面不便說不相關的話，KK只好禮貌性地對她點點頭，

KK冷眼旁觀這家三人互動。

「阿爸，這不只是面子問題，砸再多錢也要選，日光才走得下去。」

「走不下去！茶廠關一關，不用做了！」

滿臉委曲的吉桑選擇閉嘴，現場又是一陣靜默。

「這幾位外國年輕人，有什麼事？」盛文公斜眼上下打量著KK旁邊的迪克和歐文。

「今天不請自來，除了祝壽，想要跟張福吉張先生談個生意。」聽了他們父子的吵架，KK才摸清楚哪位是吉桑。

「又是談大生意？我們家生意太多了。」聽到「生意」兩字，盛文公一臉悻悻然。

「美國懷特公司？不知幾位先生找我有何事？」吉桑端詳著KK等人的名片。

「我不喝威士忌只喝白蘭地。」摸不清楚這些人來歷，吉桑露出商場上應有的敏銳度與警戒心。

ＫＫ想直接切入主題，取出一小包化肥遞給吉桑：「我代表美國懷特公司，旁邊這位是總經理迪克，想來跟張先生談化肥合作……」

吉桑聽到化肥兩字困惑的問著：

「化肥？臺灣的化肥全是進口的，又貴又少。」

「所以我們公司打算自己蓋化肥廠！」迪克回答。

「要建化肥廠不是那麼簡單，要電，要原料，要技術，要土地，還很花錢呢！而且我是做茶的，完全不懂化肥，你們是不是找錯人了？」吉桑在商場多年，幾句話點出其中困難。

ＫＫ笑了：「全臺灣只有一個吉桑啊！張社長你一個人就出口臺灣茶三分之一，可以說是臺灣的『茶葉大王』！現在您還可以做『化肥大王』！」

吉桑一輩子見過不少商場騙子，不至於會相信什麼大王的那套迷湯，只是點點頭不置可否。

也算是生意場老江湖的迪克，知道沒有拿出誠意、展現自己的實力，對方不可能憑幾個陌生人的幾句話就會同意：

「張社長，要不然你哪天有空，我們私下談一談，反正對你也沒損失吧！」

吉桑眼看壽禮也差不多結束，他不想在大庭廣眾下繼續被盛文公揶揄，談生意似乎是個脫身的好藉口：

「來者是客，選日不如撞日，現在就上樓到辦公室喝茶聊聊，順妹，去泡茶！」

迪克拿起茶杯牛飲而盡，吉桑皺起眉頭，招待他們的可是今年頂級夏茶，一斤賣價十塊錢起跳。

「中美聯合化肥廠由懷特公司出資兩百五十萬美元，我們正在尋找民間合作人。」迪克吞下冠軍茶後立刻說出來意。

「民間合作人？不過，我沒有一個事業跟化肥有關。」吉桑仍未放下戒心。

「有的，日治時代的『有機合成株式會社』地基就在你的土地上，我們請張先生入股，不必出錢只出土地一起合作化肥廠的開發案！」KK說著。

由於擁有的土地筆數太多，吉桑請林經理去查帳冊後才發現有這麼一塊土地，目前處於閒置狀態，這筆土地當年是租給日本商社打算蓋化肥工廠，但還沒蓋好日本就戰敗撤離臺灣，由於這筆土地與日本人有關，張家家族其他人怕遭到國民政府清算或徵稅，和大坪山一樣，由吉桑出面登記為地主至今。

「日本商社已經打好地基、上好梁柱，連鐵皮廠房都完工，而且還是根據化肥廠的規格去設計興建，整塊地結構最完整，我們只要在日本人做好的基礎上，做點收尾工程就可把機器放進去，可說是事半功倍。」KK拿出地籍圖以及他所拍的照片，一一向吉桑說明。

迪克說：「這間工廠從資金、設計、設備、技術，到市場我們都會一手包辦，再交給張先生經營，只要張先生願意提供土地，您可以直接入股，成為我們最大的股東。」

從KK一上門就感到好奇、一路偷偷跟著他們上樓躲在門口偷聽的薏心，聽到這些話也是難以置信，這分明是圖利他人，天下會有這種好事嗎？

連未滿二十歲的小女生都無法置信，更何況吉桑！

「我們可以理解張先生的顧慮，但肥料確實是一門好生意，所有的農作物都吃肥，『茶』尤其吃肥，有了這座化肥廠，新竹、北埔茶的產量至少增加五倍！」明知道很難憑三言兩語就能說服對方，KK依然闡述著自己的理想：「中美聯合化肥廠建好，可以聘請超過好幾百名工人，大半得在當地挑選訓練，等於是幫忙改善幾百個北埔鄉親家庭的生活。」

吉桑有點被茶葉的產量數字與幾百個雇工機會打動，但此時在門口的薏心有點憋不住，她走進辦公室當面質問ＫＫ：

「我很好奇，劉先生，你在這筆生意裡，又打算賺到什麼呢？」

「前幾年，我在印度幫美國人蓋化肥廠，但當時是戰爭，沒什麼好選擇，他們要我做什麼我就做什麼，但看到做出來的化肥灑進土地裡，茶園與稻田豐收，那些印度農民的生活因為我的努力而改善。我想賺的，是臺灣農民因為我的努力，讓生活變得更好的那份成就感吧！」ＫＫ很真誠地回答。

吉桑壓根不相信眼前這位年輕人的胡言亂語，他不知道化肥是否是個大商機，但他知道問題的癥結：「目前化肥是政府專賣統一配銷，生意遇到政治……政治問題不是我能解決的。」

「生意就是政治，政治的問題確實有風險，但，哪個投資一定是穩妥的？這廠蓋成了，不只是富你們張家人一家人，而是富一整庄的人。」ＫＫ不死心。

「生意就是政治！說得很有意思，這麼大的化肥生意，你們美國人得利，也讓我得利，當國民政府是不存在嗎？這賭局，不是我不想跟，而是我玩不起，迪克總經理、劉坤凱專員，對不起讓你們白跑一趟。」從頭到尾維持著優雅態度的吉桑，說完後很有禮貌地回贈兩斤日光茶葉。

談到這裡，終究得亮出自己的王牌來展現合作誠意，ＫＫ慢慢地引導到主題：「有了化學肥料這張牌，張社長在公會講話，自然就更有分量了！」ＫＫ笑著看迪克。

迪克把被吉桑退回來的威士忌禮盒又擱在桌上：「這瓶酒只是用來祝壽，並不是今天和張社長見面的禮物，你們臺灣人重視禮物，我們懷特公司會另外準備一份大禮來展現合作誠意。」

「大禮？」已經起身送客的吉桑有點迷惑。

迪克示意ＫＫ對吉桑說明：「我們懷特公司會幫社長順利選上茶葉公會的理事長，而且社長不用拿出半毛錢買票。」

被選情困惱多時的吉桑，心想今天總算有點好事發生，連薏心都可以感到父親的好奇。

「憑你們？」吉桑很快地冷靜下來。

「我們說大禮就是大禮，社長千萬別小看美國人的影響力，有興趣合作的話，就先等順利當選再來談化肥合作細節吧！」ＫＫ說完後打開威士忌，倒了五杯酒，前四杯給吉桑、迪克、歐文與自己。

「最後一杯給老師，謝謝妳救了我女兒。」ＫＫ把酒杯遞給薏心。

吉桑心動了，帶著欣賞的眼光，舉杯喝了一口ＫＫ帶來的美國波本威士忌：「原來美國酒一點也不輸給英國酒！」

薏心看著杯中金黃清澈的威士忌，想起當年父親與英國怡和洋行的往事，大衛叔叔也是用一瓶酒開始和父親做生意的，薏心舉杯對著ＫＫ一飲而盡。

「一杯威士忌，成就一座化肥廠，好像變魔術！」已經微醺的薏心刻意學著生意場合中的豪邁話語。

「建化肥廠當然沒有這麼簡單，可是時間會證明的，今天講的這些都會落實到土地上。」說服了吉桑，ＫＫ心裡的大石頭總算放下來。

薏心看著ＫＫ，二人就這樣對望了一眼，微妙的互動全都躲不過吉桑的眼睛。

4

一九四九年底共產黨席捲大陸全部江山，美國是「轉進」來臺灣的國民政府求生的最後一線生機，不管是軍事、政治、工商經濟、農業生計，連外交也是命懸美國。KK的王牌在袁副院長，而袁副院長的王牌也是KK背後所代表的美援，別小看KK只是懷特公司的專員，其職位的重要性直逼國府的部長或廳長，擁有直接闖進部長甚至副院長辦公室的特權，更別提迪克總經理，透過美援掌握全臺灣三分之一以上的重大經濟建設，一通電話可以直通士林官邸。

為了新竹化肥廠的興建籌備，KK直接闖進袁副院長辦公室，但此時辦公室的會議室內傳出叫罵聲，KK聽得一清二楚。

「目前和匪區建交的，都是共產勢力的國家。但有不少國家蠢蠢欲動想和中共偽政權來往建交……」

「基於國家尊嚴，要斷就斷！反正幾年後反攻回去，那些跟著共匪唱和的跳梁小丑還不是乖乖地回來跟我們建交。」

副院長的回答相當務實：「要斷，當然容易，但我們每斷一個國家，等同於國際上多了一個國家承認偽匪政權，這是絕對不允許的！戰場不光只是在軍事，外交更是寸土不能丟失！有哪幾個國家有機會挽救的？」

「副院長，智利政府特別來函，希望能來採購臺灣的茶葉，否則……」

「連這種買茶葉的小事也拿到我這邊來談，你們外交部幹什麼吃的！」副院長簡直快抓狂。

「他們訂的量很大，價錢壓很低，媽的！又是個趁機揩油的邦交國，但是茶葉公會那邊不想配合，要不然我們宣布緊急命令強制徵收，或者強迫幾家大茶廠收歸國有……」

副院長嘆了口氣：「千萬別亂來，幾年前取締幾個菸攤就激出一堆事變，槍斃了一個省主席、關了幾位將軍，還有一大堆局處廳長級以上的官被撤職，你們自己摸摸看有幾顆腦袋可掉。」

辦公室內沉默了一會兒不再傳出叫罵聲，送走了軍方與外交部的官員後，袁副院長把KK叫到另一間小會客室。

「他媽的什麼智利，根本是見利忘義！」副院長不顧眼前的KK照樣發飆。

KK仔細端詳眼前這位半年來見了多次的高官，眉頭深鎖，已經沒有半年多前剛升官時的意氣風發。

「我等一下要去開糧食分配會議，你有屁快放，還不是因為你們美援不再直接運送米麥……」副院長把KK呈上來的厚厚計畫書與公文狠狠地丟在桌上。

「在我面前亂講話，可是要負責任立軍令狀的。」隱藏起自己情緒的副院長，官腔十足地威脅KK。

「跟副院長報告化肥廠進度，五座化肥廠的四座因為省政府、軍方有意見，土地取得有困難。」

「這是什麼困難，他媽的分明……」

KK不等副院長罵出來搶著回答：

「但是新竹廠，只要行政院這邊同意讓民間商人入股，國家不要介入籌備與經營，我保證在三個月內就可以生產出化肥，而且產量可以讓全臺灣三分之一的農田增加產量一倍以上，六個月內可以讓臺灣的米糧達到自給自足，不必再依靠美國運糧過來。」

「哼！當年共匪的甜言蜜語，我可是聽多了！」

KK不理會副院長的揶揄：「新竹廠的預定廠址，日本人戰敗之前已經整地完成、連廠房的梁柱都架好，我們懷特公司的化肥機器與技師，就快要抵達基隆港，只盼望副院長能幫忙兩件事情。」

「哼！」

見副院長不再打斷自己講話，ＫＫ繼續說著：

「懷特公司已經找到那塊化肥廠預定地的所有權人，是新竹北埔日光茶葉公司的張福吉張社長，他同意以地換股的方式一起經營化肥廠，也就是我們懷特公司出錢出機器出技術，日光公司出土地與原料。但是，張社長目前正在競選茶業公會理事長，只要副院長這邊同意新竹化肥廠採民營方式，以及出面支持張社長競選理事長，臺灣第一座化肥廠將會在短短三個月內完工，這都是副院長您的政績啊！」

副院長拿起計畫書翻閱，顯示他已經感到心動。

「哼！他們美國人做事太麻煩，我一紙行政命令把土地收歸國有，又省事又快。」副院長故意找碴。

「如果收歸國有可以省事，為什麼其他幾個擁有國有土地的單位互踢皮球、公文虛來虛往呢？」

副院長啞口無言，每個單位都有本位主義作祟，有些是官員想進去撈好處，有些是抱著少做少錯的官僚作風。

「只有共產主義才會把所有財產都收歸國有，不管我們是三民主義還是資本主義，本質就是你好我好大家好，地主工人商人政府缺一不可，大家共享利益。臺灣一口氣多了兩百萬人的『公糧』需求，大陸尚未淪陷的前線還有百萬軍隊缺糧，一缺糧立刻會投共，這些多出來的軍餉和公糧全靠您腳下這塊地生產，這些人可沒在管你民營、國營，只管有沒有飯吃，肥料是增產糧食的妙方，越快生產出肥料，對政府越有利。」ＫＫ越說越起勁，全然不管副院長的臉色已經大變。

「劉坤凱，別仗著你是美援公司的人就可以在我面前大放厥詞，什麼投共缺糧，光你講這幾個字，我就可以用軍法來辦你。」副院長的視線從報告書移到ＫＫ臉上，看不出情緒。

副院長這番話只是為了保護自己，這個年代，誰也不知道誰的底細，政治正確的表態絕不嫌多。

「報告副院長，我剛才在門外聽到開會的內容，如果你願意多給我二十分鐘，我可以幫你找到解決所有困擾的好方法，包括智利的茶。」ＫＫ一副胸有成竹的模樣。

聽到智利，袁副院長興趣就來了。

「如果副院長幫日光茶廠的張社長選上理事長，那些智利外交茶的問題自然迎刃而解，他是個重義氣的大商人，肯定懂得知恩圖報，副院長您也不用下條子去強迫其他那些不識相的茶商茶農，強扭的瓜根本不會甜。」

「這樣很好，幾件麻煩事情可以圓滿地解決，很好。你這傢伙！從中美貨幣改革會議後我就注意你，我底下那些官員有你一半機靈聰明就好了！」副院長明顯被說服了。

「公文拿上來吧，除了同意民間經營外，你們也請求政府同意在新竹化肥廠旁蓋座變電廠吧？」

「化肥廠很吃電的，這個變電廠配置，美方已經同意會提供發電機，這裡請副院長簽核。」ＫＫ恭敬地翻開公文。

副院長在公文上簽了字：「今天下午就會送出去！」

「至於幫張社長選公會理事長，我會安排去巡視茶業公會，你可以滾了！」

5

ＫＫ、歐文、陳專員及數十個戴著斗笠的農民忙著將大型儲油槽搬上牛車，男人身上全是汗，現場十多臺牛車，玩心頗重的歐文坐在第一臺牛車，戴上牛仔帽，來勁地大叫：「耶！牛仔！讓我們去建造一個新世界！」戴斗笠穿汗衫的駕牛車阿伯對著吆喝的歐文傻笑。

「陳專員，謝謝你們農會讓我們放這些機器，再過幾天我們會全部運走了。」

「沒事！反正倉庫空著也是空著。」陳專員操著江浙口音國語，滿身大汗地指揮工人把機器陸續搬上牛車。

「傷腦筋，又來了！」陳專員看著不遠的農會門口。

一對父子牽著腳踏車，頂著烈日，載著兩大袋茶葉朝陳專員走來，父親是北埔茶農烏面叔，被太陽曬得很黑，一張彷彿出生至今從來沒笑過的苦臉，扶著腳踏車後架茶葉袋的是他的九歲兒子烏子，眉頭鎖得比他爸爸還深。

「陳大人，這是上等茶葉，你喝喝看就知道了。」烏面叔怕陳專員躲起來，大老遠便喊了起來。

「烏面叔，我跟你講幾次了，不能給你。」陳專員不太耐煩。

烏面叔吃力用中文混客語拜託：「水肥不能用，下雨就流走，化肥才有用啦！」

不明就裡的KK很喜歡小孩子，對烏子友善一笑，不料遭烏子狠狠瞪了一眼，KK收起微笑。

「倉庫裡不是有些化肥？」KK納悶著。

「倉庫裡那一點肥料，只能給種稻米的農夫。」

烏面叔問：「我種茶的為什麼不能用？」

「那沒辦法了。」陳專員礙於KK在場，否則會把烏面叔趕走。

烏面叔用求情的眼神看著KK，烏子則是滿臉怒氣，看大人在對話。

「先給他吧！化肥廠三個月後就開始生產，到時候要多少有多少。」KK想得很簡單。

「劉先生！你不要這樣為難我，這個例子一開，後面就會有一群人來要化肥，北埔全鄉大半是茶農啊！」陳專員看著ＫＫ，一臉無奈。

「每個農會每半年要負責募到四十萬公斤的白米，做軍公教的『公糧』，農會分到這麼一點點肥，全給種稻的去用，就算大豐收也不一定能收獲四十萬公斤，哪還有多的肥料給茶農去用，我只是小小專員，沒辦法。」陳專員的話很無奈，口氣卻很堅決。

烈日當空，烏面叔父子只好又牽著腳踏車走回去，烏子扶著腳踏車，回頭瞪了ＫＫ一眼。

「不識相，根本沒有資格領肥，還每天來！簡直是刁民。」陳專員搖搖頭。

ＫＫ看著父子步履蹣跚地離去，心中很難過。此時，不遠處從日光張家洋樓方向傳來鞭炮聲，今天不是節日也非初一十五，ＫＫ感到突兀。

從街上跑回公司門口的阿榮，拖著根超過十公尺青綠色竹子，竹子上吊著一串長長鞭炮，他滿臉悲慟地跪在地上點燃鞭炮，對著張家洋樓嚎啕大哭：

「盛文公，你最喜歡聽鞭炮聲，我放炮讓你高興，你一定要撐下去。」

不久前，半夜緊急被叫到張家的張醫師，無法止住盛文公的血痰，吉桑、薏心與家裡大大小小焦急地等在床前，只聽得到房內盛文公整夜不停的咳嗽聲，吉桑與薏心被張醫師叫到門外商量。

「需要送臺北大醫院嗎？我立刻叫阿榮去準備車子與住院行李。」

「盛文公的身體恐怕經不起路途折騰，我怕抬上車子就會……」身為張家子孫的張醫師，徹夜沒睡。雙眼布滿了血絲。

「那怎麼辦？」

「阿叔，恐怕時間不太夠了！」張醫師哽咽起來。

「你是醫生，醫生不能慌亂，你告訴阿叔，什麼方法最好？」吉桑雙手用力搖著張醫師的身體。

張醫師吸了口氣，緩緩地講著：「讓盛文公抽最後一管鴉片煙，無痛無苦地走……」

看著躺在床上，咳嗽咳到氣都快要喘不過來的父親，吉桑轉頭望了薏心一眼，看薏心沒反對，吉桑親自替父親點起鴉片煙，盛文公抽上幾口後勉強在床上坐起來，氣若游絲地說：

「拿筆墨來！」

盛文公顫抖著在紙上寫字，好不容易寫完，等墨汁乾了立刻摺起來放在自己枕邊。

「等我死以後才可以看！」

盛文公斜眼看著腳邊的吉桑和薏心，張醫師和管家春姨、順妹、團魚等家僕也候著，他說：

「薏心的婚事不要拖了。」吉桑與薏心忍住淚水點點頭。

「那美國肥你不要插手，政治真恐怖。」吉桑敷衍地點了點頭，盛文公看得出來。

「你長越大越不聽話，小時候你很聽話的！」父子對望，盛文公望著繼子的臉，百感交集。

「自我過繼到張家，我就聽我爸的話……他要我吸鴉片，我就吸，他說吃鴉片的人不會嫖不會賭，不會亂做生意敗光財產，他說我這樣最好，一輩子躲在房間抽大煙。」盛文公臉上悲喜難測，不知該如何評斷自己的一生。

「但是我不讓你吃鴉片，還送你去日本讀書，給你去做生意，跟我不一樣。來，我想吸最後一嘴。」

盛文公用力地吞吐幾口煙，此時阿榮的鞭炮聲從外面傳了進來，盛文公閉上眼睛：「又有錢回來了！真好！」

一道正午的陽光從天井射到房內，盛文公斜著嘴示意吉桑湊過來，吉桑以為父親又要教訓他了。

「風神，你真好……」盛文公說完後嘴角擠出勉強的笑容，彷彿享受著最後一次鞭炮聲。

「阿爸！」

在鞭炮聲中，吉桑、薏心和所有人跪地痛哭。盛文公過世，享壽七十一。

公祭的靈堂擺設在張家古宅大廳，處處飄著白幡，靈堂內擺著好幾大盤的綠豆糕，這是老人家生前最愛的點心。

身著白服或黑服的弔喪者絡繹不絕，穿著喪家白衣褲的薏心與滿臉鬍渣的吉桑，站在牌位旁向弔唁者點頭答禮，躲躲藏藏的范頭家，帶著滿臉歉意的文貴也來參加公祭，原本應該是親家，現在無話可說，氣氛尷尬。

看見他們父子兩人就一肚子氣的邱議員小聲地對吉桑說：「范頭家也加入公會，他們表態要支持對方。」說完後吃驚地看著靈堂大門。

只見大門的幡旗下出現一群來弔唁的人，以伯公與尋求連任的茶葉公會蘇理事長為首，後面站著兩排穿著白服來弔唁的公會理事，合計有二十多人，浩浩蕩蕩地走進靈堂一一上香，並向吉桑致意。

「阿伯，蘇理事長！」

「節哀順變。」

「阿伯，這次選舉，我還要拜託您……」

伯公看著盛文公遺像假真心地說：「我們是一家人，你要出來選一句話，阿伯這張票就支持你！不過，這些人全是阿伯換帖的，但人在江湖身不由己啊！」

已經無計可施的吉桑眉頭緊皺，盯著地板，只能恭敬地一一答謝。

「你阿爸生前沒教你嗎？拜託人要懂得看人臉色嗎？」伯公得便宜還賣乖趁機教訓，想讓吉桑當場難堪，薏心正想開口頂回去，卻聽到喪禮司儀喊著：「行政院袁盛平副院長上香！」

吉桑看到高官來弔唁當場愣住，他並不認識，也沒寄訃聞給副院長這麼大的官。

副院長的隨身侍從要大家讓出一條路，緊接在袁副院長後面還有省農林廳長、建設廳長等官員。副院長與官員弔祭後，司儀接著高喊：

「美國懷特公司與美援會代表，迪克總經理、歐文總工程師、劉坤凱專員……」

原來是ＫＫ動用關係，把留著小鬍子的副院長請到現場，ＫＫ對吉桑與薏心使了個眼神。

滿臉驚訝的吉桑答禮後，視線移到伯公與蘇理事長臉上，發現他們的表情比自己還要驚愕，其他理事也都一臉呆滯地看著副院長，不知所措的范頭家文貴父子還被副院長隨從用力推開。

副院長主動跟吉桑握手，用一聽就知道現學現賣的生硬客語說：「張先生，節哀順變。」

袁副院長站在靈堂正前方，隨從示意要大家安靜。

「張社長、迪克總經理、蘇理事長、鄉長……今天我來此除了弔唁張社長父親盛文公外，還要宣布一項政府支持的重要政策，張社長將要出任由美國懷特公司、省政府與日光共同合作，位於北埔的中美化肥公司的董事長，這代表中美政府與北埔鄉親的最重要的合作里程碑，預計三個月後完工，完工後可提供新竹桃園廣大農民的化肥需求，提高農糧產量，早日完成反攻大陸的糧食準備……」

伯公、邱議員，公會各理事們異常恭敬，聽著副院長的訓示，ＫＫ跟副院長對望了一眼，像是極有默契的老友般，包括薏心在內的所有人都看在眼裡。

ＫＫ指著薏心對副院長介紹：「這位是張薏心，張社長的獨生女兒，盛文公唯一的孫女。」

副院長跟薏心點頭示意：「節哀順變！」

致意後眼神立刻掃到蘇理事長等人身上，臉色一變話鋒一轉：

「此屆的臺灣省茶葉公會理事長的改選，外界傳聞甚多，選風之敗壞絕非國民政府所樂見，基於過去閩南客家輪流的慣例，政府樂見客家籍的張社長能當選理事長，這樣才能推動政府與茶農茶商之間的安定與合作……」

袁副院長講出了選風敗壞、閩客和諧、非政府所樂見等話，已經超脫尋常官場的應酬語言。

ＫＫ點了一把香，給伯公、公會眾理事們與自己一人一枝，ＫＫ舉著香對盛文公的遺照說：「盛文公啊，請你放心，我們向你保證，一定會全力支持吉桑，請你在天上多多給我們關照。」拿著香的眾人尷尬無比，這種對著往生者的誓言，到底要不要拜下去？大家不約而同地朝副院長望去，雖然他的臉上看不出喜怒，但一想到副院長的「交辦」，活人比死人可怕多了。

吉桑看著盛文公遺像，及桌上滿滿的綠豆糕，不禁淚眼婆娑。副院長親自扶起吉桑。

最懂得見風轉舵的蘇理事長率先拿香跟著拜，抬頭一看，盛文公遺照上的表情彷彿瞪著他說：「我會盯著你。」

看到ＫＫ做事的方法簡單又有效，等於要議員在亡者與高官面前發誓，薏心對眼前這個男人越來越感到好奇。

6

兩天後的茶葉公會選舉一夕變盤，原本可能連一票都拿不到的吉桑，票開出來居然獲得大部分的理事支持，只有伯公一人跑票，張家洋樓旁的橫屋炮聲絡繹不絕，恭賀的匾額掛滿了日光公司的大廳，鄰居鄉親不無好奇地探頭探腦想來沾沾喜氣，唯一苦惱的是住在附近專門養賽鴿的阿新桑，隆隆炮聲和滿天煙霧害得他的鴿子飛不回鴿籠。

住在幾條街外的伯公聽到炮聲，得知吉桑拿到除了他以外的其他全部票數後，正在整理「斜幹盆栽」的他氣得一把剪下養了十幾年的斜幹長枝。

阿榮在門口免費發送蘋果，大人小朋友都搶著要，北埔的頭人們包括邱議員、鄉長、蘇前理事長、幾位新竹地區的茶業公會理事、迪克與KK都到場祝賀，吉桑、薏心、林經理等人忙著招呼上門賀客。

蘇前理事長拿著蘋果說：「這粒是貴到會講話的美國令果，買一顆就要花公會工友半個月的月給，吉桑怎麼大手筆每人發一顆啊！」

吉桑指著KK說：「這是美國懷特公司送來的賀禮。」

大家看向KK，薏心尤其仰慕，在她眼中KK簡直是張家再造恩人，她知道公司的負債已經大到根本還不起，如果沒當選理事長，今天上門的恐怕是另一批債主了。

邱議員邊吃蘋果邊拿著雜誌《民主思潮》翻看，看到某頁時不禁愣了一下望著KK。

KK正滔滔不絕地說：「我們公司還要感謝吉桑在化肥廠拉電時，找來這麼多工人來，現在新的機組也到了。」

「這個時候剛好在等下一季茶菁收成，工廠多的是人手，反正我也是掛名化肥廠社長。」吉桑饒有興致地打量眼前這年輕人，正想開口，蘇理事長就插話了：

「生意做很大呢，又是肥，又是茶，又是客運，又是木材，全是第一等的！」

此時有位身材矮小但眼神異常銳利的中年人，身旁站著一位文質彬彬的年輕人，指揮幾個工人送來一個特大匾額：「青雲直上」。

邱議員見到這位中年老闆，立刻放下手中的雜誌隨手擱在茶几上，飛奔去寒暄：「古老闆，稀客！稀客！」這位古老闆是邱議員從政生涯最重要的金主

古老闆是新竹最大的布商，與吉桑認識多年但不算深交，一個賣布料洋裝一個做茶葉，彼此沒有什麼生意往來。

古老闆笑得開懷：「吉桑，你麻煩大了，這麼大一個匾額，看你要掛哪去？我看你又要重新改建洋樓或是擴大日光的辦公廳囉！」在場眾人笑了起來。

古老闆使個眼色給邱議員，邱議員很有默契地指著那位年輕人：

「他是古老闆哥哥的獨子武雄，臺灣大學畢業後去日本讀書，剛從東京回來，算一算比薏心年長五歲。」

武雄對吉桑點頭微笑。

「看起來很體面，但我不要醫師，也不要律師，只要學商或學外文的。」吉桑堅持著。

「對方是臺灣大學經濟系畢業、剛好學商。」

吉桑對古老闆點點頭回禮表示樂見其成，完成金主所託的邱議員鬆了一口氣。

早已被告知今天會有「不正式相親」的薏心站在角落往武雄方向望去，發現對方也正在遙望著自己，害羞地低著頭假裝翻閱邱議員擱在桌上的《民主思潮》雜誌，翻到其中一頁停住了目光，她也愣住了。

文章標題是「美國人為什麼造橋鋪路：論美援在臺灣之我見」，作者印著三個大字：劉坤凱。

相對於客廳的輕鬆應酬閒聊，廚房內簡直忙得像打仗，除了蘋果外，張家還替賀客準備了粢粑、甜湯圓、炒粄條等，團魚端著空盤舀了好幾碗順妹煮的鹹湯圓，準備要端去給客人當點心。

「『壞掉』公司好厲害，連副院長都請來了。」順妹煮湯圓炒粄條的手沒停過。

「前幾天那時候，伯公、范頭家的臉，真的全『壞掉』了！」團魚笑著

「什麼壞掉，是懷特，話都不會講！」春姨笑罵著兩人。

「我看我們大小姐好像對壞掉的那位經理有點……」順妹有著同為少女的直覺。

「今天邱議員帶人來相親，這種話別亂講，小心妳的嘴巴爛掉。」春姨立刻收起笑容嚴厲斥喝下人，她不希望剛被退婚的薏心又捲入這種男女傳聞中耽誤好事。

吉桑指揮著工人掛起一幅幅匾額：「高點，再高點！」阿榮與團魚在高梯上齊力把最後也是最重要的一幅抬到牆頂。

「好！可以了！」吉桑很滿意抽著菸斗，仰望這幅盛文公彌留時所留下的最後遺言墨寶，匾額上面四個大字：「風神當選父留」，下面還有一排小字：

「莫賣祖宗田，莫忘祖宗言，若忘祖宗言，吃虧在眼前，知嗎」，上面壓了許多私人字號章，果然是盛文公做法。

「難道盛文公生前就篤定吉桑會當選理事長？」邱議員等人感到不可思議。

在所有的道賀匾額中，吉桑最喜歡這一幅，站在底下許久。

賓客陸續告辭離去，張家裡外已經開始收拾，只剩下文貴抱著一盒禮盒在大廳角落徘徊，只要有人經過，他就背對人假裝在欣賞盆栽。

門廊裡正在收拾盤碗的順妹，看見了文貴：

「文貴怎麼還不走？萬一被古家少爺看到，不就是象棋的王見王，死局！」所有人停下手邊的工作擠在窗邊。

「他還有臉來這？」春姨氣憤不已。

「難道她是真心愛上大小姐了？」

「我看是來投降請罪的。」順妹語氣很肯定，大家看著順妹，不明白這句話。

「他上頭有四個哥哥四個嫂嫂，家裡的家產事業根本輪不到他，在這，起碼是未來頭家。」順妹大聲說著，故意講給窗外的文貴聽見。

大家認為順妹的揣測很有道理紛紛點頭，順妹受到鼓勵越講越刻薄：「夭壽哦，喪事來，喜事來，連小姐要相親也來，真的當自己是張家駙馬爺！」

文貴聽見下人的談論，看著手中的禮盒，羞愧想立刻離開，不料被剛從門外送完最後一批客人走回大廳的吉桑撞見：

「文貴！你也來了！」

文貴看著吉桑，硬著頭皮送出手中的禮盒，小聲地說了聲道賀，吉桑「嗯」了一聲。

看見吉桑沒好臉色，慌忙地解釋：「我是來還西裝的。」

吉桑打開禮盒，原來是當時替女婿訂製婚禮時所穿的西裝：「你不用還這個，這西裝是按照你的身材尺寸做的，就是你的。」吉桑像長輩對晚輩的交代。

「這個太貴重，我不能收。」

吉桑要文貴當場穿起西裝後說：「怎麼不能收？這件衣服你穿起來好看，有派頭！」事過境遷，吉桑早也不記仇，何況堅持退婚的是范頭家。

「男人在外面要懂得穿好、吃好，你不虧待生活，生活就不會虧待你，知道嗎！」吉桑叼著菸斗鼓勵著。一副父親為兒子弄著領子般，讓文貴看起來派頭點

感動不已的文貴聽著無緣「丈人」的叮嚀，說：「我會記住的」。

文貴對坐在樓上小客廳沙發的薏心點頭微笑，薏心淡淡一笑敷衍回應，繼續捧著《民主思潮》專心閱讀，深怕漏看一字一句。

文貴穿著合身的西裝向兩人深深一鞠躬，大步地邁出張家大門。

不料，文貴回到家後，父親范頭家卻逼他脫掉西裝，還把西裝丟在門外頭的地上，看著被糟蹋的西裝禮服，他不解地看著父親。

「人家當選理事長，跟你什麼關係？你去恭喜什麼屁股？」

「我只是去還衣服而已。」

范頭家聽了更火了，用力踩亂西裝禮服並丟到餿水桶內。

「退婚後，一天到晚抱著這件衣服，像死人樣。」文貴急著伸手從餿水桶內撈起西裝。

「這件婚事是阿爸做主的，你叫我去被人招，我就去被人招，你講要退婚，我就退婚！我算什麼？」

文貴心中滿是委曲

「你，什麼都不算！連做我兒子都不資格，我范有義沒你這麼不成材的兒子！」

文貴再也按捺不住自己的情緒：「阿爸，你完全是生氣起憨面。」一

被刺激的范頭家一腳踢中文貴的臉後拂袖而去，文貴流著鼻血看著家門，再看看地上骯髒凌亂的全套西裝，他撿起來抱在身上頭也不回地離開范家。他對著西裝發誓，有一天會證明自己是成材的，總有一天，大家等著。

第四章

1

吉桑當選茶業公會理事長後召開第一次會議，外交部司長與袁副院長的祕書都蒞臨現場，會場融洽和諧。送走長官後，與會者你看我我看你，蘇前理事長指著智利大使館送來的茶樣率先發言：

「那麼，這次政府外交茶專案，就恭請新任張理事長接下。」吉桑聽了，強顏歡笑地問：「大家要平分點嗎？」

「分什麼？吉桑家大業大，與副院長的關係又那麼好，這張智利外交單，就全交給吉桑吧！」蘇前理事長故意強調副院長三個字，言下之意就是不關他們的事情。

吉桑啞巴吃黃連，但還是很大器地回答：

「既然大家一致禮讓，那我就接下這筆外交茶的訂單了，司長都親自把茶樣送過來了，我身為公會理事長當然要支持政府的請託！」

吉桑收下了放在桌上的茶樣，與大家寒暄喝茶，坐在後面列席、不停地打著算盤的林經理早已經鐵青著臉。

晚上，阿榮與林經理攙扶著喝醉酒的吉桑回到張家洋樓，吉桑看似開心地唱著山歌：「摘茶要摘兩三片哦，三日不摘就老哦！」

著：

薏心聽到父親五音不全的歌聲，從二樓房間走下樓來，只見滿臉紅統統全身酒味的吉桑拚命在身上抓

「我摘的茶怎麼不見了？」動作看起來像抓癢，其實是在找茶樣。

「PAPA你喝醉了？」商人應酬喝酒，薏心從小看父親喝酒到大，早就習慣。

「完了！完了！茶不見了！」醉茫茫分不清楚到底是抓癢還是找茶樣。

薏心又好氣又好笑，一整瓶茶樣明明握在父親手中。

吉桑學著外交部司長的山東口音的北京話：「理事長，恭喜當選哦，現在有二十幾個國家要跟中華民國斷交，保住邦交國的重責大任就交給你了。」

薏心問林經理：「怎麼回事？」

「外交部要求公會賣一批茶葉給一個叫做智……自……什麼的國家，我也記不清楚，反正是個遠得要命的國家。」

喝醉的吉桑反而記得一清二楚：「智利！」

吉桑突然一本正經對薏心說：「我們接到生意了，兩百萬磅智利外交紅茶！足足有一百五十萬臺斤的大訂單呢！我吉桑全吃了。」

「真的？這樣子債務可以償還了！」不知另有文章的薏心開心起來。

身為掌管日光與張家財務出納的林經理潑薏心冷水：

「日光原本負債三百三十萬，利息滾利息，加上積欠員工四個月薪水，還有最近選舉的開銷，我們的負債已經超過四百萬！」

吉桑拍拍胸脯：「什麼債不債？沒有我吉桑還不起的債！」

「你啊，你啊，人家做理事長是吃香喝辣，你做理事長是賠錢做茶，生意收收，不要做了！」吉桑學起盛文公講話口吻，還微妙微肖模仿盛文公抽鴉片的動作。

「PAPA！到底發生什麼事？」薏心發現父親快瘋了，望著林經理與阿榮。

「外交部開的價錢是每磅精製茶六塊錢，等於每臺斤八塊錢。」林經理搖搖頭：「怎麼接啊？」從小耳濡目染下，薏心雖然對製茶外行，一聽也知道其中困難：「每斤八塊錢？扣掉步留耗損、人工煤電、運費……」

吉桑突然很激動：「對！根本沒利潤，薏心你沒算錯，就算茶菁壓到一斤兩塊收也會賠錢，賠錢還不能丟國家的臉！」

「不能回絕嗎？」

吉桑從公事包裡掏出了一大疊錢，丟在桌上：「因為我是公會理事長，沒有人想要接，我只好接下，而且，還被迫收了訂金！」

「為什麼？」

「為了錢啊！為了人情啊！薏心！」

「需要現金可以付工人薪水，有訂單茶農才有收入，北埔鄉親需要這筆訂單吃飯生活，我需要這筆訂單還大官人情，大官需要這筆訂單去打外交戰，能不接嗎？」薏心聽得一頭霧水。

「為了面子做茶？用面子做茶，能做到何時呢？」明知道賠錢，PAPA還是要做，薏心無法認同

吉桑這才發現茶樣鐵罐只是握在自己手裡，打開瓶蓋細細地捏著茶葉：「現在臺茶做會賠，不做會死，十家茶廠有九家苦撐，為了員工鄉親長官國家，就算賠錢也要做……」

「做茶的人沒有選擇！只能一直做下去！」話剛說完吉桑手一滑，玻璃罐飛出去，茶樣散了滿地，薏

心正想要撿起茶樣，卻被吉桑嚇阻：「不能踩到……因為因為這就是茶人的宿命。」

薏心見父親慢慢跪了下去，一片一片撿起來，就算醉了，他還是很在乎茶。

「真的沒得選擇嗎？」

等了半晌吉桑都不出聲，原來趴在地上睡著了。

被喝醉酒的爸爸折騰整晚，還想賴床的薏心被外頭絡繹不絕的車聲吵醒，北埔除了公共汽車與鄉農會外，只有她們家有汽車，薏心聽聲音就知道不是自家的汽車與卡車，她好奇地像小孩般跳下床，鞋都沒穿，跑過走廊來到窗邊望著洋樓外，不遠處的北埔街道，一輛轎車與數輛自己都沒看過的美軍軍用卡車遠遠開來，經過洋樓圍牆，停在日光辦公室門口。

從轎車下車的是KK與歐文，KK遠眺張家洋樓看到了窗邊的薏心，驚覺自己還穿著睡衣的薏心，難為情地躲到床簾後面。

從卡車卸下來的是一堆各種測量器具以及做實驗的大小試管。

阿榮和團魚忙著打掃公司最裡頭那間閒置的辦公室，KK、歐文及工人們把文件與器具搬進去，歐文把大幅美國國旗和中華民國國旗，雙雙掛在牆上。

吉桑正在另一頭的辦公室泡茶招待邱議員，他探頭好奇地看著掛上牆上的國旗。

吉桑看拿著菸斗對林經理比劃：「林經理，把那些和日光合作過的國家國旗也掛上去。」

正在倒茶的林經理：「做國旗花錢啦。」

吉桑看著小氣的林經理：「一面旗，會花多少錢？現在做生意就得講國際化。」林經理實在想不透掛國旗與國際化之間到底有什麼關係。

「你們公司找外國人來上班嗎？」邱議員好奇地指著正在掛美國國旗的歐文。

「不是啦，阿斗仔哪會作茶！我暫時把空出來的辦公室借給化肥廠用，他們就不用天天去借旅社，再一兩個月工廠就完工，到時候請你們來參觀開工典禮。」意氣風發的吉桑早把外交茶的煩惱拋得一乾二淨。

邱議員突然起身將辦公室的門關上，似乎對在外面走來走去的張家下人有所顧忌。

「現在可以說說古老闆的想法吧！」吉桑問起。

「坦白說，古老闆對入股日光的興趣並不大，但他要我轉告你，看上是未來親家的情分上，他可以入股日光三百萬元，入股之後占日光股份多少趴仙（百分比），他沒有意見，一切你說了算！」邱議員一五一十地報告。

「哼！情分，邀他入股又不是乞討，講話真是刻薄！」吉桑臉色一沉。

「哼！古老闆那個姪子叫古……」吉桑連女兒未來對象的名字都記不得。

「武雄！」邱議員提醒。

「武雄娶了薏心，以後日光全都是他的，現在當然不在乎誰是大股，誰是小股。」林經理忍不住插話：「社長，邱議員不是外人，他已經幫我們談到很好的條件，別在乎什麼面子，公司下個月可能會發不出薪水，而且古家也沒有要求成為大股東，製茶賣茶還是社長你說了算。」

「不過……古家堅持不入贅……」邱議員面有難色：「古家也是家大業大，武雄又是臺灣大學畢業，留學東京，怎麼樣也不能拿文貴來比……」

「把女兒嫁出去換三百萬元，當我吉桑賣女兒嗎？傳出去要我怎麼做人？」吉桑對於入贅與否也很堅持。

「吉桑，別動怒啦，冷靜想想看，整個桃竹地區去哪裡找到這款家世與學歷的女婿，再說，嫁人歸嫁人，到時候在洋樓附近蓋一棟樓做新房，武雄每天來公司上班，下班順便在家裡吃完飯再回去，你天天都可以看到蕙心，這樣跟招贅也沒什麼兩樣，況且時代不同了，條件不錯願意被招贅的人越來越難找了，別忘了盛文公走前還千交代萬交代蕙心的婚事要趕緊……」邱議員好聲好氣，而吉桑內心所掙扎的終究也只是面子問題而已。

「這樣，反正先安排蕙心武雄兩人見面，要不要結，也要他們年輕人看順眼啊！」林經理一旁敲邊鼓。

在條件與面子之間的巧妙平衡，決定了一個即將滿二十歲的女人的一生。

2

知道自己又被父親再度許配，蕙心對這次婚事連一絲一毫的喜悅都沒有，羨慕起閨密同學能自由戀愛結婚生子，心情煩躁地走進琴室，坐在鋼琴前卻連彈琴解悶的動力都沒有，她看著不遠處的公司門口，KK抱著一捆捆的地籍圖設計圖緩緩地走出去，蕙心不知道哪來的好奇心，決定下樓跟在KK後面，瞧瞧這個男人到底在忙些什麼。

沒多久，看見KK從農會出來，走到一旁的雜貨攤買東西，蕙心正在猶豫到底要不要上前打招呼，這時從農會裡跑出一個神情慌張的小男孩，蕙心認得是烏子，烏子吃力地搬著一包化肥放上腳踏車後架，綁好後踢腳踏板，個頭太小的他載不動化肥，連人帶車摔倒，KK見狀上前幫忙烏子扶正腳踏車。

「小兔崽子偷肥料，別跑！」此時農會門裡傳來陳專員的叫喊聲。

烏子緊張到不敢看身邊的ＫＫ。

「注意點，走啦！快走啦！」ＫＫ推著腳踏車助跑，推了烏子一把，烏子踩著腳踏車，離去前回頭感激地看了ＫＫ一眼。

「劉先生，你有看到一個抱著化肥的小孩嗎？」走出農會的陳專員氣喘吁吁地問著。

ＫＫ比了個相反的方向，陳專員狐疑地看了他一眼後，氣喘吁吁地跑了一兩條街，眼看連個蹤影都沒有這才停下來。

「好大膽，這個年頭，連小孩都做賊。」陳專員罵了幾句。

ＫＫ此時才見到一旁的薏心，意識到薏心目睹了自己放走烏子的舉動，做了個手勢「噓」，薏心笑著對ＫＫ眨了眨眼。

等氣喘如牛的陳專員悻悻然地走進農會大門後，ＫＫ才遞上一瓶剛剛買的汽水，從小被教導男女授受不親的薏心不敢拿。

ＫＫ笑著說：「這是封口費。」

薏心這才大方地喝了起來，兩人並坐在涼水攤的椅子喝著汽水。

「妳偷過東西嗎？」ＫＫ問著。

薏心搖頭。

「我像他那麼大的時候，有一次放學，回家經過巷口雜貨店沒人，我好想喝彈珠汽水……忍不住就偷了一瓶。」薏心吃驚地瞪大了眼。

「我還小嘛，當時偷偷帶回家還捨不得喝，結果被我爸發現，他是老師，平常很少打我，但那次我被打得特別慘，爸爸還帶著我去跟老闆陪罪。那時我只是為自己去偷了一瓶汽水，但是剛剛那個小孩卻是為了家裡的田偷化肥，根本是個孝子。」

「化肥很貴？不能用買的嗎？」薏心知道問這種問題一定會被恥笑吃米不知米價，但為了找話題聊下去，還是問了。

「有錢也買不到，只能用換的。」[10] KK非但沒有笑她，還一臉嚴肅地回答。

KK抬起下巴比了陳專員和農民：「肥料的成本不到米價的一半，但是政府卻用一斤化肥換一斤半白米的比例來交換。」對數字頗有概念的薏心仔細算著。

「為什麼要用肥料換稻米？而且還比較貴？」薏心不明白

「很簡單，政府想透過換肥料，掌握全省糧食，藉此讓大多數農民農地都去種稻米。」

「難道種茶葉不重要嗎？他們就不能用肥嗎？」一聽就懂的薏心替大部分北埔農民叫屈。

KK東張西望後小聲地回答：「要準備反攻大陸啊！打仗的阿兵哥又不喝茶！」

「掌握全省的糧食？但化肥廠不是可以直接賣給農民嗎？」聰明的薏心很快抓住重點。

KK脫口而出：「是的，我們堅持要建立民間化肥廠，就是為了阻止政府的壟斷，以後不管是種米種菜種茶，都可以使用。」

薏心聽了直覺反應，這不是擺明跟政府唱反調！她驚恐地盯著KK，被盯著看的KK有點不太習慣，只能喝著汽水。

此時，烏面叔帶著烏子回來還肥料，向陳專員道歉，烏子很明顯地被父親揍得很慘，陳專員巴了一下

---

10 自一九五〇年起，臺灣農民要取得政府所獨占的化學肥料，必須用稻穀按官定比率與政府交換，而不是現金進行交易。

烏子的頭，正想藉機教訓這對父子。

KK出面緩頰：「烏子只是想幫父親拿肥料去茶園施肥，這是孝子！」

「還不謝謝劉經理替你們求情，這可是要送派出所的！」陳專員做順水人情給KK，不再追究。

事件總算平息，KK嘆了口氣說：「我恨不得現在一天可以做三天用，趕快把化肥廠蓋起來，這樣就可以讓農民有便宜的肥料可以種地，真正需要幫助的人，政府卻視而不見。」

薏心聽到這幾句話，想起最近從《民主思潮》雜誌看到的文章，她好奇地問：

「到底誰才是最需要幫助的人？」

沒想到會從薏心嘴巴中聽到如此深入的問題，引起KK的興致：「好比你們日光，如果賺大錢，只要沾上點關係出點力氣的人，都可以幫忙，但如果公司賠錢或周轉困難，就必須要懂得取捨。舉個例子，如果在船上，好多人落水，你只有一個救生圈，你會救誰？」

「PAPA！」薏心毫不猶豫地回答。

「如果你有一百個救生圈，但全部北埔鄉親都落水，你會救哪些人？」KK這個問題完全讓薏心愣住了，只是隱隱約約有種說不上來的複雜念頭，卻又摸不著頭緒。

薏心回到家後，整個腦子還在想這個問題，逢人就問KK的問題。

「妳是昨晚沒睡飽，頭腦打結嗎？北埔鄉親怎麼有可能都落水！」春姨邊回答邊在想要不要去漢藥房抓帖安腦定神的補藥。

「哈，我就當場賣救生圈順便賺一筆！」沒事喜歡賭一把的嗶嗶哥滿腦袋想的都是發橫財。

同樣的問題問吉桑卻得到這樣的回答：「都是鄉親，我吉桑全部都要救！」

INK

GOLD 茶金 LEAF

找一個人，喝一輩子茶。

公視時代生活劇《茶金》 2021年11月13日 全球首播

不對！他們所回答的都不是藏在自己心中的那個模糊不清的答案，到了深夜，薏心站在洋樓門口望著燈火分明的茶廠，她好奇地走過去瞧瞧，看見新來的女茶師山妹與其他茶師技工還在審茶室。

只見吉桑、石頭，山妹，嗶嗶哥及莫打每人拿根湯匙，各取茶湯五到十毫升，細心地品著外交部給的智利外交茶茶樣所泡出來的茶湯，茶樣攤開放在黑色審茶臺上。

吉桑說：「唷，這茶有種……」石頭與山妹等人彼此張望，知道吉桑想要講的是什麼，所有人用湯匙又品一口茶。

「陳香味！」吉桑石頭山妹同時說出，但所有人看著茶樣也浮露出憂容。

「這個味要二十年以上老茶才做得出來。」石頭師嘆了口氣。

石頭取出泡過的茶底，把它攤開鋪平，撩撥著泡開的茶底，拿起一朵茶芽，和山妹互看一眼，驚訝不已：「都是嫩芽啊，這種茶菁不便宜，看起來應該是併堆併出老茶味道。」

山妹看著審茶杯，打量著，這是她第一次端起審茶杯。

吉桑看著石頭及山妹：「等這幾天收茶菁進來，看看這一季的品質，再來決定這批外交茶怎麼併堆？你們還有好幾天可以想辦法。」說完後叼著菸斗回洋樓休息去了。

為了破解智利外交茶茶樣的配堆成分，石頭快累死了，他裝了一碗鹹稀飯，倒了一杯紅露酒，放在腳邊，看著滿桌的茶樣與品過的茶渣。

嗶嗶哥跟莫打坐在石頭哥旁，分一杯紅露酒喝。

石頭與嗶嗶乾了杯後問著：「你真的要走？」

嗶嗶哥抱怨：「上個月埔里廠走了兩個技師，這個月大坪廠又走了一個茶師，其他小工與臨時工走的更多，兩個月沒發工資，我進來日光好幾年第一次遇到這種情況。」

「走了要要去哪？」

「臺北啊！看看有沒有茶猴子可做，不然乾脆轉行。」

莫打累得轉著脖子坐下來對嗶嗶哥說：

「我不想走，我相信吉桑。」

「要來賭？這批外交茶做完，也是沒錢發半毛錢！」愛賭的嗶嗶哥找莫打對賭。

莫打毫不猶豫掏出身上所有的錢，湊足四塊錢給嗶嗶哥，嗶嗶哥沒拿，看著莫打。

「如果我輸，這四塊錢讓你去臺北找工作做生活費。如果我贏，用你的薪水來還。」莫打對張家忠心耿耿，但說起話來也還是有氣無力。

「我阿爸生病，兩個弟弟還得靠我供讀書，家裡等著我寄錢回去……」山妹不死心地聞著茶樣與陶罐裡的味道。

一牆之隔的薏心全聽見了，突然間，困擾她一整天的疑惑煙消雲散，她沒有感到難過，因為現在不是難過的時候。她抬起頭來看向那間借給ＫＫ的辦公室，燈還是亮的。

3

第二天天一亮，新一季的茶菁陸續採收，所有新竹桃園地區的茶農和茶販子都聽說了日光接到兩百萬磅智利外交紅茶的訂單，茶廠停滿了小卡車、三輪車與手推車，日光的貨車也已經準備好要將收購進來的茶菁，依據品質與揉捻需要分別載往別的廠。

現場隆隆的車聲與炒菁聲，吵雜到大家必須嘶吼說話，門前停滿了準備上下茶菁的卡車三輪車手推車，現場吵成一團，北埔廠茶師石頭哥以一擋百，跟幾十個茶販子茶農討價還價爭執不下。

茶廠其他技工或低階茶師在總茶師還沒訂出收茶價格之前，只能呆呆站在臺秤旁等著議價結果，特別是山妹，安靜地站在低調不起眼的角落，張大眼睛盯著這一切。

石頭師陪笑地說：「太田叔，按平常價錢收啦。」掂了掂手中茶菁用手勢比著二，表示每斤用兩塊錢收，這兩塊錢是根據訂單與費用所估出來的最底限價格。

太田叔也跟著笑笑：「吉桑理事長拿到那麼大的外國訂單，一定賺很多，讓點小利給我們啦！」

「新理事長接到外交茶，如果沒茶可出，是會被笑到外國去！茶價一定要高，否則我收不到茶菁來賣你們。」良叔在旁煽風點火，他認定日光有不得不買大量茶菁的壓力。

太田叔跟著提高價錢：「是啊，沒有三塊，買不到這種茶菁！」茶販子們圍住石頭，你一言我一語，亂成一團。

「價格硬梆梆，叫你社長出來！」

石頭被茶販子們激怒：「好！好！好！全部不用講了！我進去請示社長。」

吉桑正在洋樓大廳看著牆上，只掛著兩面小國旗：英國與日本，有點不高興地問著林經理：「智利的國旗呢？」

團魚剛好也在牆上安裝好一幅世界大地圖，笑著問：「社長，那智利在哪囉？」

吉桑豪情萬丈，指著狹長的智利，斜眼示意一臉不開心的林經理：「又多一個國家囉，日光茶要賣到全世界去！」

林經理看著世界地圖冷冷地頂回去：「賠錢，賣到全世界又如何？」

吉桑哼了一聲：「你講話怎跟盛文公同樣哩！」

這時石頭剛好氣喘吁吁進來請示：「社長，那些茶猴們知道我們接到外交茶，量比平常大，現在大家都吵著要漲價，不接受我們開的每斤兩塊錢，我不是總茶師做不了主，請社長決定要多少錢收？」

吉桑看著世界地圖，很豪情地指示：「只要是漂亮的茶菁，我們可以用三塊錢收！」

在旁邊的薏心不敢相信自己耳朵，前幾天父親喝醉酒時才說過用兩塊錢收都可能會賠錢，況且一大早也接受了林經理的建議同意先開價每斤兩塊錢，為什麼心情一好就立刻調高為三元。

站在巨幅世界地圖前的林經理滿臉嚴肅地提醒著：「社長，每斤兩塊錢收還可以小賠，抓長補短還勉強可以做，但如果用三塊錢收這批智利茶所需的茶菁，少說又要賠一百萬……」這次林經理連算盤都不用撥。

「這批外交茶，注定要有人賠，不可能叫國民政府賠，也不能讓茶農茶販子賠，不如由我們賠！」吉桑滿臉不在乎。

剛好經過洋樓大門的ＫＫ也感到詫異，很吃驚吉桑做生意的方式。

薏心聽了父親的話吃了一驚，感覺自己心臟快吃不消了，正要開口講話時，剛好對上ＫＫ的眼神，她知道ＫＫ也聽見了。

林經理忍不住失望的情緒抱怨：「為什麼又要賠！」

其實吉桑也是啞巴吃黃連有苦說不得：「賠就賠吧，只要能做出好茶，我現在是理事長，不能丟國家的臉，更不能漏日光的氣，石頭，今天就先這麼收！」

薏心邁開大步走出洋樓來到茶廠門口，看見正在處理堆積如山的茶菁的山妹，兩人對望一眼，石頭看見薏心跟山妹間的眼神交會，感覺她們之間好像有什麼默契。

「石頭，你社長同意三塊錢嗎？」茶販子看見石頭走出來紛紛上前圍著他，嗶嗶哥跟莫打在臺秤忙著秤茶菁，下茶菁，標示重量，並發放日光茶袋給茶販子裝賣出的茶菁。

薏心走向吵鬧的茶販與茶師人群前，看著磅秤法碼，彷彿有一世紀這麼久，她伸手按住了磅秤法碼，用盡全身力氣對眾人嘶吼：

「我代表社長，今天開價一斤兩塊錢！」薏心筆直地舉起右手比了二。

頓時，無聲，連一根針掉在地上都聽得見，在場所有人都緊盯著薏心的兩根手指頭。

吉桑看到自己女兒的行徑，想衝出去嚇阻，卻被KK伸出手擋了下來，因為KK知道日光要改變了，石頭狐疑地望著林經理，林經理點點頭表示支持薏心的報價。

「可是吉桑開價三塊錢啊！」太田叔不可置信

「今天開價就是一斤兩塊錢收，太田叔你哪隻耳朵聽見我PAPA今天開三塊錢？」薏心毫不留情面地回嘴。

「薏心，大人做生意，妳在做什麼呢？」吉桑終於掙脫了KK的阻攔，衝了出來喝止。

「PAPA！還記得那夜自己說的話嗎？」薏心當著眾人面前質問。

「你說國際茶市不好，現在十家茶廠有九家在苦撐！」

吉桑想起那晚說的話，有點猶豫不決。

「你講到做茶人的宿命，我現在已經找到答案，你想不想聽？」父女二人對望，吉桑陷入沉默。

所有茶販子見吉桑不講話，以為他在裝腔作勢。「吉桑，你是什麼命？你好命我們歹命！兩塊太離譜了，我不賣！」太田叔不願用兩塊錢賤賣今天收購進來的茶菁，率先扔下印有日光標記的茶袋表示今天不賣茶。

「兩塊？這種價格買不到茶菁啦，我趁還沒中午趕緊運去別家茶廠去賣。」良叔跟著附和扔下日光空茶袋，其他茶販子紛紛退茶袋，有志一同表態不賣了。

「唉唉唉，太田叔，良叔，不要這樣啦，辛苦載到這，先下在這裡再說。」石頭忙著跟茶販子打圓場。

茶販子們看著價錢最後裁示者吉桑，在他們眼中，薏心這個千金大小姐不過只是出來鬧好玩罷了。吉桑看著薏心，發現薏心正在和山妹做眼神的交流，他轉頭望著山妹，山妹的眼神露出不屬於她的年齡的銳利，吉桑三十年前剛認識阿土師時也曾看過這種給人一股安定感的眼神，吉桑決定相信種眼神。

吉桑走到薏心的身邊，舉起右手也比出二。

茶販子終於死心，已經卸下茶菁的忙著收拾載上車，還沒卸貨的揮揮手，騎著三輪車、開著小貨車或拉著手推車紛紛離去，不到一刻鐘，茶廠門口人去樓空，只有滿地的空茶袋。

「真的，全走了？」嗶嗶哥傻眼。

「人全走了，真的是『茶人的宿命』了。」沒想到結局會如此的吉桑無奈地看著薏心。

「PAPA，如果利潤很高，當然可以高價收茶菁去照顧茶販茶農，但照顧公司員工更重要啊！」薏心昨天想了一整天最後就是得到這個結論。

「日光公司要先活下來才能照顧員工，照顧好員工，才有人替我們賣力做茶，我們不買太田叔他們的茶菁，自然會有其他人會買，我們不必替他們操心。」一旁員工們很吃驚，薏心在乎他們。

「阿榮，把茶袋點好，明天過中午後他們會再來，大家剛好休息一日！」薏心胸有成竹。

「休息一日？要是明天沒人來，就準備關門了。外交茶吶，這樣叫我這個理事長怎麼做下去？」吉桑十分懊惱，為什麼會一時衝動跟著少不更事的女兒一起瘋？他看著滿地的空茶袋生起悶氣。

阿榮默默地撿著茶袋，薏心與山妹也加入行列，石頭望見薏心跟山妹間的默契，有點忌妒，嗶嗶哥和莫打站在原地看著不發一語的石頭哥，但看到連大小姐都親自彎腰下來幹活，自然也不可能在旁邊偷懶。

「茶販不下貨，今天茶就做到這了，石頭師傅，明天真的有茶收嗎？」莫打關掉茶廠機器，現場士氣低落，員工三三兩兩離開。

「那些茶販也太現實了，三塊錢就下整車，兩塊錢就轉頭把貨載走。」撿完茶袋的嗶嗶哥抱怨起。

「明天來不來，還不知道呢！本來打算收兩三千斤，只收了三十斤，日光改做手工深茶工寮算了。」石頭揉著少得可憐的茶菁故意諷刺山妹。

「講實在的，今天大小姐有想到我們這些員工，聽了我都想哭了！」嗶嗶哥很感動，莫打也點著頭。

石頭沒有停下手邊揉茶的動作，他不高興地瞪著兩個徒弟，眼睛不時瞄著山妹，山妹似乎跟薏心玩著他不知道的把戲。

嗶嗶哥比著石頭正在揉捻的茶菁問：「師傅，外交茶的陳香味你要是做出來，總茶師的位子就是你的。」

石頭冷眼看著徒弟：「陳香味不是做出來的，是時間堆出來的。」

「要怎麼堆？」

「只能用老茶堆啦！」

「太貴了吧？」

「社長都說了，這是榮譽啊，面子重要！」

石頭停下揉茶動作想了一陣子，交代兩個徒弟繼續揉後便騎著腳踏車下班回家。

「看起來，師傅還沒想到辦法。」嗶嗶哥擔心。

提早休工下班的茶廠只剩下負責留守值夜的巡邏阿伯，薏心看著二樓萎凋區還亮著燈，走進萎凋區只見月光映在山妹背上，看見她抓了一把新鮮茶菁，放進一只只的舊木桶裡。

山妹剛封好木桶，看見薏心走過來。

「小姐這麼晚還過來茶廠？」

「睡不著，到處走走，不知道明天會不會有茶販子來？」

「妳沒把握？」

「一點都沒有，但我只知道不能這樣一直做賠本生意，PAPA只在意面子，但這座茶廠這麼多人，靠面子養不活，得做出改變才行。」薏心看著空蕩蕩的茶廠，心中不太踏實。

「放心，明天會有人來的。」山妹自信滿滿。

「這就是妳昨晚告訴我的大倒市？」已經問了好幾次的薏心不放心地再問一次。

「我阿爸前幾天講的，新竹這邊的茶，幾年就會發生一次，對別人來說是茶菁大豐收，對茶農來說，大豐收會造成茶菁價格大跌，茶農不比茶廠，收了不馬上賣就會枯萎，不採收又怕茶樹開出茶花，茶花一開就會吃茶樹的肥，以後這株茶樹就種不太出茶芽來了，所以種茶的人為了避免開花，就只能拚命摘茶芽。」

「今年氣候太好，冷熱乾濕配得剛剛好，我阿爸說今年是罕見的好年冬，我前幾天回山上老家，發現茶園附近那些沒人照顧、看起來像已經死了好幾年的野生茶樹都冒出新芽，所以今年一定又會發生大倒市。」

「今年紅茶沒單，小姐妳比我更清楚，收茶的茶寮怕賣不掉全都觀望停收茶菁，茶猴子也不敢找茶農亂收茶，今年整個新竹只剩下日光還有智利茶大訂單，再加上大豐收大倒市，日光只要開價格，想收多少就有多少，根本沒別人會來搶收茶菁！」山妹說的很仔細，連外行的薏心一聽就懂。

第二天早上，日光茶廠門口收茶菁的廣場仍然空無一人，只有磅秤、秤桌與堆疊如山的裝茶空袋，石頭不打算打開機器開關，因為他認定今天不可能收到茶菁，開機器只是白白浪費電。

「石頭師傅，你如果不先開電，收到茶菁後，萎凋與揉捻會來不及。」山妹用師傅稱呼石頭，且好意提醒。

茶菁收進來搬入倉庫，立刻要用人工先挑選品質比較好的部分，趁一大早採收下來的茶菁的朝露還沒完全蒸發前，趕緊搶時間進行製茶的前半部程序，否則會造成茶葉走水（水分蒸發）不順（俗稱積水）。

石頭不理會山妹，還故意對著焦急地走來走去的吉桑說：「茶販平常七八點就會來，現在快十點了，還要等嗎？」

吉桑看著手表，十點多了，該是收茶菁的時候，卻不見茶販子蹤影，怒視著女兒忍不住發火：「妳啊，妳啊，擅自主張削價，現在沒人來了，妳歡喜了吧？」

薏心和山妹對望，薏心開始有點不安了，山妹卻很篤定。

吉桑轉過頭對著山妹遷怒：「妳自己也做過茶，妳會不知道三百萬磅的毛茶需要進多少茶菁才能做出來嗎？」

罵完山妹又轉過頭對薏心罵：「妳不會喝茶、審茶，現在竟然要來亂……」

吉桑剛開口，就聽到嗶嗶哥吹了一聲響哨：「社長！有車來了！幾十臺啊！」

所有人抬起頭望著門口的路，只見一臺臺的卡車、三輪車、牛車絡繹不絕。

嗶嗶哥跳上秤臺眺望激動不已：「不只北埔，還有峨眉、寶山、芎林的茶猴都大老遠跑來了。」

石頭眼見如此盛況，默默地將機器打開，機器與車子的轟隆聲夾雜茶販子的人聲，薏心閉上雙眼享受這些比蕭邦名曲還要美妙的聲音。

「歹勢，茶袋不夠，裝袋浪費點時間，來遲了。」太田叔一臉歉意。

一袋袋茶菁卸下被搬上磅秤，茶販子圍著臺秤與莫打等人計較著斤兩，石頭與山妹一袋袋檢查，正當大家爭吵不休時，薏心突然又壓住磅秤的砝碼，再度舉起右手食指比出「1」的手勢，現場所有茶販子陷入一片死寂等待薏心開口。

「兩塊是昨天的價碼，今天日光所有廠只用一塊錢收茶。」今天薏心不需要大吼大叫，所有人都靜靜地聽她講話。

太田叔看得直跳腳：「昨天兩塊，今日一塊，明天妳要五角收，欺負我們茶販，是嗎？」脾氣不好的太田叔氣得把菸蒂往薏心身上丟過去，所幸薏心身手靈活閃開。

茶販子們全反彈，吵成一團，又打算要丟茶袋走人。

太田叔看著吉桑，要吉桑提高價格，要不然連他也要走了。

吉桑拿開薏心按住法碼的手問起：「啊，薏心妳又在做什麼？」

薏心滿臉鎮定：「PAPA，這是你教我的茶人宿命。」吉桑不知道該講什麼話了。

茶販子們再度聽見這句「通關密語」，氣到眼白都快翻到後腦勺去了，大家你一言我一語吵著，修養不好的連三字經都罵出來。

「薏心！到底茶人的命是值多少錢啊？」太田叔竟然繞過吉桑而直接想找薏心喊價。

「不接受的，可以不下貨！」薏心按著砝碼。

吉桑很怕茶販子再離開，猶豫著要不要拉高價錢來收茶菁。

這時，嗶嗶哥為薏心幫腔，一腳用力踏上秤臺，發出咚啷巨大聲響。吉桑與薏心父女倆對望，薏心用眼神求 PAPA 不要出聲。

「喂！大伯、大叔！我們新社長的價沒像老社長那麼軟哦，一塊要下，要快哦，等一下新社長再一句茶人的命，只剩下五角收囉！」

茶販子面面相覷，太田叔第一個軟化，心不甘情不願下地把載來的茶菁統統搬上秤臺：

「一塊就一塊，我下七百斤。」

其他茶販見狀，只能邊抱怨「價錢太差啦！」「欺負人啦！」一邊卻爭先恐後下茶菁，深怕薏心又變出什麼花樣來，沒多久，整座茶場堆滿茶菁。

「今天到貨量五十萬斤，比昨天來的還多一倍！」負責秤重的莫打歡欣地喊著。

「照這種收茶菁速度，再兩天就可以收足製作智利茶所需的茶菁量，跟昨天開的兩塊錢比，省下不少錢。」林經理打起算盤來格外賣力，知道省這麼大一筆錢，也不去管吉桑的面子了。

吉桑根本不在乎，只是很好奇地問：「妳怎麼知道茶販會再來呢？」

「是山妹告訴我的。」薏心看著山妹，山妹正默默忙著萎凋。

薏心從林經理手上拿過算盤，不太熟練但認真計算：「今天進的五十萬斤茶菁，就省下五十萬元，林經理！日光所有人一個月薪水要發多少？」

天天算帳算個不停的林經理立刻回答：「十六萬！」

「公司欠員工幾個月薪水？」

「三個月！」
薏心對著在場的員工：「下禮拜，公司會還欠大家的工錢！」
員工聽了，頓時士氣大振，現場歡聲雷動，嗶嗶哥帶著員工鼓譟著：
「新社長！」「新社長！」「新社長！」
吉桑聽了又驚愣又感動，茶廠好久沒有這種熱烈氛圍。

KK跟歐文在對面的辦公室，聽見茶廠員工鼓譟，KK透著窗看著廣場的薏心，二人正好對上視線，KK帶著笑意，那份讚許認可讓薏心感到特別開心與得意。
茶廠裡每個人都生氣勃勃，畢竟三個月沒領到薪水了，大家十分激動。
莫打伸手向嗶嗶哥要錢：「我贏了！給錢！」
手舞足蹈的嗶嗶哥嘶吼著：「我輸錢還開心，這是頭一次呢！」
莫打與嗶嗶哥抓了幾把茶菁撒向天空，像是藍天下的碧綠雲彩。

4

北埔濟陽醫院候診區，山妹陪著父親阿旺叔等待看診。
「陳香味？用老茶去併？會不會太貴？」阿旺叔一語道破智利外交茶的難題。
「貴不貴還不是最麻煩，問題是一百多萬斤的訂單，翻遍日光的倉庫也沒有那麼多可以配堆的老茶。」山妹滿臉憂愁。

阿旺叔嘆口氣說：「山妹，阿爸身體不好，現在家裡就靠妳賺錢了，耽誤到妳的婚事，真抱歉，公司那批茶的配堆，我教妳，妳可以……」

張醫師送走了前一個病人後看著山妹與阿旺叔，分不清誰要看病：

「誰要先看？」

山妹看了張醫師一眼指著阿旺叔，張醫師認出了她：

「妳就是那位日光新來的女茶師，聽說妳幫新社長省下幾十萬元，讓日光的員工人人可以準時領薪水。」

山妹害羞低著頭不敢直視對方。

「一來就幫日光立了大功，你女兒真正很厲害，聽說總茶師的位置也非她莫屬。」張醫師幫阿旺叔打針時不停稱讚著山妹。

「都是大家不嫌棄啦！」阿旺叔被誇得忘記自己來看病。

「不簡單，誰說我們客家女人只能在家裡相夫教子克勤克儉過日子，努力打拚還是可以出頭當社長當茶師。」張醫生時不時就瞄山妹幾眼，低頭不語的山妹其實都看在眼裡。

「阿旺叔的病情不要再拖下去，一定要送去臺北住院治療，我這個小診所沒有設備……」張醫師感到無能為力。

聽到要住去臺北大醫院，不想再增加山妹負擔的阿旺叔婉謝：「我這身老病，包點藥在山上吃吃就好。」

「阿旺叔，你的病還有藥醫，好好去臺大醫院治療，最少還可以活上十年八年，要走也要等到抱過孫子再走吧！」張醫生看了山妹一眼。

聽到父親的病還有希望，山妹不理會父親的顧忌直接問起：「到臺北臺大……」她想問的是到臺大看診要找哪位醫師，不料張醫師卻回答：

「我們醫院在臺北有間宿舍，離臺大醫院很近，現在也沒人住，我打算安排阿旺叔去住在哪裡，有護士也有煮飯的阿桑，我每個禮拜都會去兩天看診，需要設備與藥材我會跟臺大醫院那邊打聲招呼，都是學長學弟不然就是老師，很好講話。」

阿旺叔面有難色，張醫師知道阿旺叔的苦衷：「阿旺叔你放心，完全免錢。」

山妹知道這不是單純的住院治療，就算把薪水都填進去也付不起，但不管什麼代價都比不上讓父親多活十年八年。

山妹站起對張醫師鞠躬：「一切都聽張醫師安排！」

阿旺叔嘆了一口氣，眼神不敢跟山妹對上。

安頓好阿旺叔住院的事，山妹立刻回到茶廠，雖然智利外交茶的茶菁數量足夠，但至今還沒配出與外交部送來的茶樣相同的味道。

半夜肚子餓的薏心跑進廚房，從菜籃裡掏出一條番薯，丟到山妹起的烤茶火堆裡，火光映在二人臉上。

薏心看著火堆上的陶罐裡乾烤著幾片茶葉：「為什麼要烤茶？」

「烤茶可以釋放茶樹的味道。」

「烤番薯可以釋放我肚子餓的壓力。」薏心說完，兩人忍不住笑了。

山妹檢查陶罐裡的茶葉：「試試能不能烤出陳香味？」

薏心不是很明白什麼是陳香味。

「這批外交茶樣，最困難的是有陳年老茶的味道，但老茶少、也貴，得想別的辦法去併堆，不拼配不可能做出兩百萬磅的量，我也不確定烤茶行不行，但總得試試看才知道。」

「併堆？拼配？」從小到大沒碰茶廠工作的薏心聽不懂。

山妹加著柴火：「茶是季節性很強的作物，當量很大的時候，要用不同的茶，以不同比例併出、堆出跟『樣品』相同味道的茶。」

薏心有點理解了，看著山妹樣專注烤茶的職人神情，羨慕她能靠著技術專業在職場上立足，一直為婚嫁苦惱著的薏心，不由得好奇了。

「妳和我差不多大吧？妳家裡有幫妳找對象嗎？」

山妹沒想到薏心突然問起這個，滿臉尷尬地岔開話題，連忙提起柴火堆裡的熱陶壺，把滾燙的開水澆在陶罐裡，瞬間茶氣湧出，她倒了一杯給薏心。

「有陳香味嗎？」

薏心搖搖頭：「全是霉味，跟我阿公綠豆糕上的陳年霉味很像。」

薏心喝著滾燙的烤茶，正想著如何繼續找話題，不料山妹先回答了：

「大小姐，你要我去打聽化肥公司劉經理的事，已經探聽到了，他的父母已經過世，她還有個小女兒。」山妹居然忘了問最重要的問題。

「過世了？那他妻子呢？妻兒怎麼沒帶來北埔呢？」薏心急切地一口氣問了一長串問題。

「啊！我忘了問。」

薏心焦躁地責備起來：「哪有事情只打聽一半啊？妳是向誰打聽的？」

山妹聽到「打聽」兩字噗哧笑出來：

「還有誰？就是跟劉經理一起來的那位美國人！」

「歐文？妳怎麼敢跟他講話？」薏心有點驚訝。

「自從我來工廠上班的第一天，他就吵著要我教他說中國話，我說我不怎麼會說，只會講客家話，他竟然說學客家話也可以，就這樣，我就收他當學生。」

薏心想到金髮白種人講客家話就忍不住笑了出來。

不甘被笑的山妹故意捉弄：「劉經理只是和日光合作化肥廠，難道還要查人家的祖宗八代生辰八字嗎？」

「妳！這關妳什麼事？」薏心的心思被拆穿，故意繃著臉想掩飾害羞。

「我問到一個很重要的事情，小姐你要不要聽？」

薏心裝出一副事不關己的模樣，山妹故意逗她：

「沒興趣就算了，我要去配茶了。」說完故意往廚房門外掉頭就走。

「好啦！我的好山妹！」

「哼！叫我姊姊才說！」

「反正你比我大，姊姊就姊姊！快說吧。」薏心拉著山妹的衣角。

「他的妻子在戰爭期間已經過世了！」山妹邊講邊看薏心的表情。

「啊！那他的女兒好可憐，跟我一樣都沒有了媽媽！」薏心卻沒有半點哀戚的神情。

山妹看著薏心，心念一轉問起：「我阿爸去找張醫生，就是街上那間濟陽醫院的張醫師……」

「北埔就只有一個張醫師啦！」

「這個醫生可靠嗎？嗯，我是說醫術。」山妹故意把話題叉開到，然後把事情經過說給薏心聽。

「他是我們張家的親戚，他的阿公就是北埔人說的伯公，輩分上也是我的伯公，伯公的確和我們家有點財產上的糾紛，但張醫生沒問題啦！他一向是言而有信，放心讓他去照顧妳爸爸啦！」薏心簡單地說明兩家三代的關係與糾紛。

薏心的說明沒有解決山妹的疑惑，山妹只好直接問起：「張醫生結婚了沒？家世好，又是大醫生，想嫁給他的人一定很多。」

薏心對這種八卦最有興趣：「是還沒結婚，不過……」薏心故意賣關子看山妹的表情反應，單純的山妹焦急的問：

「不過什麼？」

「不過！不過人家有沒有結婚關妳什麼事？」

薏心與山妹兩人笑了開來，烤茶的炭火照著兩人滿臉通紅。

茶廠傳來轟隆響聲，不論白晝運轉趕工，篩茶的機器發出嘎吱嘎吱的聲音，分篩剩下的茶灰飄啊飄的，在夜半微弱的光影裡更加明顯。技師與工人身上沾滿茶灰，將過濾下來的茶，一簍一簍倒進烘茶機裡，每個人都辛苦工作著。

5

簡單地互看幾眼就決定薏心婚姻大事，在邱議員來回的穿梭以及雙方家長的急切下，加上必須在盛文公去世之內一百天完成婚嫁，很快地就敲定下訂婚與大婚的日子。下訂當天一大早，日光公司外面傳來一陣陣汽車喇叭聲，這是彼此的信號，阿榮在汽車開進洋樓前放鞭炮表示歡迎。

聽到鞭炮聲，坐在大廳等候許久的吉桑聽了，喜上眉梢起身出門迎接，KK 站在日光公司二樓角落的化肥廠辦公室的窗邊，看見六輛轎車駛進日光收茶的小廣場。

駛入廣場的轎車停妥，下車的是武雄和古老闆，以及媒人邱議員、古家親戚與新娘禮服的裁縫，他們帶來了為薏心訂製的婚紗與大小聘禮的禮盒，禮盒多到擺滿了公司與工廠門口，古家為了下聘可說是做足了排場。

茶廠工人們紛紛停下手邊工作，聚到廣場看熱鬧，開心議論著最近日光與張家開始走運，好事都聚著一起來了。尤其是團魚，帶頭起鬨喊著新社長要出嫁了！

在二樓的薏心站在房間的窗邊望著外面，瞥了古家的排場與武雄一眼後，就把眼神轉到 KK 的辦公室，發現 KK 也正微笑地看著她表示祝福。

古老闆打開其中一只最精緻的木盒，在裁縫的幫助下取出精緻的婚紗，吉桑、武雄、林經理和辦公室的會計助理看著潔白的婚紗讚嘆不已。

「這是武雄（takeo）從東京銀座帶回來的英國布料，我特別拜託繡功一流的退休老師傅設計了緞面的圖樣，剪裁也花了兩三天的功夫。」

薏心看到KK也在懷特辦公室裡透過窗看著婚紗發呆。吉桑點起菸斗，開心地看著奢華的婚紗禮服。武雄對婚紗沒那麼感興趣，反倒是打量著辦公室和茶廠。

「剛才聽見工人的歡呼聲，『新社長』不知是哪位？」武雄好奇地問著，

「哈哈，他們是在說薏心，社長還是吉桑啦！」林經理代為回答。

「薏心這兩三天靠茶菁訂價幫公司省了不少錢，『新社長』是他們胡鬧著叫。」吉桑對薏心的表現頗有些自豪，但表現得還是淡淡的樣子，同時也向古家表達，自己女兒並非沒見過世面的傳統客家大小姐。

站在二樓的薏心，第一次從吉桑口中聽到對自己參與生意的正面評價。

武雄笑笑不以為意，掏出雪茄請吉桑：「張伯伯，您平常都抽什麼菸絲？要不要試試美國綠雪茄？」

「喔？美國菸，新玩意，這個倒沒試過，來試試！」

吉桑帶著古老闆與武雄走進自己辦公室。對著世界地圖，吉桑期許武雄能一起把日光的茶賣到全世界！

春姨與裁縫師捧著婚紗走進薏心的房間，溫柔幫薏心試穿婚紗戴上頭紗，看著穿著婚紗的薏心，春姨忍不住高興又哭了起來。

「古老闆不愧是大布商，這婚紗真細工！」收起眼淚的春姨摸著婚紗讚嘆著。

裁縫師拿出布尺與手帳，細心地量著薏心的尺寸，花了好一陣子，薏心看著鏡子裡穿著婚紗的自己默默不語，不自覺地走到窗邊。

裁縫在手帳填滿了尺寸說：「有些地方稍微緊，有些地方稍微鬆，我拿回去改，明天就改好了，請小姐明天去臺北一趟，順便幫武雄先生挑西裝布料。」依照習俗，新郎婚禮上穿的衣服是由女生張羅，古家原本就是經營洋服的布商，自然是由古家負責裁製，但習俗上還是要由新娘來挑選布料與款式。

第二天，薏心趕赴古家在臺北的洋服店選武雄的禮服，順便把圓仔找出來一起試穿修改過的婚紗，一襲美麗的白婚紗架在試穿房裡的衣架子上，兩個女孩子嘰嘰喳喳聊得愉快，圓仔明顯比薏心還興奮，抱起婚紗幫薏心穿上。

「古老闆親自設計的婚紗，好美！我結婚時連個婚紗都沒得穿，好想看妳當新娘子的樣子！」滿臉期待的圓仔動作大剌剌地，婚紗又重，差點絆倒快臨盆的自己，嚇得薏心趕緊扶住她。

「小心，都七八個月了，慢慢來！」

「哎呦！沒辦法，人家就想看薏心醬的尪婿生到底什麼款嘛！」圓仔急著看薏心老公，拉著薏心走出試裝間就往外走。

「我拜託妳慢點走……」薏心摸著圓仔的肚子笑著說。

由於洋服行還沒開門營業，偌大的門市只有古老闆與武雄兩人，薏心剛走出試衣間就傳來兩人的對話。

「之前被退婚就是因為日光負債，現在他們的生意已經慢慢回穩，你老實點幫人家好好經營。」古老闆摸著布料對武雄訓話。

「日光茶葉生意其實外強中乾，但張家還有值錢的地產和林業，我跟朋友打聽過做茶這門生意了，臺茶根本沒有前途。等結婚了，我第一件事情就是讓老丈人把茶廠收一收！」武雄冷淡地回答。

「吉桑是一關，還有新社長呢？我看薏心這小丫頭對經營茶廠很有興趣啊！」古老闆反問。

「女人能做什麼事業，結了婚，就算再怎麼有想法，等孩子有了，那也由不得她，他們客家的傳統就是如此。」武雄辯解著。

「武雄！你嘛卡細聲！別讓薏心聽到！做事業不能太急。」

「阿叔，我是在想辦法幫張家經營！茶廠請那麼多工人，一年只有半年有事頭做，簡直就是阿舍。」

武雄很瞧不起吉桑。

「我警告你，結婚前玩玩不要緊，結婚後你別再到處玩。」古老闆警告武雄。

「阿伯，你自己還不是酒家茶店妓女戶到處逛，哪個生意人不是這樣？」武雄有點不耐煩。

「武雄！不要以為我沒說就是什麼都不知道，你玩的是男人還是女人？你自己心裡有數，玩男人這種事情傳開……」古老闆刻意壓低聲音，但還是被站在門後的薏心與圓仔聽得一清二楚，等到兩人不再對話走遠之後，薏心才走出試衣間隨便幫武雄挑了幾件西裝布料，寒暄幾句便帶著圓仔匆匆離去，跳上阿榮開的座車送圓仔去上班。

「怎麼會這樣？」圓仔打破沉默。

「嗯！」

「我看妳之後的日子不好過呀……」身為閨密的圓仔說了真話。

薏心聳聳肩反問：「妳呢？妳的婚姻怎麼樣？幸運的賭徒！」

「女人在婚姻十賭九輸！我剛好是贏的那一個，因為，我可是自己挑的，唉呦喂！」圓仔摸著正在胎動的肚皮。

「女人沒有太多選擇，想多了的確也沒有幫助，平凡的日子也挺幸福的，我的幸福就在這裡。但我勸妳，妳嫁給武雄注定要輸一輩子，搞不好連下一代子孫都輸掉！」圓仔又摸了摸肚子。

「輸兩輩子！」薏心看著車窗外的街景。

6

薏心回到北埔已經是傍晚，這一天是她十九歲生日，吉桑決定替薏心辦出嫁前的最後一次生日茶，吉桑作風洋派，且日光生產的是紅茶，自然就學會英國貴族品茶的繁文縟節，不過因為張家自己是產茶人，生日茶的舉辦方式自然得兼具職人精神。

恰好走過洋樓門口的KK與歐文也被吉桑請進去參加：「張家第一次有外國阿斗仔參加生日茶會。」KK稍微整理一下自己的儀容，大家圍著木桌而坐，吉桑、林經理、春姨、石頭、阿榮、嗶嗶哥、莫打、團魚、順妹……張家所有僕人都圍在旁邊，見KK與歐文被邀請，自動地東挪西擠出兩個空位來，後面有二張桌子，擺滿了生日茶會後豐盛的晚餐。

薏心一臉苦惱無奈坐在所有人的對面，在她這邊只坐著她與山妹，面前擺了十九杯茶，其他人面前有四杯茶，唯獨她面前有十九杯以及一根湯匙，看上去像是要打擂臺或是黑社會談判。

吉桑解釋給新來的客人聽：「十九杯代表著滿十九歲。」KK點點頭

「今年薏心的生日茶是新茶師做的，山妹！介紹一下妳的茶。」吉桑煞有其事說完開場白。

大家望向山妹，已經慢慢習慣成為焦點的她緩緩起身

薏心呆望著面前的十九杯茶，猶如學校考試十九條難題擺在眼前，壓得她喘不過氣來，回想去年阿土師做的十八杯茶，她一杯都沒猜對。

父親的聲音把薏心拉回現實，薏心這才仔細看著茶湯，山妹將茶湯倒在白色瓷杯，讓茶湯色澤顏色分明好辨識，薏心很感謝地望向山妹。

山妹對大家說著：「同一片茶葉，因為發酵程度和烘焙程度的不同，可做出不同的茶，所以我做了四種茶。」

山妹比著第一排說：「這是綠茶，共五杯，綠茶，又稱生茶，炒青後不萎凋，完全不發酵，色相草綠，味道清新。」

接下來比著第二排說：「這一排是包種茶，也是五杯，輕度發酵的茶，茶色蜜黃帶油光，味道帶青澀，回甘比較慢。」

「第三排是烏龍，是重度發酵茶，茶色是橙色琥珀，味厚重甘醇，很快就回甘。」

「第四排是紅茶，這批紅茶是石頭師做的，全發酵茶，顏色最鮮紅，味道甘濃。」在場除了薏心外的其他所有人，各個都是在茶的世界打滾一、二十年的品茶高手。

等山妹介紹後，石頭直接起身，把薏心眼前的十九杯左右前後任意交錯對調，然後說著：「大小姐妳只要把同樣的茶，排成一排就好了。」

四種茶的茶湯從深綠、淺黃、橙色到鮮紅，山妹刻意焙出色差，薏心暗自竊喜，拿起湯匙，準備審生日茶。

「唷，這茶色這麼不同，只有瞎子才看不出吧？」

山妹的小心機被吉桑看出破綻，轉身到櫃子拿出另外十九只黑色陶杯，將白磁杯的茶湯倒進去，如此一來，在黑色的杯體杯身下就完全看不出茶色，只能憑口感與嗅覺來猜測了。

「不只是薏心，所有人的茶杯都換成黑色的，劉經理、歐文先生，你也來試試。」吉桑玩心大發。

拿著湯匙的薏心開始焦慮，眼神飄向山妹向她求助，但山妹也實在是愛莫能助。

薏心看著父親，用湯匙舀起第一杯茶湯一口，用漱口的方式慢慢品嘗，一杯一杯地喝著，舉棋不定地把茶杯移來移去，最後只能勉強地排了四排茶。

吉桑示意石頭當裁判審茶，石頭用湯匙呷一口所有的茶湯後，便開始移動杯子，每一杯他都細細品味。

嗶嗶哥和莫打看見石頭哥臉上表情，知道茶湯肯定裡有學問，也開始品茶，品了他們眼前的四杯茶後，發出相同的讚嘆聲：

「好茶！」

吉桑、嗶嗶哥與莫打等老經驗的茶人當然是四杯全猜中，連ＫＫ也全部猜中，結果薏心只猜中了十九杯的其中五杯，只比歐文四杯全猜錯好一些。

薏心十分難堪地看著第一次參加她生日茶的ＫＫ跟山妹，更不解的是山妹，很難相信身為茶廠女兒的薏心竟然喝不出茶。

「沒想到劉經理也懂喝茶？」吉桑感到不可思議。

「當年我在印度的產茶區大吉嶺附近幫忙蓋化肥廠，每天把茶當水來喝，只是牛飲啦！跟大家實在不能比。」ＫＫ自謙地回答。

歐文雖然全部猜錯，一臉無所謂地笑咪咪地看著大家。

「今天長見識，沒想到茶裡這麼多學問，謝謝你們請我們喝茶。」ＫＫ與歐文起身向吉桑告辭。

「妳如果真的想做茶，要先懂如何喝茶。」吉桑板起臉數落薏心。

晚上十點，ＫＫ抱著一堆藍圖，提著一盞煤油燈與一瓶白蘭地，踏著月色從化肥廠工地回辦公室，發現茶廠審茶樓的燈還是亮著的，以為是嗶嗶哥還在加班，每天加班以廠為家的嗶嗶哥自然成為他的酒伴，他探頭探腦地走進去想約嗶嗶哥喝兩杯。

ＫＫ站在門口，看見薏心一個人坐在審茶室裡手裡拿著一根湯匙，嚴肅地看著桌上的沙漏發呆，ＫＫ走進來拉張椅子坐在她旁邊，看著她等沙漏的沙漏完了，從茶壺中倒出兩杯茶，舉起透明杯在燈下查看湯色。

「啊呀！」這時薏心才發現ＫＫ已經坐在旁邊。

「抱歉！我以為是嗶嗶哥在這裡！」

薏心有點不知所措，她目不斜視看著審茶杯，不敢看ＫＫ。

「還在為生日茶的事情煩惱嗎？」ＫＫ說完將椅子往旁邊挪開些，畢竟深夜孤男寡女同處一室，傳出去對準備要當新娘的薏心絕對沒有好處。

「才不是啦，喝茶輸掉有什麼要緊？公司輸掉才糟糕。」薏心試著不要在意ＫＫ的眼光，倒了六杯茶。

「聽說，妳把積欠員工的薪水都償清了。」ＫＫ問著。

「對數字我還行，但是對審茶，我完全不行。」薏心指著茶杯邊說邊示範。

「審茶，就是先聞一下香，吸氣，呷一小口，舌尖不斷震動著茶湯，舌尖往上頂時，用力吸一下茶水。」結果薏心自己嗆到不行，覺得超級丟臉的。

ＫＫ先倒杯開水漱口去除嘴中異味，接著聞茶香觀茶色，輕輕地吸了口茶從嘴唇發出嘶嘶聲音。

「你審茶還真是有模有樣呢！」薏心好奇起來。

「哈！我當年在印度大吉嶺當兵，還被找去擔任審茶員呢！」

「什麼？」

「那是歪打正著啦，印度茶和臺灣茶一樣會舉辦比賽，但戰爭剛結束，原先的審茶員不是戰死就是滯留國外，他們又不怎麼信任白種人，所以我這個黃皮膚的就常常被找去審茶，其實我根本也喝不出好壞，一天審茶下來，少說也品了五、六百杯。」這番話逗得薏心哈哈大笑。

「我就是不懂，審茶為什麼一定要那樣喝出窸窸窣窣的聲音，好好喝茶不行嗎？」薏心無法認同審茶的粗魯動作。

KK聳聳肩：「沒所謂粗魯不粗魯，輕鬆品嘗歡喜最重要。」

薏心假裝在思考KK所說的話，其實是在醞釀勇氣想試探對方，實在想不出什麼藉口只好單刀直入地問KK：

「你女兒月婷還好嗎？打針還會不會哭？有沒有……」

話才剛問出口，突然間停電燈滅，整個茶廠陷入一片漆黑，薏心有點緊張，順手抓著KK的衣服，只見月光從窗邊灑落，兩人沉默了一會。

「只是停電，我去拿燈。」KK靠微弱的月光摸著桌緣，沒多久便找到了煤油燈，點燃後放在審茶桌上，煤油的亮光很有限，除了桌上茶杯器皿與他們兩人外，什麼都看不到，KK的人影映在牆上顯得巨大無比。

「妳還好嗎？」KK突發奇想用英語說著：

「張小姐，這是我們智利著名的聖地牙哥茶，請您品嘗！」審茶臺邊的ＫＫ，優雅將六杯茶放在茶盤，奉上其中一杯給薏心。

薏心接過茶，聽著英語，覺得好玩：「什麼意思？」

「日本有茶道、蒙古人喝茶加羊奶、英國人的下午茶也有自己的規矩，大概都有他們的道理。但茶就是茶，喝茶，照著自己喜歡喝茶的方式，味道就出來了。」ＫＫ裝出一副專業審茶員的模樣喝下第一杯茶。

薏心看著ＫＫ安靜地享受著茶，光影在他臉上閃動著，很投入，她試著擺脫心中雜念，心平氣和地喝著手中的熱茶，看著煤油燈照在牆上兩人影子，不自覺地喝出窸窸窣窣的聲音。

「妳還沒有告訴我，為什麼這麼晚還在這裡審茶？」

薏心笑了笑沒立刻回答，而是重新燒壺開水，從三個陶罐取出茶葉，每種茶泡兩杯，一共六杯分成三排，放在桌上指著茶杯說：

「左邊這排的兩杯是石頭師做的，中間這兩杯是外交部給的智利茶茶樣泡的，右邊是山妹做的，你要不要喝喝看？」

ＫＫ再度裝模作樣地喝著茶，薏心差點笑翻：

「就喝茶而已，你自己才說要輕鬆品嘗……」

喝過一輪後，ＫＫ再喝了第二輪問起：「妳想問什麼？妳的疑惑是什麼？」

「石頭師與山妹的茶，哪一杯比較像智利茶？」薏心問著。

「喝不出來，妳不說的話，我會以為三泡茶是同一批茶葉呢！」ＫＫ回答。

薏心點頭表示同感繼續問著：

「石頭師與山妹的茶，哪一杯比較好喝？」

「好不好喝很難說的清楚，除非能找到幾個智利人來判斷，雖然說，做茶的最後目的是要給客人喝，但是客人千百種！」KK的答案實在過於模糊，薏心追問下去：

「不要管智利人了，你說說你的看法啦！」問完後再倒出三杯給KK，不料，此時KK牛飲般地一口氣喝光，薏心看了有點不高興：

「拜託認真點，我真的很想知道！明天就要大量配茶，兩百萬磅，一有什麼差錯，唉……」薏心的臉色再度陰沉起來。

KK態度輕鬆地說著：「就是喝不出來啊！其實這有什麼困難……」故意賣個關子，多看幾眼薏心焦躁的模樣後點出：「味道茶色都一樣，就看成本囉！」

KK一語驚醒夢中人，不光是薏心，連吉桑也沒想到這一層面，全部的人喝了兩天兩夜都找不出來的答案，竟然被KK這個茶葉外行人一語道出。

薏心笑得開心極了，就像拿到聖誕禮物的小女孩。

「你真的很厲害，當局者迷，旁觀者清，做生意也不過四個字，『將本求利』而已。」KK不覺得自己的想法有多麼了不起。

至於薏心心中其他的疑惑，也開不了口繼續再問下去了。

7

茶菁已經全數收妥，揉捻烘乾等工序也已經大致完成，交貨的船期越來越逼近，如何配茶的疑惑也無法再拖延下去。

「誰併配出來的茶被選上當外交智利茶，就可以當日光的總茶師，今天請大家來做最後的決定，看看誰的茶能代表日光代表國家。」吉桑因薏心婚事有譜，心情很好，完全看不出交貨急迫的焦慮。

吉桑說完親自泡了三壺茶，各倒了六杯：「中間是智利茶茶樣泡的茶，有一邊是山妹做的，另一邊是石頭做的，但是我不告訴你們哪一邊是誰做的，品完後每個人都可以投票。」吉桑宣布審茶的方法。

現場的人都愣住，尤其是最想升總茶師的石頭，嗶嗶哥起鬨著拍拍石頭：

「沒問題啦！」

石頭看著兩排茶杯的茶底與茶湯，他知道自己的機會總算來了。

吉桑、嗶嗶哥、莫打、林經理、湯經理以及公會的姜理事，六個人六根湯匙伸入右邊茶杯取茶湯，其中姜理事為了慎重起見還取了第二回。

「好茶！和外交部給的茶樣味道完全相同！」六個人不約而同地讚嘆。

接著又品嘗左邊的茶，不喝不打緊，喝了之後各個眉頭深鎖。

「這一邊也是一模一樣，都散發濃濃的陳年老茶茶香，吉桑你確定是不同茶師做的嗎？」姜理事陷入抉擇。

「可是，用陳年老茶……」林經理講話吞吞吐吐。

「沒時間再討論了！不管如何，大家一定要選一個，基隆港的貨輪不會等我們。」吉桑催促著。

姜理事把湯匙放在左邊表示認同左邊這泡茶，依序嗶嗶哥、莫打、林經理、湯經理與吉桑都把湯匙放在他們比較喜歡的那一邊，嗶嗶哥數了數吹了一聲口哨：「三比三！」石頭臉色凝重起來。

嗶嗶哥繼續問著：「社長，外交部那邊有講到智利人是怎樣啊？」嗶嗶哥的問題其實很專業，替特定客人做茶，投其所好自然不會有太多問題。

「一日吃四餐，吃飽閒閒天天喝茶的國家，外交部的人是這樣說的。」林經理替吉桑回答。

「哈！我下輩子要投胎當智利人。」嗶嗶哥開起玩笑，但沒人笑得出來。

石頭好奇地喝了幾口山妹做的茶後不可置信地說：「這個味道要用二十年以上的老茶才能做得出來啊！我們哪來這麼多老茶。」石頭喝過後感到放心，雖然他也用老茶併堆，但頂多用三到五年的老茶，日光的倉庫的存貨大致足夠配出兩百萬磅，就算短少了些，差額可以去找其他小茶廠調度。

站在審茶室門口觀看許久的薏心這時開口了：「我也是日光的人，我也應該有權利投票才對吧？」

「妳又不會審茶，別來亂！」吉桑不贊同。

薏心不管父親的反對，她不拿湯匙而是直接端起杯子把兩邊的茶喝光。

「亂來，妳這是喝茶不是審茶。」吉桑收走審茶杯，有點惱火。

薏心笑著看石頭與山妹，一副胸有成竹的模樣，在旁的林經理知道好戲上場了。

「石頭師，你配堆的茶，每斤要增加多少成本？」薏心瞇著眼睛問著。

「倉庫的老茶的價錢很難算！配堆後每斤要添加三兩左右的老茶，大概需要一塊錢吧！」石頭從來沒想過成本的問題，回答起來有氣無力。

林經理打了打算盤補充說：「按照每斤要加三兩老茶，再抓一下老茶現在的行情，石頭的茶每斤會增加一塊半的成本。」

「山妹！妳的茶呢？要加多少配堆？」

「她用的是更老的老茶，只會更貴！」石頭搶著插話，認為薏心提出成本這個想法簡直是替他護航。

「免錢！」山妹迸出兩個字，讓全部人感到不可置信。

「什麼？」吉桑眼睛一亮。

「我說免加本錢！」山妹怕大家聽不清楚又講了一遍。

「不可能，這是兩百萬磅，價值幾百萬的生意，併堆加多少料多少工？不能隨便說說，做錯的話，妳可賠不起。」石頭語帶威脅地說著。

薏心不理會石頭：「大家都喝過，山妹跟石頭做茶味道的幾乎一樣，但山妹的配方比石頭的便宜太多了。」

林經理的算盤打個不停，石頭不服氣撥著茶底檢視著，但茶底只見嫩葉完全看不到老茶，眼看總茶師位子快飛了的石頭不太服氣，莫打則是為自己師傅抱不平質問起來：

「山妹到底是用什麼做出陳味？為什麼她的茶底完全看不出來呢？什麼都沒有看到！」

製茶經驗超過四十年的姜理事也好奇地把茶底葉子一一攤開，若有所思的說著：「這難道是……」

山妹點點頭說：「對！我用的是蟲茶。」所有人都露出難以置信的神情，反倒是山妹的臉上沒有什麼特別表情。

「什麼是蟲茶?」只有薏心搞不清楚狀況

山妹勉為其難地將一只舊木桶拿給薏心看,木桶裡是「化香夜蛾」在茶葉上萬頭鑽動,令人頭皮發麻,山妹端起桶子倒出飛蛾的大便。

「這就是蟲茶,只要拿裁切剩下的茶梗茶渣茶屑茶灰餵蟲子吃下,經過消化發酵後排出來,一斤毛茶只需要加一點點,泡出來就會有陳年老茶的醇厚口感。」

薏心整個人嚇了,看著黑芝麻般大小的「蟲大便」,自己居然「品味」了一整晚的大便?

山妹完全能體會薏心的感受,笑著解釋:「山裡野生的,絕對乾淨!」薏心強忍住嘔吐的衝動看著山妹。

「社長,用蟲茶好嗎?這是深山茶寮人投機做出來的陳香味,水準不夠啦。」知道山妹用蟲茶後,石頭很不服氣。

「是啊,社長這是外交茶吶,我們要智利人吃屎嗎?」莫打也替師傅石頭叫屈。

吉桑猶豫了起來:「石頭講的也不是沒有道理,國家丟不起這個臉,我日光也丟不起這個臉!」

「社長,這次如果用石頭的配堆法,我們會少賺六十多萬!」林經理飛快地算好帳。

吉桑看著姜理事,期盼能給點意見。

「我們北埔膨風茶也是靠小綠葉蟬著蝝才有香氣,化香夜蛾是蟲,小綠葉蟬也是蟲,其實蟲茶就是上一輩老師傅所說的龍珠茶。」老經驗的姜理事認同蟲茶。

「PAPA!連你也喝不出,這批外交茶本來要賠大錢,現在有可能會賺錢,有什麼不對?」薏心漸漸擺脫吃蟲大便的心理陰影,理直氣壯地勸服父親。

吉桑終於拿起茶杯喝著山妹的茶,當著大家的面說:「阿土師欽點的茶師,果然厲害!這批智利茶就由山妹當總茶師。」

決定了配堆方法，日光四座產能最大的製茶廠：北埔精茶廠、軟橋廠、大坪廠、北埔粗茶廠與峨眉廠，一聲令下產能全開所有員工二十四小時輪班，還雇了好幾個農夫去抓化香夜蛾，所有的卡車奔波在不同廠之間載著毛茶蟲茶原料與配堆製作後的精茶，做好的茶一律先送回北埔總公司裝箱，在茶箱上刷上「CHILE」（智利）字樣，箱子兩邊則刷上ROC與日光茶，一車車裝箱運到基隆港。

吉桑在自己辦公室抽著菸斗，愉悅地看著窗外的進進出出的卡車，薏心和林經理埋頭在打算盤，牆上巨幅世界地圖，上面插著三面小國旗分別是英國，日本和智利。

「外交茶全數運上貨船，這次好在有『新社長』與新總茶師才能由虧轉盈，欠員工的薪水也全付清，還可以領這幾天的加班費，公司對外欠的四百萬也能提早歸還債權人。」林經理興奮地看著帳本。

「結一結清一清後還剩多少現金？」吉桑盯著林經理。

「明細帳還沒算出來，一百萬現金結餘應該跑不掉。」

吉桑大喜：「五十萬來辦薏心的喜酒，剩下的錢開張支票給我！」

「PAPA！」薏心欲言又止，吉桑自顧自地講下去：

「這次全靠妳，一定要辦得風風光光，妳媽媽如果還在世，看到妳出嫁一定會很開心。」

林經理也加入話題：「薏心！妳真的很不簡單，靠自己的努力替自己賺到嫁妝！」

「PAPA！我……」

「林經理，你去擬喝喜酒的名冊，公會理事、縣長、鄉長、議員、張家親戚、契作茶農、茶販仔、往來廠商、大稻埕幾個商社的頭家、八個廠的員工與家屬、化肥廠的、客運公司的司機技工、洋樓附近的鄰居、盛文公生前幾位老朋友……」吉桑越講越開心。

「薏心，妳也去開份名單，妳的同學朋友，聯絡得到的全部請來，臺北那邊的同學同事，PAPA 派兩部客運巴士去臺北載下來喝喜酒。」

「再加上古老闆那邊的親友，開一百桌啦，北埔總鋪師如果不夠，把峨眉寶山竹東的統統叫過來辦薏心的喜酒。」

吉桑語重心長地告訴薏心；「上一次 PAPA 做生意做到差點失敗，斷了妳的姻緣，這次絕對要讓妳最風神的嫁出去。」說完後看著掛在大廳最高處的匾額，盛文公生前的遺言「風神」兩個字。

8

一九五〇年一月，距離薏心出嫁只剩五天。

薏心坐在預定的新房內看著與父母親坐在翻修前古宅的飯桌旁的全家福照片，當時她只有十歲，房間的窗換成一扇扇貼了「囍」字的毛玻璃窗，已經當了第二次嫁妝的烏心木眠床，根據風水正方地擺在新房中間位置，梳妝檯和衣櫃也都依照指示，擺在旺夫旺家添丁的風水吉位。

吉桑敲門進來，抽著菸斗坐在小沙發上看著照片上的亡妻，高興地對著照片說：「答應妳的事情做到了，我們薏心再過幾天就要出嫁。」

吉桑要薏心坐在旁邊，指著床說：「妳媽臨走前，一直交代著，一定要給妳找個好人家，讓妳過幸福的日子，這張眠床用的烏木在當時就選了，一直等到現在……」說著說著哽咽起來。

看到父親哽咽，薏心雖然有點不捨，但此時若不把話說清楚，恐怕就來不及了，薏心起身跪在吉桑面前，先磕了三個頭再深深吸了一口氣說出：

「PAPA，我不要結婚。」

吉桑把薏心拉起來笑笑說：「起來啦！男大當婚，女大當嫁，再說，結婚後還是住家裡旁邊啊，雖然是出嫁，但兩家後門連後門……」吉桑還以為薏心只是常見的待嫁女兒因為緊張所發的任性小脾氣。

「我要退婚！」薏心長跪不起。

「退婚？為什麼？」滿臉莫名其妙的吉桑，感覺事情恐怕不單純。

薏心看著驚訝又疑惑的吉桑，一時之間不知道該怎麼解釋，只能一臉倔強地跪地不起。

「難怪你一直都不交出你要請的同學朋友的名冊！」

「對！從頭到尾我都不想嫁給武雄！」薏心倔強地拒絕。

「妳不招夫婿進來，日光怎麼辦？難道妳要爸爸辛苦做一輩子嗎？」吉桑動之以情，沒想到卻更增加薏心不嫁的決心。

「你不想做，我可以接下來做，總強過被別人敗光。」

「妳做了什麼？」吉桑有點嗤之以鼻。

「收茶菁三塊變一塊，外交茶由賠變賺，堅持用山妹的配堆省下大錢，把欠的工錢與債務都還了……」薏心一口氣說出。

吉桑有點心虛但還是打斷薏心的話：「對啦，對啦，妳很會做生意啦，但那些都只是運氣而已！」

「PAPA！我知道是運氣，所以才要慢慢跟你學做茶做生意。」

「女孩子還是要結婚啊，沒正當理由，那天妳就乖乖給我結婚，要不要做生意以後慢慢說。」吉桑想強迫逼薏心就範。

「要結你自己去結，反正那天我不會出現在家裡。」

「武雄有什麼不好？人長得將才體面，家世學歷都很好，全新竹再也找不出第二個條件比他好的夫婿，妳拋頭露臉幫家裡做生意已經夠難聽了，妳想想！如果妳退了兩次婚，以後誰敢娶妳？」吉桑越講越激動。

「嘴長在別人臉上，別人家要怎麼講我有什麼辦法。」薏心不甘示弱地頂了回去。

「唉！帖子都放了，總鋪師叫了，戲班定了，叫我怎麼辦啊？妳這麼硬頸，倒底是傳到誰？」吉桑無奈地嘆息。

父女兩人不約而同地抬頭看著照片。

吉桑想起當年亡妻要嫁他之前，所有人都勸阻別嫁過來張家，什麼公公是鴉片鬼，丈夫是阿舍大少爺，嫁過來一定會歹命，最後還不是拎只包袱直接來張家，岳父母見生米已經煮成熟飯才不得不答應婚事。

薏心則是想起母親在生前常常告誡自己，雖然是客家女人，如果能自己做主的事情就要勇敢做主。

張家下人在廚房內議論紛紛著。

「是結還是不結？」團魚一臉愁容。

「什麼事？」順妹炒著菜問起。

「大小姐要退婚，講八字不合！」

「現在才講？武雄不來，社長的公司怎麼辦？」順妹吃驚。

「從昨天到今天，我一家家地通知婚禮取消，放出去幾張喜帖我就要跑幾趟，累還不打緊，不知道怎麼回答才最尷尬啊！」剛跑了一趟竹東回來的阿榮氣喘吁吁地進廚房討水喝。

「薏心不能接日光的事業嗎？」阿榮也加入討論。

「女人就是要嫁人，做什麼生意？」順妹不以為然。

「對方身世學歷都好，跟張家門當戶對，小姐為什麼不嫁呢？」

順妹連想都不想，胸有成竹地回答：「很簡單，女人不結婚，就是心裡有別人。」

「心裡有別人？什麼人？」團魚與阿榮大吃一驚，面面相覷。

「反正只有薏心自己心裡最清楚！」

薏心要退婚的消息早已經傳遍整個新竹，預定結婚當天，除了來送茶菁的零星茶販茶農和幾個愛看熱鬧的鄰居來探頭探腦外，張家門可羅雀，如果不是急事，沒人想在今天上門來自討沒趣。

午時之前，竹東的總鋪師阿華師帶著幾個徒弟與助手來到張家門口，好幾部牛車滿載著食材、鍋碗瓢盆與喜宴用的桌椅。

看到冷清的現場，阿華師感覺有點不太對勁，跑進張家大廳問起吉桑：

「社長啊！是我記錯日子嗎？怎麼沒看到其他總鋪師？」

由於婚宴預定席開一百五十桌，北埔僅有的兩個總鋪師無法接下這麼大的喜宴，張家又去竹東找了包括阿華師在內一共八個總鋪師，喜宴預定是中午，一大早總鋪師會提前來現場準備料理、擺設桌椅。

「阿華師，你沒接到通知嗎？」吉桑苦笑。

阿華師比著牛車笑著：「通知？有啦，吉桑你吩咐材料要挑最高級的，我一大早才去採買的，全是最好的新鮮好料，魚蝦活跳跳，龍蝦也是幾天前就和漁船講好，絕對澎湃！保證讓你嫁女兒有面子！」

「啊！我忘了通知了！」阿榮這才想起，其他七個都通知了，唯獨漏了通知阿華師。

吉桑狠狠瞪了阿榮一眼。

阿華師知道實情後，滿臉尷尬不知如何是好，他所負責的十桌酒菜，材料工人都叫來了，看著滿臉歉意的吉桑與薏心。

「好啦！買賣不成仁義在……」阿華師打算自己認賠。

薏心看著牛車上紅通通的喜宴桌椅，一桶桶蹦蹦跳跳的活鮮魚：「PAPA！能不能和你商量，這十桌酒席照擺！」薏心要求著。

「也好，通知公司幾個廠的茶師，茶工、工人與幹部，張家所有員工，統統留下來吃酒席！」吉桑不願意讓大老遠跑來的總鋪師賠錢。

十桌澎湃大菜，盤子與器皿都非常精緻，員工尷尬地坐著沒人敢動筷子，吉桑望著滿桌大菜，好一會兒才站了起來舉杯對著所有人說：

「這次智利外交茶能順利交貨，都是大家共同努力，過去欠你們工錢，讓你們不好過，現在公司已經度過難關，我吉桑用這杯酒這桌菜感謝大家，也向大家陪罪。」

薏心也跟著喝了口酒，自言自語地講著：「原來這就是喜酒的滋味！」

唯一沒有被通知到婚禮取消的客人是萬頭家，吉桑把他大老遠從臺北請過來，當然不只是吃頓飯那麼簡單，心裡有數的萬頭家耐心地從第一道冷盤吃到最後一道的水果，直到吉桑邀他到辦公室喝茶。

辦公室內坐著林經理、土地代書以及吉桑請來當公證人的邱議員，沙發的茶几上擺著好幾疊文件，吉桑指著文件開門見山地說：

「萬頭家，我們的帳也該好好來算一算，當初我在這張桌子上，把大坪山過給你，現在，我也要在這張桌上，把大坪山買回來，林經理，你去拿一百三十五萬銀行本票來。」

「一百三十五萬？」萬頭家搖搖頭。

吉桑回答：「去年就是欠你一百三十五萬，才不得不把大坪山過戶給你，現在也該物歸原主了！」

「萬頭家！這可不是借錢還錢，所以不會有利息，你不要想用利息來討價還價！」林經理提醒。

「話這樣講是沒錯，現在很多人要建房子，木材生意正好，一百三十五萬是去年的價格，現在的行情怎麼會一樣呢？」萬頭家油腔滑調地說。

「你的意思是？」吉桑早已料到對方一定會藉機抬高價錢。

「現在大坪山這塊地已經漲好幾番了，三百萬我就賣還給你。」萬頭家一口氣加了五成多。

「三百萬？你是共匪！」吉桑聽了火冒三丈，拿起桌上的菸灰缸想往萬頭家身上丟，被邱議員擋了下來，邱議員遞根香菸代替吉桑陪罪：

「萬頭家聽我一句話，大坪山雖然可以開採木材，但是你沒機械也沒人工，對你也沒什麼用途，況且整片山對外的產業道路的產權是張家的，你就算砍得了樹也運不出去，我來做公親講句公道話，一百多萬嫌少可以商量，三百萬就太過分了。」

「邱議員！我不是故意漫天喊價，坦白說，我根本不想賣，三百萬就是三百萬，你們決定好了後再通知我，我再不走就趕不上回臺北的尾班客運巴士。」萬頭家吃了秤砣鐵了心，不給吉桑還價的空間，就坐上三輪車離開張家直奔客運。

「什麼尾班客運？萬頭家那種人如果有利可圖，叫他睡茶廠睡倉庫睡車站三天三夜都願意。」邱議員納悶著。

「他擺明不想賣，才會開那種天價。」吉桑忿忿不平。

「PAPA，別為了那種人發脾氣，大坪山買不回來就算了，那些錢留著收茶菁買機器……」薏心安慰著。

「妳不懂啦！」吉桑轉過頭背著薏心用手帕摀住臉假裝擤鼻涕，但薏心知道父親是流眼淚怕別人看到。

「明天早上一起去大坪山妳就懂。」吉桑說完就把自己關進房間。

「我是不懂，所以你要教我啊！」

第二天父女倆起了個早，坐了將近一個鐘頭的車才到登山入口，這條山林小徑大半年沒人整理，不發一語的吉桑拿著開山刀走在前面除草開路，沒多久便滿身大汗，氣喘吁吁，薏心很自然地接下開山刀走到父親前頭開路，兩人費了一番功夫才爬到山頂，吉桑攤坐在伐木工寮的門口望著遠山環顧四周，第一次爬到山頂的薏心欣賞著眼前這片種滿杉木的美麗山林，像遠足的小學生興高采烈地到處眺望。

差點喘不過氣來的吉桑用毛巾擦拭眼鏡，喘著氣說：

「以前可以一口氣輕鬆地爬上來，現在老了，唉！」

「PAPA！多休息一下啦！」

「妳如果是兒子就好了！」

「我一樣可以幫你做很多事情。」薏心體貼地幫吉桑擦汗。

「這片山的每棵樹都是我親手種的！現在居然被糟蹋成這樣。」吉桑看見好幾棵杉木被菟絲花與雜草纏繞著，氣喘吁吁地拿著刀子用力割除，把對萬頭家的怒氣都出在菟絲花上。

「當年我從日本讀書回來，我阿爸什麼都不讓我做，要我學他整天吸鴉片，說什麼張家家大業大，只要家產不要敗掉就好了，別去外面做什麼生意。我想用大坪山證明給阿爸看，我是可以做大事的！」

「這真的很像阿公會講的話，但阿公已經走了，別再數落他了。」薏心一語點醒父親。

吉桑仰望著杉木說下去：「那時候我的錢全部拿來買樹苗，已經沒錢請工人上山種樹，幸虧妳媽媽偷偷回娘家借了點錢，才能僱十個工人上山種杉樹苗，有時候人手不夠，我和妳媽媽也得自己上來開路種樹。」

薏心看著父親仰著杉木，這時才了解大坪山對父親的重要。

「不過，現在，全是別人的了！妳的婚事我也沒辦好，我這樣算不算敗家？算不算對不起妳媽媽？」

「PAPA！」

吉桑嘆了口氣：「妳和我一樣，都喜歡自作主張。」

「PAPA您不想做螟蛉子，我也不想做一個相夫教子的平凡女人啊！更何況……」薏心哽咽地說。

被刺激到的吉桑大怒：「妳在講什麼？我選的女婿，就是妳的丈夫，這就是妳的命！」

薏心強忍淚水說：「PAPA！我要告訴你，武雄絕對不是個好女婿！」

薏心一五一十地把那天聽到的對話告訴吉桑，吉桑驚訝地張著嘴，愣了好一會才說；「妳怎麼不早一點講！」

「要我怎麼講？」

吉桑想一想也對，沒有人會承認這種事情：

「我差點害妳受苦！是PAPA不對！下次幫你找夫婿之前，我一定會事先查清楚的！」嘴硬的吉桑能講出這句話，意味著父女兩人已經和解。

「PAPA一輩子努力反抗命運，若選擇認命，那就不會在這裡種樹，也不會開茶廠！我傳到你和媽媽的硬頸，你不願接受阿公的安排，我也一樣！還有，PAPA！我的夫婿我自己找！我的命我自己決定！」

「什麼？哪有女人自己找夫婿！」吉桑不相信自己耳朵。

「我已經有喜歡的人了！其他別再問了！」薏心一口氣講出悶在心裡很久的真心話。

第五章

1

日光的辦公室多了薏心的專屬座位，吉桑喝著茶看雜誌，林經理拿著一堆文件對著薏心滔滔不絕地講著。薏心苦讀日光公司陳年的帳冊、報表、資料公文與剪報，聽得昏昏欲睡。

「我們是大茶廠，人事成本高，要接大單才能打平成本，臺灣喝紅茶的人很少，所以要透過洋行或貿易商接外國生意，這樣聽得懂嗎？」林經理解釋著。

打瞌睡的薏心被點名，胡亂問了問題：「那……我們可以自己賣去國外嗎？」

「直接賣給國外的利潤的確比較高，因為不必讓中間的洋行抽成，但世界那麼大，外國的客戶很難自己接洽，光收茶款就很麻煩，一來一往好幾個月才收得回來，客人倒帳跳票也沒辦法去催討，就算收到美金英鎊日圓等外匯，國民政府管制外匯很嚴格，換回新臺幣的規定複雜的要命，直接賣茶給洋行比較省事。」林經理解釋著。

「這跟我們所需要的茶菁，大部分是向中間的茶販子買的道理是一樣。」薏心很聰明立刻舉一反三。

「臺灣也是有人自己作出口，除了洋行外，茶葉出口生意全部都掌握在茶郊的人手裡，我們日光經常把做好的毛茶賣給他們。」吉桑補充。

「茶郊？」薏心第一次聽到這個名詞。

「茶郊是幾個專門作茶葉出口商的組織，他們不製茶不種茶，但他們有外國的人脈，知道客戶在哪裡，有政府與銀行銀樓的關係，可以避開外匯管制的麻煩，而且消息靈通，我年輕的時候也想打進茶郊，但這裡頭太複雜，根本就是在玩政治，咱們做生意的最好離政治遠一點……」吉桑補充著。

吉桑的補充又讓薏心打起瞌睡。

「薏心！」吉桑的吆喝聲讓薏心驚醒起來

「是的，老師。」

「我不是老師，是妳自己說要來公司上班的，辛苦也得擔著啊，『新社長』！」聽到爸爸的調侃，薏心只能傻笑應對。

薏心翻到十幾年前的帳冊發現日光曾經做過綠茶，好奇地問著：

「以前公司曾經做過綠茶，但為什麼現在不做呢？」

「全世界只有日本、臺灣與中國大陸喝綠茶，以前做綠茶是因為有一年日本綠茶欠收，日本商社自己的貨源不夠才來拜託我們幫忙製作，只做一次就停了，臺灣人喝綠茶的水準不高，只喝一斤幾毛錢的茶骨仔，做綠茶不划算啦！」林經理講解著。

吉桑聽到綠茶紅茶，話匣子就關不起來：「公司用的都是歐洲日本最高等專門製作紅茶的機器，只有那些沒什麼設備的小茶寮、家庭手工製茶，才會去炒綠茶，紅茶才是世界茶王，全世界有八十趴仙的茶是紅茶，最有錢的人喝的都是紅茶。」

「其實不做綠茶也多少有人情因素，當年我們日光是靠日本三井商社的資助才能起家，三井自己在日本做綠茶，我們怎麼能去跟自己客戶硬拚呢？」

吉桑喝了口紅茶停頓了一下語重心長地說：「做生意沒什麼祕訣，只要記得一點，做有錢人的生意。」

「做有錢人的生意？」薏心似懂非懂。

本想發表長篇大論的吉桑隨意往窗外一瞥，看見對面化肥廠臨時辦公室內正在忙碌的ＫＫ。

「為什麼我從來沒看過ＫＫ的家人？」吉桑好奇地問。

薏心心中一驚，以為心事被爸爸發現：「我怎麼知道，他們幾個人總是神神祕祕的。」

「嗯！我是在和林經理說話啦！」

薏心羞得滿臉通紅故意把臉埋在帳冊內假裝撥算盤，這細微的小變化卻被林經理看在眼裡。

「好的！我會找時間去問問看，奇怪的是，他們幾個人今天一大早就吵得不可開交。」林經理故意朝薏心的方向答話。

2

中美化肥公司籌備處辦公室氣氛很僵，懷特公司總經理迪克一大早從臺北趕到北埔找ＫＫ與歐文等人，一見面就破口大罵：

「國民政府和華府那些玩弄政治的政客，遲早把臺灣搞垮！」看到很少發脾氣的老闆，大老遠地跑到這邊來發飆，ＫＫ有不祥的預感。

「昨晚華府那邊的人發給我電報，意思是美援可能會中止。」迪克說完，ＫＫ臉色立刻大變。

「好好的，為什麼喊停？」ＫＫ知道美援中止的嚴重性。

「還不是你們國民政府那位！」迪克指著掛在牆上的蔣介石照片。

「整天喊著要反攻大陸消滅共匪，美援的資金與資源都挪去搞軍備，這就算了，反正全世界獨裁軍頭都是這德行，最要命的是，他在去年總統大選押錯寶，全力替杜威助選，這下好了，杜魯門選上了，美國新政府可沒欠國府！」迪克透露著外界完全不知道的政治內幕。

「看起來宣布美援中止也是這幾天的事情，我這兩天還要處理許多工程的善後，關於化肥廠，你們有什麼想法？」

恢復冷靜的ＫＫ整理一下工作進度與思緒後，向迪克報告：「化肥廠的廠房已經蓋好，機器也安裝好了，電力、自來水和聯外道路都已經通了，只剩下最後一項工作就可以開始生產，現在喊停很可惜。」

「哪一項？」

「碳化鈣！」

「上個月我不是已經批准向越南採購的公文嗎？」

「但現在卡在要動用外匯，如果美援中止的消息走漏到國府耳中，他們會卡住這筆錢！」ＫＫ解釋著。

「開什麼玩笑！白花花的美金可是我們懷特公司出的，為什麼花自己的錢還要國民政府同意！」在旁的歐文聽得火冒三丈。

「現在生氣也沒用，同樣的困難，我這兩天已經聽過很多遍了，中橫公路、高雄港、電力公司……一堆我們懷特的案子都會生變。」迪克也是無可奈何。

「無論如何一定要阻止國府凍結我們的外匯，但請你務必支持這座臺灣第一座化肥廠，臺灣的農業需要這座化肥廠。」

當天下午ＫＫ與迪克一行人北上找袁副院長，ＫＫ面帶微笑把進度報告書給副院長，現場一片風雨前的寧靜。

副院長板著臉操著濃重的鄉音：「你們公司應該知道美國眾議院打算否決所有對中華民國的援助吧？」沒想到國府的消息也如此靈通，ＫＫ保持沉默不置可否。

「我優先給你電力、水力、電石爐、鋪馬路，因為我全被你們『第一個化肥廠』的美夢給矇騙了！」副院長覺得上當受騙，盛怒之下把報告書甩在地上，文件掉了滿地。

副院長怒氣滿滿地接著說：「美國打算放棄中華民國，沒有美援了，你的『中美化肥廠』變成臺灣唯一的化肥廠，您真是厲害了，劉經理！」

ＫＫ耐著性子把地上文件撿起來，排好，再交給副院長。

「副院長，我們沒有騙你，現在可以開始進行第一批化肥的生產，只等原物料一到，工廠就可以開機。」ＫＫ畢恭畢敬地回答。

「只要，我撥外匯給你的化肥廠買原物料對嗎？你會不會太過分了！」副院長雙手一攤。

迪克也按捺不住反擊：「美金是我們公司從海外匯進來的，為什麼不能動用自己的錢？」

「迪克總經理，請你仔細參閱外匯管制的相關辦法，不管是美金還是英鎊，只要匯進臺灣存在臺灣銀行，想動用就得按照辦法申請。」畢竟是面對美國人，副院長還是有所忌憚。

「蓋好了卻擺著不生產，副院長難道不覺得很可惜嗎？」ＫＫ知道自己的立場很微妙，態度更是委婉。

副院長看著迪克與ＫＫ，思考著利害關係，默默接過了報告書，把情緒藏著好好地不再讓人看清楚。

迪克打破沉默：「不只有化肥廠，我們公司在興建中的工程還有發電廠、港口、橫貫公路，難道你們政府要眼睜睜地看著建設停擺嗎？」

副院長起身走到迪克與KK的身邊，突然用英語湊在兩人的耳朵旁說：「美援停止，共產黨就會打過來，到時候這些建設就是共產黨的。」說完後轉身離開會客室。

「可是這些建設對臺灣人有幫助啊！」身為國府高官會講出這種話讓KK無法置信。

「走吧！他講的都是實話，你別忘了自己替美國公司工作的身分。」迪克似乎對此見怪不怪。

KK抱著報告書，走在長長的廊道裡，身影顯得渺小，只聽見他的皮鞋聲迴盪著。

3

好幾個月沒回臺北家的KK，家中空空蕩蕩，還是跟兩年多前剛從印度被釋放回臺灣時沒有兩樣，父母與亡妻的遺物，擱在裡頭不知從何整理起，坐在客廳的KK叼著煙拿出鋼筆與稿紙，打算第三度投稿，想試著用輿論的方式來影響國府，明知道機會很渺茫，但又不甘心忙了大半年的化肥廠化為烏有。

門口傳來敲門聲打斷KK的寫作思緒，客人是事先約好要見面的王瑛川，王瑛川是KK父親當年的學生，當KK被徵召到南洋服役作戰與被俘的那幾年，劉家上下全靠王瑛川資助，連KK的母親與妻子的後事都是他張羅打理。王瑛川目前擔任《民主思潮》與幾家報社的記者，KK投稿到《民主思潮》也是透過他牽線介紹。

「以後回臺北要提早通知一聲，不要忘了這裡才是你的家。」有點嘮叨的王瑛川戴副金邊眼鏡，隨身拎著厚厚的公事包，外套口袋上擺著好幾支鋼筆，一副精明幹練的記者模樣。

ＫＫ想泡茶招待，卻根本不知道茶杯茶壺擺在哪裡，王瑛川熟門熟路地到廚房燒開水泡茶，笑著說：「我還比你更熟悉你的家，你好像才是客人。」他環顧屋中嘆了口氣：「你到底什麼時候才要整理？」

「以後有空再說。」ＫＫ不想討論這話題，指著攤在桌上的稿紙說：「我剛好又想投稿，你來正好！」

「對了！說到投稿，你晚上有沒有空，我介紹雜誌社的主編給你認識！」

「已經寫了很多次，也該認識了，約哪裡見面？」不想待在家裡太久的ＫＫ寧可出門應酬。

「永樂戲院！順便聽夏老闆的戲，她唱的《牡丹亭》可是一票難求！徐主編一聽到是夏老闆馬上答應赴約。」

ＫＫ笑著說：「又要去鑽後門聽戲啊！」王瑛川是夏老闆的戲迷。

「別誤會，是夏老闆幾天前就託我，一定得帶你去見她，還說已經保留包廂給我們。」王瑛川的語氣中帶點責備，ＫＫ聽得出來。

大稻埕迪化街人聲鼎沸，雖然中國大陸已經完全淪陷，在此卻不見戰敗陰影，南北商賈川流不息，永樂戲院門口停滿了各式各樣的黃包三輪車，角落還停著幾部高官才能乘坐的黑頭轎車，買不到票的戲迷只好在開戲前站在對街，遙望著名伶下車進場。

戲院的門口掛著「牡丹亭杜麗娘《驚夢》領銜主演夏慕雪」的招牌，ＫＫ對門口售票的小姐打聲招呼，就帶著王瑛川直奔二樓包廂，戲院一樓是開放的椅子，連同二樓包廂，整座戲院超過千張座位，距離開唱還有二十多分鐘，但已經座無虛席。

開戲後沒多久，包廂進來一位身穿中山裝年約五十歲左右的客人。

「ＫＫ！這位是徐主編。」若不是王瑛川介紹，絕對沒人相信這位國字臉身材高大魁梧的人居然是雜誌主編。

「唱到哪裡了？」徐主編壓低聲音問道。

「唱到杜麗娘的魂魄來到了後花園，與柳夢梅相會……」看得入迷的王瑛川說著。

飾演杜麗娘的夏慕雪，頭頂戴著深綠色鳳冠，耳垂掛著黃綠色的吊飾，一雙鳳眼露出哀戚思念的神韻，淺綠色戲服繡著白色的花朵枝枒，唱腔時而羞澀、時而悲戚、時而奔放……

這般花花草草由人戀，生生死死隨人願，便酸酸楚楚無人怨

KK對崑曲或京劇完全沒有研究，但盯著夏慕雪的哀戚神韻，也能觸發歷歷往事，尤其是抑揚頓挫的轉腔，讓他想起了過去的黑暗、死亡與無助。無法承受的他只好起身踱步到後臺，點根菸讓自己靜一靜，不知道過了過久，背後傳來熟悉的聲音。

「KK！別太入戲了！」KK轉過身才發現下了戲的夏慕雪正對著他笑。

夏慕雪已換成一身旗袍，略施脂粉，她坐在休息區座椅，小小休息室內掛滿各種道具、戲服與龍套用具，她感興趣地讀著雜誌，吃著徐主編帶來的上海傳統點心「鬆糕」。

「味道如何？」也是夏慕雪戲迷的徐主編巴結地問著。

「又鬆又軟，這才是道地的老上海味道。」夏慕雪一層一層剝著吃。

「哎，曉得妳喜歡這味道，我特地託上海老廚做的。」

王瑛川有點好奇：「徐主編，原來你認識夏老闆啊！」

「當年在上海，我已經是夏老闆的戲迷，她來臺灣的船票還是我幫她買的呢！只是這幾年兵荒馬亂，

我也是最近才到臺灣，透過你們才能和老友相聚啊！」

「徐主編，你說笑了，讓你著迷的是我的師傅。你們不知道二十年前，徐主編追求我師傅的那股傻勁，可惜師傅她所託非人，要是她跟著你就好了，唉！」夏慕雪與徐主編一起嘆息，在旁的KK與王瑛川完全聽不懂他們的對話。

「有空再聊那些陳年往事。你覺得劉生先這篇文章怎麼樣？」徐主編發現夏慕雪一直盯著雜誌上KK的文章。

「我只是個唱戲的，哪有資格評論？但看了這篇用『婚嫁』與『擇偶』比喻社會成本取捨的文章，連我都懂什麼叫自由經濟，實在精采！」夏慕雪讚不絕口。

「我只是希望有更多人能理解，資源的分配應該要回歸到自由的市場機制，不該由政府的少數人制定規則……我打算再寫一篇民生產業的重要性，要談吃飽肚子的重要性……」有人欣賞自己的文章，KK滔滔不絕地說個不停。

「老師！別在這裡講這些！」王瑛川喝止越講越直白的KK，趕緊看門口深怕被其他人聽到。

「那麼，我恭候你的大作，別拖稿太久！」徐主編笑著說。

「唉呀！遇到老朋友談到太高興，我都忘了，KK！女兒我帶到後臺來了。」夏慕雪這才想起來，指著更衣室的門。

聽到女兒兩個字，徐主編愣了一下看著KK和夏慕雪兩人說：「原來你們……」

夏慕雪知道被誤會了，忙著解釋說：「是他的女兒，不是我的。」

王瑛川抱怨KK：「你是怎麼做父親的，去新竹大半年，就丟給夏老闆幫你帶女兒，你不知道夏老闆多忙嗎？」

這時月婷從更衣室跑了出來，看到ＫＫ愣了好一會兒，父女兩人站著對看許久有如陌生人般。

「你別怪ＫＫ，我也很喜歡月婷，這半年來有月婷陪我，我歡喜得很。」夏慕雪伸手抱著月婷，月婷像個撒嬌的小女兒在她的身上磨蹭，手裡拿著粉撲拍著夏慕雪的臉。

「來吃點心！」夏慕雪與月婷兩人狼吞虎嚥地吃起鬆糕。

「不知道的人還真的會以為你們兩人是母女呢！你們的模樣讓我想起二十年前妳和妳師傅，一樣是在後臺吃著上海鬆糕。」徐主編說著說著，眼淚奪眶而出。

送走王瑛川與徐主編，後臺只剩夏慕雪、ＫＫ與月婷三個人，夏慕雪這才解開心防：

「ＫＫ！我勸你少跟徐主編那種人往來！當初在上海，他的背景很複雜，我的話只能說到這裡。」

月婷戴起鳳冠，學著夏慕雪在臺上的手勢和身段，夏慕雪馬上伸手扯下鳳冠喝斥著：「不要學！不准唱！」

月婷好像很習慣夏慕雪的喝斥，吐了吐舌頭把鳳冠擺回戲服架上。

「這就是我急著要找你的原因！家裡煮飯的王嫂回鄉下半個月，我只好把月婷帶到戲班子來，被別人誤會我有女兒不打緊，我最怕月婷步上我師傅與我的後塵，難道你要她長大成為一個戲子嗎？」夏慕雪的神情嚴肅到讓人害怕。

「戲子的命，真假難辨，每踏一步都不知虛實，遇到的人全都戴著面具，在臺上，我知道那個段子該出戲、知道唱到哪裡該謝幕，但真實人生，如何出戲？何時謝幕？在臺上我知道該愛誰恨誰，但臺下呢？」夏慕雪看著ＫＫ。

「月婷就是不肯跟我住在一塊，我難道能強迫她嗎？如果妳不方便，可以叫王瑛川幫忙帶月婷，反正那幾年也是他們夫妻幫我帶的。」KK看著從來不對自己開口的月婷說。

「笨蛋！」夏慕雪低著頭嘆息。

4

中美化肥廠北埔臨時辦公室，幾個辦公室文員已經被告知「停止上班」，但KK認為事情還有轉圜餘地，所以依舊在辦公室待命，不料一通電話響起。

「我知道了，謝謝，迪克總經理。」KK拿著話筒神情凝重地與歐文對望。

KK放下電話，急著想打開收音機收聽新聞廣播，卻不小心和急著跑進來的烏子撞個正著。

「大人，救人！我爸爸快被燒死了！」烏子大聲求救，拉著KK的手往外走。

幾部車載著KK、吉桑、薏心、阿榮、林經理、歐文、莫打及烏子等人朝烏面叔的茶園飛馳而去，還沒到烏面叔的茶園，漫天的黑煙便撲鼻而來，只見烏面叔手裡拿著火把放火燒自己的茶園，一株株茶樹被燒得焦黑，灰燼與火星隨著風向，火勢一發不可收拾，曾經在美軍當過化學消防兵種的歐文指揮大家把茶園邊緣的樹木雜草砍光形成一道天然防火牆，才讓火勢不致蔓延到附近的農田與茶園。

吉桑看著被燒得只剩灰燼的土地，蹲下捏著礫土，土像沙漏一樣流過他的指縫。

「烏面！你在幹什麼？不要命啦！」吉桑罵著。

「你租給我的這片茶園早就已經不夠肥，幾年下來茶菁越收越少，一半以上已經開花，土質再不調整就來不及，只好學種米的燒稻草來增加肥度……」烏面叔被黑煙嗆得快說不出話。

「我不是告訴你，沒收成就不用交租，你何必呢？」林經理嘆息著。

「農會的肥料，一包都不賣給我，等於是叫我全家去餓死！」烏面叔抱著烏子哽咽起來。

「烏面，等我化肥廠建好，第一批肥我就給你用！」吉桑承諾

「社長……這片茶園，完全沒救了。」烏面叔滿臉歉意看著滿地燒過的灰燼。

「烏面，免煩惱，美國肥很強，我保證可以讓你的茶園重新發芽。」吉桑跟烏面二人對望，彷彿達成共識。一臉風霜的烏面堅毅的點著頭，不像開始時那麼絕望了。

KK一副欲言又止，卻從頭到尾沉默不語地看著烏面叔，薏心注意到KK的奇怪神情。

回程中KK開著車，吉桑、薏心坐在車內，山間道路雖然顛簸崎嶇，解除救人危機後才有心情欣賞沿途茶園美景。

「KK，化肥廠什麼時候要開始生產？」已經一整個禮拜沒聽到進度報告的吉桑忍不住問起。

KK猶豫如何開口，此時車上的收音機正在播出美國杜魯門總統的聲明：

美國對臺灣或任何中國領土沒有掠奪的企圖，美國也不企圖取得在臺灣建立軍事基地的特權，美國不會捲入中國內政的漩渦……美國也不會向臺灣任何勢力或集團提出任何軍事援助和指導……

吉桑與KK陷入沉默。

薏心似懂非懂，但從兩人的神情中也看出大事不妙：「不會提供援助與指導！什麼意思？」

「就是沒有美援了，沒有化肥廠了！」ＫＫ沉痛地說著

電臺不停放送杜魯門總統的聲明，車子依然在顛簸的山路爬上爬下，坐在車內左右搖晃的吉桑望著車外一片片的茶園，山坡上正在除雜草的農婦三兩成群的聊天。吉桑當場做了個決定。

「ＫＫ，你認為世界上，是上坡的路多，還是下坡的路多啊？」吉桑沒頭沒腦的問了起來。

「一樣多，因為有上坡，就一定有下坡。」ＫＫ納悶著這是什麼問題啊！

坐在前座的吉桑指著層層疊疊的起伏茶園：「世界好比茶園，就是因為有上坡跟下坡，所以才會這麼美麗。」

車子正經過陡峭的爬坡，引擎聲聽起來很吃力。

「爬坡很費力，不過視野卻是越來越廣，做生意做事業越是艱難，才越值得珍惜對嗎？我不知我的財力夠不夠，不過，我既然是化肥廠的董事長，我還是決定要建下去。」

ＫＫ看著吉桑，被他這種不知天高地厚的執著感動了，後座的薏心想到製茶生意好不容易才起死回生，只差沒對吉桑翻白眼。

「這邊停一下。」車子開到山路的最高點，吉桑想下車看看風景。

「別以為眼前這大片茶園很壯觀，北埔的茶只占臺灣茶的五趴仙，臺灣的茶更是只有全世界的一趴仙，北埔茶臺灣茶永遠只能站在世界的尾巴，如果不想像你們河洛人說的站尾包衰，只有拚命增加產量與品質。」吉桑遠眺整片北埔。

「事情沒有社長想像的那麼簡單，現在化肥廠不是沒錢也不是沒人……」

聽了ＫＫ的困難處之後，吉桑發問：

「缺少原物料？」

「是，只缺碳化鈣，公司已經向越南訂了一批，支付貨款的外匯卻被政府卡住。」

薏心不明白：「碳化鈣是什麼？真的那麼重要？」

KK試著用大家聽得懂的話補充解釋：「是河洛語的電土或電石。」

「你說是那個撒在樹根，可以把香蕉提早催熟的電土？」吉桑疑惑著。

「對！」

吉桑抱著肚子指著另一邊的山頭哈哈大笑：「我還以為缺什麼神丹，電土！哈哈哈！我那片山頭全部都是電土，隨便挖都有，不值錢也沒人要啊！」

聽到吉桑居然擁有碳化鈣的礦山，欣喜若狂的KK忘情地抱住吉桑跟著大笑起來。

薏心看著眼前這兩位男人如此幼稚的舉動，有點哭笑不得。

5

三個月後，清明與端午之間，春茶採收完畢。

「薏心！趕快來看最新一期的《民主思潮》！」薏心接過雜誌，原來要她看KK寫的文章〈辛苦爬在上坡路的臺灣更需要民生基礎建設〉，吉桑一口氣買了好幾本雜誌到處送人。

在吉桑與薏心看來，只是篇有趣的文章，但對懷特公司與國民政府來說，文章所造成的輿論壓力卻巧妙地改變化肥廠的命運。既然這是臺灣唯一快要完工的化肥廠，副院長不敢也不願犯眾怒勒令停工，既然原物料不需靠外匯從越南進口，懷特公司的迪克也樂於支持化肥廠繼續興建。

問題是，開採電石土礦要僱工、要運送，這些都是要拿出白花花的銀子。

「我們那批外交茶還倒賺一百萬，嫁妝也沒花，大坪山也買不回來，應該可以應付吧？」薏心問起林經理。

「結餘的錢應該可以應付化肥廠三個月所需要的電土的採礦支出。」林經理撥著算盤擺出信心滿滿的姿勢。

只見在一旁著急的石頭師眼神閃爍不定，不知如何開口，只好帶著薏心與林經理到北埔廠的倉庫，一打開倉庫，薏心及林經理簡直看呆了，這時候距離春茶採收還有一兩個月，除了為數不多的陳年老茶堆放在角落外，原本應該空蕩蕩的倉庫卻堆滿了毛茶。

「這些只是一半，另外一半堆在其他茶廠內。」

「外交茶不是都已經做好運出去了，這些毛茶是哪裡來的？」薏心摸不著頭緒，

「唉，社長交代我別對妳說，這樣我很為難啦！」石頭低著頭不敢看薏心。

「社長連我也隱瞞？」林經理滿臉錯愕

石頭眼看再也無法隱瞞只好說出實情：「前一陣子我們趁茶菁大倒市收茶，全新竹的茶販茶農都跑來拜託社長，求我們日光多收一些，不然他們就會餓死，吉桑心一軟，就吩咐其它廠用每斤八毛錢全部收下。」

「一共收了多少？」薏心鐵青著臉問。

「一百……萬斤！」石頭連話都講不清楚，像個做壞事被發現的小孩。

「但是我有開口勸社長……」後面的話比蚊子嗡嗡聲還要小。

「林經理，原來你在倉庫，你來看ＫＫ這篇上坡下坡的文章，是我教他寫的！」吉桑人沒到聲音就先傳過來了。

「怎麼啦！倉庫有小偷還是怎樣？大家臉色怎麼那麼難看？」吉桑發現氣氛很凝重，尤其是薏心那張簡直快要炸開的臉。

「社長！這些茶是怎麼回事？」薏心指著倉庫內堆積如山的存貨。

吉桑隨手彎腰抓了一小把毛茶檢查著說：「哦，這批茶的品質不錯。」

「社長，這些毛茶要清空，不然下個月收春茶時就沒有倉庫可以堆放了。」石頭問著。

「這下好了，好不容易還清負債，結餘一些現錢等著要挖電石礦，現在又要去借錢了？」林經理露出標準的苦瓜臉。

吉桑比著滿倉庫的毛茶存貨樂觀地說：「這茶全是錢！」

林經理按捺不住也比著倉庫埋怨起：「賣出去才是錢，賣不出去就是草，現在公司沒有大訂單！」

「嘿嘿嘿！免煩惱啦！我接到一張很特別的單了，一斤六十元。」吉桑一副「山人自有妙計」的得意模樣。

「一斤六十元！」所有人都歡呼起來，智利外交茶為了一斤一兩塊的成本拚得人仰馬翻，能夠賣到洋行的最高級紅茶，頂多一斤十幾塊錢，一斤六十塊的訂單簡直比黃金還值錢。

薏心跟著吉桑笑得合不攏嘴，石頭與山妹則是驚訝地說不出話，只有最冷靜的林經理狐疑地問起：

「誰下訂單？下多少量？」

「日本商社回臺灣了[11]，日本三井的次郎找我訂了一批高級紅茶，一共一千斤。」所有人聽到一千斤，心情可說是從天堂掉到地獄。

「三井的訂單才六萬塊錢？」薏心氣得快哭出來。

只有吉桑與高采烈：「次郎拜託我們做茶去參加日本『富士賞』的比賽茶。」

吉桑不是笨蛋，當然讀出女兒與其他人臉上的失望：「別小看這六萬元，次郎是老朋友，人家信得過我們，我們就一定要幫忙！接到這張單，代表的是榮譽！」

「是啊！榮譽值六萬塊！」薏心一副無奈。

「薏心！妳才剛開始做茶，不知道利害關係，三井的單雖然小，講榮譽是比較風神啦，但這代表日本人回來了，現在是六萬塊，下一批就是六十萬、六百萬、六千萬。」吉桑的眼光的確看的很遠。

「只是，為了做一千斤高級茶，用得著去買一百萬斤的茶菁嗎？」薏心知道現在說這些也無濟於事。

日光北埔總茶廠二樓萎凋區，吉桑慎重地召集所有茶廠的茶師與工人，宣布參加日本「富士賞」比賽的消息，幾個老員工不禁想起當年日光替三井製茶得到「日本天皇賞」的往事。

「三井茶一直都是阿土師帶著大家做，今年阿土師不在了。」吉桑頓了一下看著石頭與山妹：「富士賞的比賽茶就交由石頭做。」

這是戰後第一次參賽，過去十幾年來能夠獲得大賞殊榮的茶師，新竹地區就只有阿土師一人，這對茶

---

11 一九五〇年六月起，臺灣與日本恢復通商通郵與工商業人士往返。

師來說無疑是人生最高榮譽，大家聽到由石頭主導做日本比賽茶，無不熱烈鼓掌，尤其是山妹拍得最響亮，眼眶含淚的石頭驕傲地向大家點頭致敬。

「山妹，雖然妳是總茶師，有空也必須跟著石頭學，下一屆輪到妳，日光的茶才能一代又一代傳承。」吉桑交代這番話，石頭與山妹的師徒名分不言而喻，林經理終於了解吉桑接這批三井比賽茶的苦心，只是薏心依舊認定父親只是虛榮心作祟。

「社長！我一定把阿土師教我的都用上，做出日光最好的茶！」悶了好幾個月的石頭在吉桑激勵下忍不住哭出來。

「先別流眼淚，要是沒得獎，你連哭都哭不出來！」吉桑拍拍石頭的肩膀。

接下比賽茶的工作的頭一個月，石頭除了每天下午去山裡茶園巡茶樹外，沒做任何事情，心急如焚的山妹眼見距離交茶的預定船期剩下不到幾天，身為總茶師的她也不敢催促，直到端午節前一個禮拜，石頭才找上山妹：

「山妹，走，過午後去採茶。」

下午兩點，石頭和山妹來到日光自家茶園的坡地，一旁已經有好幾位等著採茶的茶農全副裝備等著石頭。

石頭彎下腰瞇著眼盯著眼前這片茶樹上茶芽的細微變化，再抬頭看了太陽的強度。

「這批茶可以了，收！」石頭一聲令下，茶農們應聲開始採茶，山妹想加入採茶的行列，被石頭喝止：

「身為總茶師不能自己親自摘芽！」

山妹納悶地看著石頭。

「自己下來摘就會對這小小的一心二葉產生感情，但總茶師不能太感情用事，必須狠下心來把次等茶菁剔除掉。」石頭盯著芽葉上的微小紅斑。

「是的！師傅！」

石頭聽到山妹稱他師傅，嘴角露出得意的笑容：「過兩天要正式拜師入門，拜我師傅沒那麼簡單。」

「三井的比賽茶，為什麼要用這批茶菁？公司自己的以及簽下契作的茶園可說是滿山滿谷，為什麼選擇眼前這一塊位於山谷斜坡，一天照不到三個小時陽光的小茶園呢？」山妹滿腦子疑問。

石頭摘下一片芽葉指著說：「為了著蜒，日頭不能照太久，這上面薄薄一層的著蜒，就是公司的茶可以賣得比別人貴的原因。」

從小種茶樹的山妹當然懂得這些，望著青心大冇種的茶園，她又提出質疑：

「師傅！用青心大冇品種好嗎？青心大冇種如果做不好，苦味、菁味都很重。」

「難做才是真本事！青心大冇種的『著蜒茶』，味道夠厚可以配堆，揉捻功夫到家的話，苦香苦香又深又醇才是一等茶！」石頭娓娓道來。

石頭指著眼前這片茶園說：「為了三井比賽茶，我已經來這裡巡半個多月，不能噴藥，肥也不能灑太多，才有滿山頭的小綠葉蟬[12]。」

「小綠葉蟬差不多在端午節前出現，吉桑選這個時機接日本比賽茶的訂單，是有道理的，每年日光就

12 所謂的著蜒是小綠葉蟬在茶葉上叮咬過所留下的唾液，經過自然化學變化，被叮咬過的葉芽，經過製茶工序，會發散出天然的特殊果香。

是端午前後出的茶最好。」

只會種茶製茶與配茶的山妹，這才慢慢體會到茶不光只是一心二葉，而是一代又一代的經驗智慧的累積。

山妹比著頭頂的烈日：「我們為什麼要在陽光最強的時候來收茶？」

「我們是在等二五茶！」

「二五茶？」

「下午兩點到五點摘下的茶菁，最乾燥。」一般採茶菁都是選擇天剛亮，茶芽還沒被曝曬之前趕緊摘取，二五茶完全顛覆山妹的經驗與知識。

「最乾燥？為什麼？」

石頭被問個不停的山妹搞得很煩：「為什麼？因為阿土師就是這樣教我！」石頭從來沒想過。

「沒時間聊天了，採完後要趕時間。」石頭指揮茶農們把採下的一簍簍的著蜍茶菁用布蓋好，搬上卡車用最快的速度載回茶廠。

石頭將茶菁攤在茶廠的乾燥機前，示意要山妹接手，身材嬌小的山妹只能搬張凳子站在上面，吃力地伸長雙手翻攪機器內的茶菁。

石頭見山妹熱得滿臉通紅，忍不住笑她：「看妳做茶好像小孩子做工！做茶是體力活，妳這樣做不久的……」

山妹不甘示弱：「別小看深山茶寮來的小孩，這種活我可以做上整晚！」

石頭倒了杯茶給山妹要她休息一下，山妹不敢接過茶杯，雙手仍然不停地翻攪著茶菁。

有點不高興的石頭斥責著：「師傅叫妳喝茶就喝茶，不是蟲屎茶，喝啦！」

山妹停下手上的工作咕嚕咕嚕地一飲而盡。

「叫妳停不是要妳休息，妳這樣翻攪下去，結塊的茶菁就很難救回來！」石頭接手將已經初步受熱、炒過的茶菁從乾燥機取出，快速揉捻，邊對山妹大聲命令：「拿濕布來。」

山妹用最快的速度，將茶菁用濕布細心地包起來，石頭看山妹的動作很滿意稱讚著：「妳茶身行水的功夫與速度不差啊！」

「著蜒茶茶身本身就很細小，沒這一步，很容易碎掉。不過技術是技術，經驗是經驗，每批茶菁的萎凋揉捻攪拌過程與數量不同，行水的時間也不同，這就不是深山茶寮學得到的。」石頭對山妹還是有點歧視。

石頭提醒山妹：「當年我師父阿土師替日本天皇做茶的時候，跟我講茶身行水的時間，最重要的是摸到茶葉邊緣變軟，無刺手的感覺，就差不多了！」

山妹摸著被一捆捆濕布包著的葉片，彎腰去聞聞茶菁所散出來的味道後說：「我看再十五分鐘就可以！」

石頭大吃一驚，茶身行水的時間，山妹估計的居然和自己一模一樣，不同的情況的行水時間長短不一，有些長達一整晚，有些則完全可以跳過這步驟，他可是被阿土師調教十年、經過無數次的失手才漸漸摸索出來，眼前這位沒見過世面的深山小姑娘卻有著精準的手感與嗅覺，現在石頭才真正體會到阿土師生前的識人眼光。

石頭放手將行水的茶菁茶塊交給山妹去揉捻解塊，觀察山妹的動作，基本上茶菁到了這個階段，已經有了基本的葉色與風味，揉捻只是為了形塑毛茶的形狀，但每片葉子的著蜒程度不一，如何揉捻讓成堆成型的毛茶的味道能夠分布平均就得看細心的程度，且行水過的茶菁只剩下些許濕度，太慢則會錯過揉捻成型的時機。

突然燃起競爭心的石頭也取出另一半殺菁後的茶葉，用自己的手法解塊揉捻，兩人在灰暗的陽光下靜靜地各自展開手藝。

二人忙著披濕布，山妹看著石頭的手，那絕對是一雙茶人的手，這是她第一次如此近距離看石頭。

山妹沒有停下手邊動作，低著頭說：「謝謝石頭師！」

石頭取了些山妹做的毛茶用開水泡開，啜了一口後再聞其香味觀其茶色，最後攤開茶底，他知道短短的幾個鐘頭，山妹已經出師：「阿土師教我十幾年，妳卻能夠在短短的一個下午學會，日光茶廠有妳這位茶師，以後不會漏氣了。」[13]

到此，石頭已經放下對山妹的歧視與敵意，夕陽最後一道陽光斜斜從天窗灑下，映在兩位茶師的臉上，他們默默忙著手邊工作，沒人講話。

6

工廠運作良好的關鍵在於熟稔的技術員與工人，日光茶廠雖然面對庫存過剩的危機，但至少茶師技工茶農們都是職人等級的熟手。

化肥廠雖然解決原料問題開工在即，但KK與歐文卻為了員工訓練傷透腦筋。

廠房內設置一間簡單的實驗室，講臺黑板上寫著幾行字：「單元操作課」乙炔氣及設備配置圖表，歐文與KK站在講臺打著哈欠，已經過了上課時間半個小時，十個新進實習工人只來了三個。

一個實習工人渾身泥土與汗水，濕漉漉的褲管一高一低，顯然剛從水田裡忙完才趕過來。

「大餅頭，你遲到了！」KK用北京話責備。

「麼个？」大餅頭根本聽不懂北京話。

好不容易等到太陽下山農事忙完，其他人才姍姍來遲，等得很不耐煩的工程師歐文開始發放口罩與實驗器具，許多人還是第一次看到口罩，有人戴在頭頂上，有人戴在手臂上，還有人以為是毛巾直接擦起汗來。

KK挽起手袖，準備開始講課，轉身在黑板寫下化學式：

CaC2+2H2O-

然後對著下面一位比較熟悉的工人說：「捲毛仔，我用國語講，你用客語一字不漏講給其他人聽。」

KK指著化學式說：「我們工廠預計前期生產的是電石類化肥，碳化鈣是我們的原料，碳化鈣就是電土，今天要先認識的就是乙炔氣燃燒。碳化鈣遇水，會產生乙炔，乙炔很容易燃燒……」

根本聽不懂的捲毛仔嘴巴張得大大的，面對KK只能苦笑，歐文看著臺下素質很差的實習工人，不

---

13 膨風茶（東方美人茶）製程：茶菁↓乾燥↓萎凋↓炒菁↓茶身行水↓揉捻↓解塊↓乾燥↓包裝
解塊：茶菁進乾燥機遇熱脫水與炒菁攪拌的過程會結成塊狀，解塊就是將結塊的茶菁撥開，讓熱氣快速散去。
茶身行水：用濕布或濕氣將快速乾燥後的又乾又熱的茶菁覆蓋悶住，並靜置一段時間才能進入下一個揉捻工序。
揉捻：由揉捻機或手工，目的是藉由破壞茶葉組織，讓茶味易於散出。

禁搖頭。

KK換另一種方式來講解，拿起口罩戴在捲毛仔臉上示範，見大家戴好口罩後繼續講：「要注意！只要聽到嘶嘶聲，就代表有危險！」燒杯上放著冰塊與電土，歐文在冰塊加了幾滴水實驗給大家聽清楚嘶嘶聲。

大餅頭好奇地把頭靠到燒杯旁聽，歐文嚇一跳一把推開他的頭，用英文大罵。

大餅頭一臉無辜地用客家話回答：「我要聽清楚什麼是嘶嘶聲。」他解釋自己右耳失聰完全聽不到聲音。

KK對大餅頭搖搖頭說：「那你不能在這裡做工！」

大餅頭著急著地哀求：「經理，我會認真工作的，再給我一次機會！」看在其他學員也都在替大餅頭求情分上，KK不再堅持。

歐文接著又加了幾滴水，很明顯的傳來嘶嘶聲，冰塊瞬間著火，學員都看得滿臉錯愕竊竊私語。

「冰塊起火！」

「變魔術嗎？」

下課後，歐文冷冷地問著KK：「你找的這一批工人，別說英文，連中文也不懂吧！到底是哪邊找來的？」

KK苦笑承認：「在地的農夫、剛退伍的充員兵，能找的就只有這些了。」

「這裡的工人糟透了！」歐文抱怨起來。

「至少他們都是年輕力壯，一次不會，多教幾次就會慢慢懂。」KK滿懷信心。

「這是不可能的任務，我們沒有美援，沒有資源，全都是骯髒，貧窮和搞不清楚狀況的文盲工人！」

受過完整工程訓練與化工經驗的歐文滿臉厭惡與輕蔑。

KK聽了很刺耳，但也無從辯駁。

「我不是說你啦！抱歉！」歐文從KK的表情知道自己說的太過分了。

「所以，我們才需要像你這樣的專業工程師在這裡。」KK苦笑地拍拍老朋友肩膀，他知道歐文是得失心太重，沒把他的歧視言語放在心上。

歐文苦笑聳聳肩。

「好啦！等一下下班帶你去酒家喝兩杯輕鬆一下！」KK安慰著歐文

歐文一聽笑開了說：「是你們講的粉味嗎？」粉味兩字的閩南語卻講得很道地。

北埔街上有好幾間酒家，KK帶著歐文來到最大間的「紅天夢酒家」，酒店門口人來人往熱鬧無比，最近是收茶菁的旺季，有許多外地來的茶販、也有附近憲兵隊的軍士官、也有在附近興建拓寬中豐公路（臺三線北部段的前身）的工人與工程師，晚上都會相約來此喝酒聊天應酬。

KK和歐文二人一走進去就傻眼，因為從化肥廠才下完課的的十個學員全來到這裡喝酒，各個酒氣衝天。

隔壁桌恰好坐著石頭與一些中壢來的茶販子，石頭喝得酩酊大醉逢人就炫耀一番：「哇！劉經理跟鉤鼻的也來了！頭家，拿出上好酒來，這一桌！今天我請大家喝酒！」石頭指著KK身邊的化肥廠工人。

在旁邊早已喝的酩酊大醉的化肥廠員工莫名興奮鼓譟著。

「石頭，什麼事這麼開心？」KK問起。

「做茶十多年，我石頭做的茶，也要去日本參加比賽了！」

紅天夢酒家的老闆一聽：「夭壽啊！和你師傅阿土師一樣，準備要拿日本天皇獎牌囉！來來來！今天石頭師一定要開我這瓶自日本時代就私藏的酒來慶祝！」酒家老闆最懂灌人迷湯藉機賣酒。

老闆拿出一口老甕，石頭與化肥廠工人三兩下就喝光下肚，KK及歐文因為坐在特別包廂而沒有口福。

「石頭師萬歲！」「化肥萬歲！」「臺灣茶萬歲！」石頭與大餅頭捲毛仔等人喝開了，酒酣耳熱興高采烈地喊著。

大餅頭等人三三兩兩離去，剩下爛醉的石頭睡在酒家大廳的椅子上。

酒家老闆見一起來的茶販子也不見人影，只好找上KK情商：「石頭師是你的朋友吧！能不能請你帶他回家，他這樣醉倒在店門口，我很難做生意。」推銷酒的時候是熱情的換帖兄弟模樣，客人喝掛了又是另外一種嘴臉。

KK只好跟歐文說：「我們送石頭回家吧！」

歐文翻了白眼抱怨：「我都還沒玩到粉味，現在反而要扛醉漢回去！」

KK在歐文耳邊輕聲說著：「北埔這邊很鄉下，酒家女人不敢接你這種白種人，改天啦！回臺北再帶你去找粉味啦！」

酒家老闆提醒：「石頭住山上，車沒辦法開進去。」說完後從店內扛出一個裝米的大米籮和兩根扁擔給KK與歐文。

KK與歐文不明白大米籮與扁擔的作用，酒家老闆把爛醉如泥的石頭丟進大米籮，再用兩根扁擔串起大米籮，要歐文與KK一人抬一邊。

月亮時而出現時而躲進烏雲，KK跟歐文抬著石頭走在忽明忽暗的山路上氣喘如牛，攤坐在大米籮裡的石頭倒是一派輕鬆地唱起採茶歌來：

「透早摘起夏仔心，心心葉葉是黃金，一心兩葉我曉摘，製茶技術愛認真，哦~喝~」山區風大，石頭邊唱邊把戴頭巾包起來，模樣十分逗趣。

幽默的歐文不忘嘲笑一番：「幹！這傢伙唱歌還真可怕（terrible）！」

「什麼特路伯！我師傅叫作阿土伯，十九歲，阿土伯就收我當徒弟，很風神哦，不過，最倒楣的也是跟到阿土伯，因為不管你怎麼做，別人看你全是『二師』。」石頭坐在很像搖籃、搖搖晃晃的米籮裡遙想當年。

「全世界一年幾百萬噸的茶，誰會知道喝到的茶是哪個茶師做的！」隨著米籮左右搖著的石頭眼球布滿血絲。

「那日，日頭很烈，做得我全身是汗，結果，知道怎樣嗎？」石頭有點語無倫次但句句是酒後真言：「深山茶寮一個細妹仔爬到我的頂上，做總茶師！我不服！阿土師！我不甘願！」

山路上上下下走了快一個鐘頭，KK總算看到前方有間透出光線的平房。

知道自己丈夫又喝得爛醉的石頭嫂衝出門外向兩人道謝，身旁跟著兩個年約十歲的女兒。

「又被人用米籮抬回來。」石頭嫂罵著賴在米籮不起的丈夫。

「這麼喜歡喝酒，你乾脆喝到死一死好了。爬起來，回家進門啦，不要在別人面前丟臉。」

爛醉歸爛醉，回到家的石頭還是認得自己的妻小與家門，踉踉蹌蹌地爬出米籮向KK和歐文敬個禮：「這美國仔，自己人，才不會笑我。」

搖搖擺擺走進家門，嘴巴依然是那曲採茶調，只是將歌詞改成：「惡妻～孽子～無法度～啊～」

KK歐文二人累得癱坐在地對望，聽著石頭調不成調的可怕歌聲，抬頭看著月亮，只覺得今晚月色格外灰暗。

第二天，化肥廠所有員工都興高采烈地忙碌著，有些在布置著幾天後的試車典禮會場，有些在廠房內準備開始試產的前期作業，大餅頭跟捲毛等現場工人搬運著一桶桶裝滿氣體的鋼瓶和一袋袋電土。

「這是電石爐，是化肥廠的心臟，可以燒出攝氏三千三百度的火焰，每克釋放出一萬一千八百焦耳的能量。」雖然薏心聽不懂，但還是興奮地聽著KK為她介紹廠房內設備。

「聽起來很神奇……」

KK看薏心無法接下話題，貼心地轉移話題：「聽說你們的茶要去日本比賽了？」

「你怎麼會知道？」

KK還沒回答，門口傳來聲音，石頭冒冒失失地闖進廠房，提著竹簍氣喘吁吁對著KK喊：「劉經理！劉經理啊，昨天我喝醉了實在失禮！還麻煩你們扛我回家。」

「沒事！別放在心上，你能做出比賽茶的確值得慶祝！」薏心這才了然於心。

石頭紅著臉抱歉：「這是我太太做的粢粑，請大家吃。」

不遠處突然傳來嘶嘶聲，KK警覺地對石頭噓了一聲要他別出聲，薏心跟石頭都不明白KK突來的反應。

反應很快的KK伸手摀住薏心口鼻，要她不要呼吸，滿臉錯愕的薏心不知道發生什麼事，只見KK東張西望賣力尋找嘶嘶聲來源，不遠處的歐文也是神情緊張地戴上口罩四下張望。

嘶嘶聲越來越大，濃煙伴隨著從工廠角落冒出來。

「大家戴上口罩！」ＫＫ對著廠內大聲吼叫，歐文繞著廠房打開所有的門窗，大部分工人你看我我看你不知所措，完全沒有進入狀況，沒多久煙霧散去，只見到其中幾位工人已經倒地不起，

「唉呀！」薏心看到倒在身邊的石頭嚇得尖叫出來。

雖然大家尚未熟悉化工專業操作，但平常強調緊急處理與送醫院急救的實習訓練還算到位，不到一刻鐘就把傷患送到附近的濟陽醫院。

一起趕到醫院的ＫＫ緊張地問著：「他們都還好嗎？」

「你趕緊告訴我，他們中的是什麼毒？」張醫師問著：「知道中哪一種毒，比較容易解毒。」

病床、單架、輪椅上滿是化肥廠工人，有的抽搐、有的呼吸急促、昏迷，多數病患喝牛奶嘔吐後便慢慢恢復意識，但石頭和大餅頭兩人依然躺在病床上昏迷不醒。

「張醫師！病人呼吸急促，需要氧氣！」護士緊張地向醫生求救。

化肥廠毒氣外洩的事件很快地就透過農會傳到國府高層，拿著電話筒的行政院副院長見獵心喜地對著話筒的另一端指示：

「這麼嚴重的事，一定要好好地去『關心』一下！」

趕回工廠收拾善後的ＫＫ與歐文，納悶地看著破了一地的鋼瓶與試管，歐文趴在地上把臉靠近試管，小心翼翼地聞著味道，ＫＫ仔細地計算外洩化學品的數量。

「沒道理，這氣體的毒性很低，頂多讓人感到頭暈噁吐，怎麼會……」歐文不解。

KK深表同感：「鋼瓶損壞的數量也很少，怎麼可能……」

一輛黑頭轎車緊急停在工廠門口，KK不安地迎上前，下車的是懷特公司總經理迪克，一聽到毒氣外洩有人中毒的消息立刻驅車風塵僕僕從臺北趕過來，見到KK劈頭就是大罵：

「天殺的，KK，在這個節骨眼上，你卻鬧出了這種麻煩！」

「先生，請再給我一點時間，我會查出原因！」

迪克看到農會的陳專員帶著幾位警察和公務員也出現在工廠門口，嘆了口氣說：「恐怕你沒有時間去查明原因了！」

「劉經理，怎麼你的化肥廠有毒啊！」陳專員氣喘如牛，看得出他也是倉促奉命行事。

「目前還不確定是不是工廠……」KK解釋著

「這麼多人中毒倒下躺在病院，還不是工廠的問題？立即封鎖現場、蒐證，在事情水落石出以前，化肥廠停止一切營運！」一起前來的檢察官下令。

「這是美援計畫所興建的工廠，你們沒有權限……」迪克嚇阻對方。

陳專員立刻從紙袋中拿出停止營運的公文給迪克：「美國先生，這是行政院剛剛發出的公文，請別為難我們這些小官。」一面對美國人，陳專員等人的態度收斂不少。

「國府的效率什麼時候變這麼快了？」迪克嘲諷著。

陳專員聽不懂英文，也不想聽懂，他察看著廠內並沒有什麼受損，感到滿意，指揮一旁公務員到處拍照，警察驅離工廠所有人員，在門口貼上封條。

KK失望地看著封條，整起事故發生得太快，快到來不及仔細思考，他還不知道後面還有讓人更絕望的變化。

吉桑來到醫院探視病情最嚴重的石頭，送了一籃蘋果給石頭嫂。

「社長，我沒事！你看我還好得很，能走能跳，待會檢查完就可回去做茶。」

「傻石頭，比賽茶晚兩日做不要緊，身體顧好才重要。」

吉桑親自來探病讓石頭很感激：「社長！這幾天的天氣適合著蝝，明天出院我就打算住在廠裡盯著，你放心，這批茶一定會替日光得到日本大賞。」

「山妹很有天分，但經驗可能還嫩了點，莫打他們又會偷懶，我一定要回去看著。」

「你越來越像你師傅了。」吉桑被石頭的茶師精神感動，想起阿土師。

「差得遠！差得遠！」石頭被吉桑稱讚反倒不好意思起來。

「哈，我的意思是你有阿土的認真，但也學會阿土的嘮叨囉嗦。」吉桑說完兩個人都大笑起來，石頭笑著笑著突然覺得尿急，抓緊褲襠就往病房外跑，被洗完蘋果正要走進來的石頭嫂遇到，只見石頭的心情好到邊走還邊哼著採茶歌。

「生病了還是不正經！」石頭嫂笑罵著。

催吐了好幾次的大餅頭虛弱地扶著廁所的牆壁走著，被眼前的景況嚇到驚叫起來，石頭整個人倒臥在小便斗旁不斷抽搐，雙腿之間不停流出鮮血。

聽到驚叫聲趕過來的吉桑，薏心，石頭嫂及其它家屬圍在廁所門口看到滿地血泊，驚恐不已。

「石頭！石頭！嗚哇！」石頭嫂急到哭出來。

眼睛已經完全看不見的石頭，勉強喘過一口氣雙手在空中亂抓：「秋妹！妳在哪裡？我看不到妳！」

等不到匆忙趕過來的張醫師，石頭就斷氣了，連急救都沒有機會，石頭嫂不能接受，吉桑在一旁慰問著，一群家屬圍著她。

「我的石頭就這樣沒了，滿身是血，全是血啊！頭家！」石頭嫂兩腿癱軟，靠薏心的攙扶才勉強支撐住。

聽到消息的ＫＫ趕回醫院，看著身體已經蓋著白布的石頭遺體，整個人呆站在遺體前。

「就是你，你的化肥廠有毒，我先生才去一趟就死了，一命陪一命，你還我石頭來！」石頭嫂一見到ＫＫ就拿起水果刀要往ＫＫ身上刺去，眼尖的吉桑很快地搶下刀子喝止：「秋妹！妳不要這樣……」

其他還在治療的工人的家屬包圍著ＫＫ，氣憤地對他拳打腳踢，現場突然陷入一片混亂。

「經理，你沒說會死人啊！我也會死嗎？」看到石頭慘狀的大餅頭與捲毛越想越害怕。

激動的工人把化肥廠制服直接丟到ＫＫ身上，ＫＫ只能任人辱罵毆打與彎腰致歉，薏心從未見過如此無助的ＫＫ。

檢察官警察與陳專員等人也聞風來到醫院，檢察官走過去查看石頭的屍體，陳專員站在角落看著ＫＫ被圍毆，指示隨從把現場的狀況拍下來。

這時候薏心突然想起，毒氣外洩時，為什麼石頭嚴重到猝死，大餅頭與捲毛等人也不斷地嘔吐，她、ＫＫ與歐文還有其他也在現場的工人為什麼一點感覺都沒有，提出疑問：

「石頭哥倒下的時候，我在現場，還有劉經理、歐文、阿昇哥、君陽叔也在現場。」薏心指出幾個他認識的化肥廠工人。

這時ＫＫ回過神來，看著薏心。

「為什麼我們沒有呼吸困難、沒有想吐？工廠幾十個人，那麼多人當中，為什麼只有幾個人的身體出現問題？石頭叔的死真的跟化肥廠有關係嗎？」

在場都是信任張家的北埔鄉親，聽她點出疑點後也覺得很有道理，尤其是張醫師，他越看這幾個人的症狀越感到不太對勁。

「一個小細妹懂什麼中毒不中毒，你們張家難道不必負責任嗎？」陳專員有意搧風點火在旁冷笑。

「吉桑是化肥廠社長」「張家要負責啦」，一旁鄉親竊竊私語著。

吉桑看著石頭嫂對著大家說：「我絕對不會推卸責任的，我跟石頭是什麼交情，我一定會負起這個責任的！」

群情激憤之下，吉桑的說明也於事無補，甚至有人想對吉桑動手動腳，ＫＫ與歐文站在吉桑前面保護，檢察官示意警察鳴哨維安，眾人聽到警哨聲，慢慢安靜下來。

對美國人有所忌憚的檢察官看著迪克與歐文說：「誰該負起什麼責任，都要依法！意外死亡是需要相驗屍體的，張醫師，又要麻煩你了。」

眾人看著石頭的屍體被張醫師和檢察官等人抬走，石頭嫂流著淚，搖著頭，一臉不願意。

滿腦子想把事情鬧大的陳專員追上去說：「李檢，這個案子牽連比較廣，你看是不是可以等臺北那邊再決定……」

「陳專員，什麼時候農會可以管到命案偵辦了！」檢察官心中其實也是拿捏著美國人與地方農會孰輕孰重的政治盤算，說完後不理會陳專員的威脅就和張醫師走進手術室。

入夜後的日光茶廠機具全部停擺，所有人都無心工作，身為徒弟的嗶嗶哥和莫打聽聞石頭的噩耗，更是無法接受，不停地哭著。

「怎麼這樣，人說沒了就沒了？」

「石頭師那麼壯！什麼毒這麼厲害？」

「聽說醫師和檢察官現在正在驗，社長和小姐都在醫院等消息！」日光的員工知道化肥廠也是吉桑的產業，講起話來比較不敢太過武斷。

此刻，製茶機器突然啟動，聲音在深夜的茶廠特別響亮，山妹把萎凋好的茶菁，一把一把地放進機器裡。

「喂！山妹，什麼時候了還有心情做茶？石頭師死了妳知道嗎？」嗶嗶哥氣憤地罵著，想上前搶走山妹手中的茶菁。

「知道，就是因為知道，我才要趕做這批茶，這是石頭師生前收的最後一批茶菁，他的最後一批茶。」

看著也是很難過的山妹，嗶嗶哥和莫打其實都懂這道理，只是大家不知道如何處理情緒罷了。

「我也來幫忙！」莫打捲起衣袖，嗶嗶哥擦乾眼淚上前幫忙，其他工人也收起悲傷連夜趕工。

石頭嫂、吉桑、薏心、KK、迪克、歐文、陳專員與前來幫忙的邱議員在醫院開刀房門口，許多工人與鄉親不願散去，幾位警察只好站在現場待命防止群情激憤的場面再度發生。

薏心伴著石頭嫂，摸著她的手，安慰她。

「唉！人都死了還要補上一刀！」不知道解剖的結果是否符合上頭的期望，陳專員試著挑起對立。吉桑等人假裝沒聽到，不死心的陳專員繼續對石頭嫂說：

「驗屍是千刀萬剮，以後的風水會對後代子孫不好！」

邱議員反駁說著：「石頭嫂，不要聽別人亂說，我和吉桑一定會幫石頭找處最好的風水。」

「石頭十幾年站著做茶，腰骨不好，喝醉了，就不想走路，死掉後又要割身體，就走得更慢了……」石頭嫂想到屍體被解剖的亡夫。

話才沒說完，李檢察官和張醫師同時走出手術室。

「死因是腎臟衰竭！」檢察官對著大家說。

「什麼意思？」

「石頭死前二十四小時內喝了大量假酒，假酒中的甲醇造成失明與血尿，這些中毒的人全部都是喝假酒。」張醫生解釋。

「所以跟化肥廠沒有關係？」吉桑不放心地問起。

「是的！」檢察官點點頭追問著ＫＫ與歐文：「你們昨晚是不是有遇見喝酒的石頭以及捲毛等人？」

ＫＫ把前一天晚上的經過鉅細靡遺地說了一遍，檢察官立刻做筆錄，然後指揮警察：「去把賣假酒的酒家老闆抓來……」

「喝酒……喝死的？」石頭嫂愣住，久久沒能哭出聲音。

眼看化肥廠中毒演變成喝假酒致死，無法藉此搧風點火的陳專員悻悻然離去，ＫＫ看著陳專員的背影，知道這個傢伙肯定不會就此善罷甘休。待過不同軍隊俘虜營的他，知道要解決這種小人就得從背後的「大人」著手，俘虜營與政治都是人性最複雜的場域，只是，俘虜營與政治最大的不同在於，俘虜營只計較眼前的生死，政治卻還得算計那些埋得很深不容易看到的長期利益。

幾天後，ＫＫ帶著化肥廠事件的報告來到國府副院長辦公室，門口站著憲兵，ＫＫ在辦公室門外等了一整天。

袁副院長的桌上早已擺著一份陳專員早一步呈上來的報告。

副院長的祕書有點不耐煩：「叫憲兵把他攆走啦！」

袁副院長嘆了口氣說：「我查過這傢伙的背景，待過日軍俘虜營與英軍俘虜營，除非直接把這種人一槍給斃了，否則他會一直死纏爛打。」

「要槍斃他還不簡單！」

「沒有你想的那麼簡單，斃了他，誰去跟美國人解釋？算了，你把他叫進來吧！」

枯坐了一整天的KK總算能見上副院長。

「劉坤凱，事情我都知道了，你的報告和我得到的報告沒什麼出入，化肥廠沒有損壞，賣假酒鬧出人命的人也抓到了。」

「那麼……」

「我說你聽，別插嘴！鄒祕書你出去一下。」

祕書走出辦公室把門關上後，副院長繼續說：

「我不能讓你們化肥廠復工，懷特公司幾個投資案也一樣，你不用告訴我什麼化肥可以解決農業糧食問題那一套大道理，你一個小毛頭知道，難道我搞了三十幾年實業的人會不知道嗎？你那些道理，幾年前上海的共產黨講得還比你精采、比你動聽，更比你專業。」

副院長客氣遞了根菸給KK請他坐下：「你就別再糾纏這些事情了，這些事情都不是你我玩得起的，你身為中國人，你想想，政府怎麼可能放任美國人去資助私人企業家，最後把政府的底給掏空呢？」

「政府垮了，那些商人換一支國旗，也許是美國星條旗也許是共匪五星旗，照常擁護下一個政府，繼續吃香喝辣，你是聰明人，希望你懂這些道理，我話就說到這裡，走吧！」

走出副院長辦公大樓的ＫＫ看著迎風飄揚的青天白日滿地紅國旗，夕陽逆光下顯得格外刺眼。

雖然洗刷了洩氣中毒意外事件的冤情，但政府的封條依然紋風不動地貼在化肥工廠大門上。

「國民政府不願讓我們復工。」從臺北回來的ＫＫ沮喪地對大家說明。

「現在美援全斷了，日光化肥廠是全省唯一的化肥廠，好不容易解決原料，好不容易洗刷毒死人的冤屈……」

「土地是我的，政府就拿不走。」雖然知道政治的顢頇，吉桑依舊樂觀。

「化肥廠被封，什麼時候能動工也不知道，化肥廠工人是不是先叫他們回家……」不怎麼樂觀的林經理務實地建議。

「薪水照發！」吉桑否決。

林經理很堅決地搖頭反對：「工人有一百多人呢！社長，這麼大一間化肥廠，沒有美國人與國民政府的支持，我們日光真的是扛不起。」

「林經理說的很對，是時候該收一收了。」ＫＫ同意林經理說法。

吉桑笑著對ＫＫ說：「暫停發薪水暫停運作，還可以商量，要中途而廢，你太沒志氣了，我是臺灣茶虎呢！以前我一個人就出口全臺三分之一的茶，賣茶的錢資助化肥廠絕對沒問題。」

「那是以前，現在茶廠都自身難保了，化肥廠更是個無底洞。」林經理脫口而出。

吉桑不理林經理指著ＫＫ說：

「我知道茶葉現在不好做，我們有信心，是人就要喝茶，茶市早晚會再好起來的！但是，是你答應要幫我做化肥大王的！這麼快就忘了？」

吉桑指責ＫＫ的軟弱後不忘幫他打氣：「主事的人都沒有信心，要鄉親和員工怎樣相信化肥廠可以動工呢？做主的人，站出來就要有個樣子，不能讓下面的人覺得我們沒有辦法，沒氣勢了！」

ＫＫ無法認同吉桑的天真，不發一語默默走進懷特辦公室，看著一張張化肥廠的施工藍圖、原料進貨表、工人排班表，想起烏面叔無助的臉與他的枯萎不堪的茶園，想著始終不開口喊自己爸爸的月婷，想著從印度剛被遣返臺灣的那些日子，想著俘虜營的深夜，不知不覺夜色已黑。

薏心抱著雜誌，端著綠豆湯走進懷特在日光的辦公室，落寞的ＫＫ，手拿著一根菸，菸屁股很長很長，桌上菸灰缸滿滿菸蒂菸灰。

一盞燈隔在二人中間，看著面前綠豆湯的ＫＫ自嘲起來：「之前，我還擔心日光茶廠會在化肥廠建好之前倒閉關門，沒想到，先倒下的是我的化肥廠。」

「是我們的化肥廠，我們的！」薏心堅定地糾正ＫＫ。

「你父親的好意我心領了，但化肥廠真的不是一間茶廠就可以撐得起來。」ＫＫ的話其實薏心也了解。

「所有政策都是他們大人角力的結果，好像天上的神仙打架，贏與輸從來都不是我們這種凡間小鬼能決定！」ＫＫ看著牆上美中兩國國旗，覺得自己渺小。

「你說得很對，但在神仙他們還沒打完架分出輸贏之前，我們小鬼為什麼要提早認輸？我雖然常常認為我父親做事情太大膽太樂觀，但他做事情從不認輸！」

薏心拿起《民主思潮》雜誌，指著ＫＫ所寫的文章說：「我第一次讀到這篇開放經濟管制走向自由經濟時，還不認識你，我本來以為劉坤凱是什麼三頭六臂，結果才發現和我一樣都只是個小人物，我很想親自問問你，小人物寫的文章能改變什麼？」

ＫＫ答不上來。

「如果什麼都改變不了，那你為什麼還寫？」

「那是理想，和現實總是有差別的。」

蕙心瞥見辦公室角落的櫃子放著一只酒瓶，取到ＫＫ面前說：

「你還記得去年你提著這瓶酒來找我父親談合作，說想改變農民的命運。」

ＫＫ聽著自己曾經說過的初衷，不禁感到汗顏。

「化肥廠還沒有成功，還沒改變農夫的命運，但你這個小人物已經改變了日光的命運，也改變了我的命運。」蕙心一口氣說完這些話後，整張臉漲紅起來，還好兩人之間隔一盞燈，才沒被ＫＫ發現。

「我常覺得我父親的想法太過樂觀也太不實際。」

ＫＫ點點頭。

「但這次我支持他。」ＫＫ感到意外。

「我不懂政治，但我知道，既然化肥廠都蓋好了，原料工人電力馬路技術都有了，沒道理就這麼擱著，就像你說的神仙打架，哪一天打出結果以後，絕對不會就這樣白白浪費這麼大一間工廠，我們一定能等到生產開工的那一天。」蕙心的這番想法讓ＫＫ感到很訝異，ＫＫ又聯想到前一陣子蕙心幫化肥廠解圍的那番話。

眼前這位既像是天真浪漫的無知小女生，也像在人生與商場打滾數十年的智者，ＫＫ揉著眼看著燈火後面的蕙心，明滅昏暗之間著實看不清楚。

7

吉桑根據風水師的建議替石頭選好出殯的日子。

石頭嫂與嗶嗶哥、莫打在剛填完土的新墓地前打掃修剪，墓地附近傳來陣陣蟬鳴，出殯的親友肅靜地站在墳前，石頭兩個女兒扶著棺木，風水師抬頭看著頭頂上太陽方位揑算時程，一旁的薏心頻頻看著公墓的路口抱怨起來：

「入土的吉時快要過了，PAPA 怎麼又這麼慢啦？」

到了安葬吉時的時限前十分鐘，遠方才傳來車聲，手上捧著一面錦旗的吉桑氣喘如牛地跑到墓前，看看手表還來得及才鬆了口氣，他對著石頭嫂激動地說：

「秋妹，這次，石頭做的茶，在日本富士賞比賽中得到首相大獎了！」

吉桑舉起得獎錦旗給所有人看，對著石頭的棺木說：

「石頭，你真正很風神，你師父得天皇獎，你得了首相獎。」茶師們群情激動，紛紛鼓掌。

石頭嫂看著大家為自己丈夫鼓掌，歡聲雷動，她看著吉桑，淚中帶笑。

吉桑攤開錦旗，上面用日文繡著：

臺灣北埔　石亮材茶師　富士賞總理大臣首獎茶　昭和二十五年

吉桑親自頒給石頭嫂：「秋妹，請妳幫石頭保管！」

石頭嫂萬般感慨地看著錦旗，紅了眼眶哽咽地對棺木說：「你以前一直抱怨，喝茶的人都不會知道茶師的名字，現在你去天上陪你師父一起膨風，說連日本總理都記得石亮材茶師做的好茶。」

嗶嗶哥、莫打和山妹也上前對棺木說：「我們也有幫忙喔，石頭師！」

茶師們看著棺木和錦旗。他們和石頭師一樣，偶爾會鬧脾氣喝酒，不那麼計較做出的茶能賺多少錢，他們在乎的是自己的茶能否被別人肯定。

吉桑座車的收音機沒關，傳來一遍又一遍的英文新聞，忙著送石頭最後一程的吉桑、薏心、ＫＫ與眾茶師等，還沒聽到這一則由美國總統杜魯門發表，足以翻轉他們未來數年命運的新聞。

化肥廠辦光室電話響個不停，沒有跟著出殯的春姨，聽不懂電話那頭嘰哩呱啦的英文。

冗長的出殯儀式結束，轉開收音機，英文新聞已經被翻譯成中文播出：

本人已命第七艦隊防止任何對臺灣之攻擊，基於本項活動之當然結論，本人請求在臺灣之中國政府停止所有對大陸之空中及海上攻擊。第七艦隊將監視此項請求之執行，臺灣未來之地位，必須等待太平洋地區安全重建，對日和平問題解決，或經過聯合國考慮後，再作決定。

8

臺北永樂戲院今晚的曲目是「華容道」，反串曹操的夏慕雪剛上臺，連暖身過場都還沒開始，臺下觀眾突然開始鼓譟起來，幾位神情緊張的副官與祕書顧不了看戲的禮節，走到各自的長官耳邊咬耳朵，坐在最前排的幾位將官，馬上臉色鐵青快步離場，在場的其他高官也一個個離席，留在臺下的幾位商人模樣的聽眾交頭接耳打探起來。

夏慕雪眼睛往僅剩的觀眾飄去，站得穩穩的腳步差點一個踉蹌摔下臺，只見那人不在乎六月盛暑依然穿著深色三件式西裝，臉龐消瘦頭髮稀少，年約五十多到六十歲間，一副玩世不恭的神情，夏慕雪一眼認出是十年不見的穆桂錦，人稱穆老，夏慕雪小時候叫他乾爹。

其他演員和司琴你看我我看你，不知所措地站在臺上看著夏慕雪。夏慕雪清了清嗓子，對著臺下的穆老說：

「就算天塌下來，只要有人聽還是得唱！」

在中原領人馬八十三萬，實指望滅劉備踏翻江南……

話雖如此，夏慕雪心裡卻已經翻天覆地，她一度以為乾爹在香港過世了。

日光辦公室內，吉桑、薏心、林經理、KK和歐文圍著收音機。聽到韓戰開打，薏心想起幾年前臺北被美軍轟炸躲空襲的苦日子，眉頭深鎖。林經理擔心戰爭會波及快要周轉不靈的日光公司財務狀況，歐文很怕又要被徵召上戰場，一直抱怨著美國大兵為什麼要來幾千里外的亞洲參加戰爭。

ＫＫ沉默不語，時而激動握拳時而來回踱步，吉桑臉上則是充滿著笑意。ＫＫ與吉桑數度對看彼此，似乎傳達出某些不言可喻的默契。

吉桑沉不住氣笑了開來：「天助我也，日光又要翻身了，哈哈哈！」

「又要打仗，不知要死多少人，PAPA為什麼高興？」薏心問起。

「當年日本與美國開戰，我的茶源源不絕賣到滿州大連給日本人喝，幾年前國共內戰，香港的英國商社只能來我這買茶，現在又要打仗，只要打仗，物價就要大漲……」吉桑比著辦公室對面倉庫滿滿的毛茶庫存說下去：「這些賣不出的茶就不是草了，而是黃金。」吉桑興高采烈地抽起菸斗，從酒櫃中取出一瓶陳年白蘭地倒了幾杯。

「茶葉變茶金，哈哈哈！乾杯！」

不遠處的懷特辦公室電話也響起。

「ＫＫ！總經理來電話。」去接電話的歐文喊叫著。

ＫＫ踩著興奮的步伐接了電話。

雖然想不透其中道理的薏心，看著有活力的ＫＫ與樂不可支的父親，也跟著開心起來。

「美國恢復對臺灣的援助了！」ＫＫ用盡全力對著薏心呼喊著。

「我早說吧！沒什麼好煩惱，是不是？」薏心對ＫＫ擺出一副料事如神的表情。

薏心與ＫＫ的微妙神情交流，被眼尖心細的林經理看在眼裡，他笑著對吉桑說：「社長！每次發生戰爭，你真的就有好事發生！」

「哈哈哈！」吉桑的笑聲迴盪在日光辦公室與張家洋樓，連在茶廠的員工都聽得一清二楚，一些老員工都認得吉桑這種笑聲，那是自信的笑聲，必勝的笑聲，睥睨一切的笑聲，風神的笑聲。

第六章

1

政治的紛爭永遠只能靠政治解決，決定介入韓戰的美國，為了避免與中共軍隊兩線作戰，美國禁止國民政府藉機反攻大陸，不願接受蔣介石派軍隊支援韓戰，釋出的條件的是恢復美援並擴大規模。美國政府並非天真地支援臺灣，而是希望將臺灣與日本打造成韓戰的後援基地。但無論如何化肥廠的封條總算解開，越南的原料、美國的資金與專業工程師一批批地運到北埔，KK又回到忙得不可開交的日子。

化肥廠重新營運，薏心假借品嘗日本大賞茶的名義，泡了一壺給KK。

「我父親把茶葉當黃金，可是賣不掉的茶葉和雜草沒兩樣，打仗又用不到茶葉。」薏心找不出戰爭能帶來什麼商機。

「誰說打仗用不到茶葉？軍人也要喝茶，我在南洋當日本充員兵時，茶是『單兵標配』，每人每天配三公克的茶，一天沒喝茶，全身都沒力氣，英國更慷慨，連我這個被英軍逮捕的俘虜，每天還有三公克紅茶的配給，更別說英國軍人，喝茶喝得比水還凶。」忙得告一段落的KK喝了口紅茶。

「你是說，一人一天三公克！那，要是三十萬人，一個月就……我可以把茶賣給美軍嗎？」薏心掐著手指算到眼神整個發亮。

KK嗆了一口，停下手邊所有動作看著薏心：「美軍？美軍的標配是咖啡，不是茶。」

「不試試看怎麼知道？」薏心想起倉庫還有上百萬斤的茶菁庫存。

「妳真的要試？」

蕙心勢在必得的神情，散發出一股讓ＫＫ無法拒絕的魅力。

「我會幫妳找門路，但是，想接美軍訂單，先得把英文學好。」ＫＫ從抽屜找出一本英日字典給蕙心。

「我在中學時學過英文，good morning?」蕙心的英文有很濃的日語腔，ＫＫ聽了很無奈。

「我念書的時候，都在打仗，所以英文……，但我背了許多單字。」蕙心指著窗外說：「Sunset is beautiful，還可以吧！」

ＫＫ也看著窗外夕照自言自語：「Crimson! Sunset is always crimson!」

接連幾天幾夜，蕙心不眠不休地窩在洋樓的房間內拚命學習英文，翻著ＫＫ那本破舊的字典以及中學時的英文課本，只是蕙心的視線老是盯著ＫＫ用血漬劃上一圈又一圈的重點單字：crimson。

「crimson…クリムゾン…」

以及ＫＫ在wife單字旁邊的小空白處，用粉筆畫的人像，頭髮短短的、嘴巴小小的，雖然畫工粗糙但一看就知道是個女人。

ＫＫ順利地找到美軍採購的門路。美軍在臺灣負責軍需品採購的克拉克將軍，要在美軍俱樂部舉辦一場舞會，ＫＫ透過夏慕雪，夏慕雪又透過關係拿到門票。

「後天晚上九點，美軍在臺北有個宴會，我可以帶妳進去，只是，妳會跳舞嗎？」

聽到事情順利進展，蕙心開心地點點頭：「我會！以前在學校學過，老師說我跳得很好。」蕙心站起來舉起手，開始跳起舞步。

「一二三、一二三……」

ＫＫ看蕙心跳著單人舞步，被逗樂地哈哈大笑：「哈哈哈！我想他們現在不可能跳這麼老派的華爾滋啦！」

KK把留聲機打開，挑了張唱片隨著音樂搖擺起來：「這是美國大兵最喜歡跳的最新阿哥哥舞步！」

「好像七爺八爺出巡！」薏心笑著捧著肚子。

不理會薏心的揶揄，KK板起臉孔正經地說：

「如果你想要和美國人做朋友做生意，你一定要學會尊重他們的文化，還有，你能夠接受陌生的白種美國男人手扶著妳的腰，妳搭著他的肩嗎？」

薏心想到那種情形整個人不寒而慄，但深深地吸了口氣後大方地回答：

「總比被債主上門汙辱糟蹋來的好，KK，請你先教我跳。」薏心說完閉上雙眼伸出雙手，把身體交給KK。

KK愣了一下，眼前這位奮不顧身脫掉鞋子爬上屋頂救女兒，見義勇為在眾人面前幫自己解圍的客家細妹，KK也閉上眼帶著薏心翩翩起舞。

2

夏慕雪能拿到門票，是透過一位死忠戲迷靳上將，靳上將追求她許久，但夏慕雪始終以戲子身分配不上對方為由婉拒，表面的原因是靳上將年近六十，兩人差距太多，但真正的原因，夏慕雪始終不願對任何人透露。

臺上的鼓鑼點響起，從布幕後竄出全身京劇打扮的佘太君身影，臺下戲迷激動地喊著：「夏老闆！夏

老闆！夏老闆！」

夏慕雪的曲目是「四郎探母」

沙灘會，一場敗，只殺得楊家好不悲哀……

她那西皮流水板的唱腔，將幾個單調的音符唱得九彎十八拐，聲線始終不斷，聽得臺下叫好聲不斷，掌聲如雷。

一出場，夏慕雪就看見坐在角落的ＫＫ以及身旁的薏心，臺上的她與薏心四目交會，心頭莫名一酸，腔調由激昂轉為哀戚。

韓戰開打，國府再度宣布戒嚴，劇院酒家必須在晚上八點以前打烊，夏慕雪熟練地卸下戲妝換成宴會用的淡妝，跳上薏心的雪佛蘭座車，阿榮開車，ＫＫ坐在前座，薏心坐在夏慕雪旁邊，氣氛有些尷尬。

「妳今天入戲很深！」看戲看得比較精的ＫＫ對夏慕雪說。

「今天帶你的細妹仔見到你們想要見的人，其他就不關我的事了。」夏慕雪顯得有些冷淡。

車子開到美軍俱樂部門口，ＫＫ很紳士地替身穿高貴典雅洋服的薏心與夏慕雪開車門，滿臉歡愉地走到俱樂部大門。

第一次來到這個地方，薏心好奇看著四周，旁邊傳來男女嘻笑聲，一名美國大兵跟臺灣女子在旁邊公然調情，嚇得薏心閉上雙眼躲在ＫＫ身後，一緊張竟忘了把放在車上的茶樣帶進去。

夏慕雪拿出邀請函，門口的憲兵一看馬上敬禮：

「原來是靳上將的貴賓，裡面請！」

走進大門穿過一道玄關式的長廊，空氣中混合著古龍水、肥皂、汗水和欲望的氣味，音樂聲從內流出，樂隊在臺上演奏著爵士樂，美國大兵摟著臺灣舞女成雙成對在舞池跳舞，舞池最上方是吧檯區，一名西方女子跳著俗豔的鋼管舞，這是一個薏心沒見過的世界。

侍者引領他們坐在一樓角落的位置，就座後低著頭對夏慕雪小聲地說：

「靳上將正在二樓與克拉克將軍、袁副院長開會，他等會兒便下樓見妳。」

「嗯！不忙！」夏慕雪敷衍了幾聲。

薏心根本無心喝飲料，拿著小抄，臨時抱佛腳地背英文臺詞：

「Nice to meet you! Mr. Clark.I m Chang Yi-Xin…this is top grand Taiwan tea,would you like to try some?」

幾個侍者端著紅酒與一盤盤小點心自舞池邊緣走過，走上到二樓的貴賓休息室，休息室的撞球檯邊站著一位滿頭亂髮的高大軍官，旁邊站著哈巴狗似的靳上將，手拿撞球桿一派輕鬆打著球的是美國領事約翰，袁副院長則是面無表情地坐在沙發上看著球檯。

克拉克指著窗外夜景對說：「我們需要這個地方，作為美軍後備營區及後勤補給站。」翻譯人員則在副院長與靳上將耳邊翻譯著。

靳上將滿口江浙口音回答：「沒問題！美方在臺灣的後備需求，我們一定全力支援，希望中美再次合作，共同抵抗共產勢力，另外總統這邊已經裁示讓我麾下的五十二軍整備，麥帥如有需要，一聲令下立刻可以投入朝鮮戰場……」

克拉克將軍嚴正地駁斥：「聽好，美國的立場就是要你們國民黨的軍隊保持中立，你就算問一百次，美國政府與軍方的回答都不會改變。」

在旁的約翰領事用力敲出小白球後冷笑著：「我們的經濟援助已經到位，希望美中兩國可以在後勤上全力合作。這次韓戰我們是打真的，你們在背後別再耍花樣，別再發生港口沒船、電廠停擺、公路停建、肥料廠被查封的事情。」

「沒有問題，懷特公司與美軍的所有經濟援助建設，政府一定全力配合，您提到的化肥廠已經復工，所有的事情都是一場誤會。」被當場指責的袁副院長皮笑肉不笑地回覆。

聽著副院長的官方回答，克拉克拿起侍者端來的咖啡，喝了一口後便摸著胃，感到不太舒服：「明天下午我飛回東京，會向麥克阿瑟將軍報告臺灣政府的態度，以及未來一年軍糧軍用品的調度採購計畫，各位下樓好好玩吧！樓下等不及的阿兵哥早就玩開了！」

消化不良的克拉克又打了個嗝，挺尷尬的：「呵，抱歉……部隊裡罐頭吃多了，老是胃脹。」

靳上將趁機巴結：「我明天一大早就吩咐副官幫你準備一些臺灣茶，臺灣的茶消脹氣助消化。」

「聽說你把全臺灣最漂亮的舞臺劇女主角都請來了！」克拉克問起。

「是京劇，但也跟你們的舞臺劇差不多。」靳上將解釋著。

「將軍想喝茶？這裡什麼酒都有，就是沒有茶。」侍者對著下樓來到吧檯旁的克拉克道歉。

也在吧檯旁邊的KK聽到熟悉的聲音，轉頭一瞧，克拉克也睜大眼睛看著他大喊：「KK中尉！」

KK不可置信居然在這裡遇到印度俘虜營的長官：「克拉克上校！」

眼尖的KK看到克拉克軍服肩上的星星立刻改口：「克拉克將軍，沒想到會在臺灣和你重逢！」

克拉克將軍毫不猶豫地先對KK行了軍禮。

兩人聊了一會兒近況後，克拉克感慨地說：「我們總算在自由的地方見面，地位也已經平等了。」

「沒想到你們認識，早知道我就不用費心心思把你帶進來找將軍了。」夏慕雪等人莫不感到好奇，堂堂一個美國大將軍怎麼會對一個不起眼的臺灣年輕人主動敬禮，從兩人的對話實在無法理解彼此的關係。

「ＫＫ！原來你是特意來找我的啊！」

「但我事先真的不知道你就是那個克拉克。」ＫＫ笑著說

ＫＫ遇見故友差點忘了此行的目的，連忙把薏心叫到克拉克將軍面前介紹著：

「克拉克將軍，這位漂亮的小姐是日光公司的千金張薏心，日光是中美合作的化肥廠的最大民間股東，也是臺灣最大的茶葉公司。」

第一次與白種人高官如此近距離交談，薏心緊張地差點把晚餐全吐出來，硬著頭皮把複習了一整天的英文自我介紹吞吞吐吐地背了出來：

「很高興見到你，克拉克將軍，我代表日光公司，可能有些冒昧，但…我是來賣茶給您的。」

幾句話只聽得懂 Tea 這個單字的克拉克好奇地問：「Tea？」

「聽說臺灣茶可以治療我的肚子脹氣？」克拉克正想透過ＫＫ問薏心，此時樂隊居然奏起的華爾滋圓舞曲的音樂，老派的克拉克舞性大發，伸出手邀請薏心跳舞，薏心緊張地點點頭，把手伸出去交給克拉克，在旁的ＫＫ對著她微笑點頭示意。

坐在吧檯高腳椅的夏慕雪正被幾個美國軍官圍著聊天，靳上將聽到慢舞音樂響起前來邀舞，在旁搭訕的軍官看見肩上的三顆星星立刻識趣地離開。

「夏老闆，賞臉跳支舞？」

「將軍，我的功夫都在戲臺上，這種洋人的舞，我跳起來不小心會踩壞您的皮鞋，可就見笑了。」夏慕雪用同樣的鄉音回將軍一個軟釘子，在場高官將軍雲集，靳上將也只能裝出很有風度的笑容，故作大方地回到自己座位。

ＫＫ擔心在舞池內的薏心會太緊張，只好強拉起夏慕雪到舞臺中央，在薏心與克拉克旁邊跳起舞來，ＫＫ雖然是和夏慕雪共舞，眼神與關注力始終放在薏心身上，眼神交流、肢體語言連唇語都用上。

不敢直視克拉克的薏心，看著在身旁跳舞的ＫＫ與夏慕雪，不論是節拍的拿捏、腳步的默契、肢體的默契或是身影身形，看著夏慕雪對ＫＫ的嫵媚，看著ＫＫ對夏慕雪的溫柔，薏心心頭一酸。

舞池的燈光迷濛，華爾滋的節奏更慢，克拉克把薏心擁在懷裡，當薏心發覺克拉克靠近自己的臉時，薏心下意識的把他推開，她從來沒被男人擁抱過，她無法忍受，再也不想在這個不屬於自己的世界多待一秒鐘，她忍著淚水奪門而出，只覺得盛夏的晚風格外冰冷，她不停地顫抖。

看著站在舞池中央愣住不知所措的克拉克，不想讓場面太過尷尬的夏慕雪，藉著走步滑到克拉克面前，右手搭起他的肩，低聲細語地說：「別介意，張小姐只是個害羞鄉下賣茶村姑！」

ＫＫ逮住空檔跟著溜到俱樂部門外，看見薏心扶著大門的柱子啜泣。

「我要回家。」

「現在不是要千金大小姐脾氣的時候。」ＫＫ這番話讓薏心發怒。

「我看，你今晚挺開心的。」薏心忍著怒氣。

「是妳要我帶妳來這裡的。」ＫＫ有點委屈。

薏心看著ＫＫ說：「我不該來這，我錯了！」

「沒有人應該在這裡，夏老闆應該在戲院後臺休息，克拉克應該在美國老家釣魚，國府的高官應該窩在辦公室作威作福，我應該在化肥廠裡畫藍圖，裡面所有人都不應該在這裡，妳要想清楚自己為什麼來這裡？」

「茶！」薏心毫不猶豫地回答。

「這裡，每個人都抱著目的而來，克拉克是為了他在韓國前線賣命的兄弟而來，國府的高官為了政權延續與臺灣命運而來，裡面陪舞的舞女是為了養活家人而來。」ＫＫ鼓勵著。

「你呢？」薏心問著。

ＫＫ愣了半天無法回答。

「夏老闆呢？」薏心追問下去。

「她是為了我而來。」ＫＫ不願說謊。

一陣強風從山頂吹拂而來，薏心打了個冷顫。

ＫＫ掏出褲袋裡一塊美金給薏心：「這是一塊美金，中間的人頭是……」

「我知道，是華盛頓！」

「現在只有華盛頓才能解決妳的問題。」

「但是……」薏心躊躇著。

「但是，妳要改變自己的想法，妳不是去求他們，而是要去說服他們，去幫助他們，讓他們知道妳的茶是美國前線阿兵哥最需要的。」ＫＫ看著薏心緊緊握住美金。

ＫＫ指著俱樂部大門：「妳剛剛已經踏進了機會的大門，離成功只差最後一步。」

薏心鼓起勇氣，用手緊緊捏住「華盛頓」點點頭。

「小姐，我找了妳好久，妳把茶樣忘在車上。」氣喘吁吁的阿榮跑到薏心的面前，端出山妹事先調配好的六種茶樣小箱子，薏心隨手抓了一罐茶樣，頭也不回地再度踏進俱樂部。

大廳已經不見克拉克身影，夏慕雪比著樓梯：「將軍在二樓，膽子太小別上去。」

被夏慕雪刺激，不願服輸的薏心直挺挺地接走上二樓。

上了二樓，環顧四周，都是陌生的軍官與官員，拉著一位軍官用彆腳的英文問，那軍官居然面露淫穢的笑容指著盡頭的房間，順著指引來到房間門口，深呼吸幾口捏緊手中的一塊美金直接推門進去。

推開門後薏心鬆了口氣，原來只是間廚房，只見克拉克彎著腰趴在水龍頭嘔吐，克拉克發現自己的醜態被薏心看見，感到相當難堪，一直對薏心說對不起，薏心看著前面這位與父親差不多年紀的白人，好像沒有想像中的邪惡，正思考著該如何啟齒介紹自己帶來的茶。

「Tea! Tea! Tea!」克拉克居然比著薏心的茶樣盒子，比出自己想喝的模樣。

想喝茶的肢體語言，全世界任何人種都一模一樣，薏心大喜，與其浪費唇舌比手畫腳還不如直接泡杯茶。

「有熱水嗎？吼都歐打？」克拉克聽不懂薏心的日式英文。

廚房內別說熱開水，連燒開水的水壺鍋子都沒有，薏心想起二樓貴賓室的吧檯，急急忙忙地衝出去到吧檯區，找到一個當班的美國大兵詢問：

「有熱水嗎？」

現場很吵聽不清楚，滿嘴酒味的美國大兵聳肩傻笑，薏心只好走進吧檯內，發現完全是冷飲，根本沒有熱水，連燒開水的煤氣爐都沒有。

薏心翻箱倒櫃的可疑動作引來衛兵的注意，兩名持著手槍的美國衛兵走進吧檯區，講了一堆薏心無法理解的英文，心急如焚的薏心沒有停下手邊找熱水的動作，嘴巴不停問著「吼都歐打？吼都歐打？」

二個美國衛兵眼見無法溝通，直接用槍抵著薏心的腰間，把鬼鬼祟祟的薏心架出美軍俱樂部，狼狽地被趕到門口的停車場。

一直找不到薏心的ＫＫ聽到吵鬧的聲音趕了過來，還沒來得及幫忙解圍，眼睜睜看到薏心被粗暴對待。

薏心再也忍受不了種種的屈辱抱著ＫＫ大哭起來。

「不要緊，妳努力過了，妳很勇敢，我帶妳回家。」希望破滅比不抱希望更慘，ＫＫ替薏心感到不捨。當薏心與ＫＫ垂頭喪氣要搭車離去前，克拉克將軍急急忙忙衝出俱樂部大門，下令守衛攔住薏心座車，被斥喝下車的兩人，忐忑不安地看著面前的克拉克將軍。

「Your tea！」克拉克指著手裡握著的可樂瓶。

薏心彎腰一看，自己帶去的茶樣被塞到空可樂瓶，裡面倒了半瓶冷水，搞不清楚狀況的ＫＫ對克拉克堆起笑容，一種當年在俘虜營內為了求生的笑容。

「張小姐，我用妳帶來的茶葉泡了一瓶茶，臺灣的茶真的太神奇，謝謝妳的茶！」原來肚子脹得很難受的克拉克不見薏心蹤影，看到薏心擺在水龍頭旁的茶樣，抓起旁邊一瓶可樂空瓶，把茶葉擠進去，直接用水龍頭的冷水沖泡，喝了半瓶不到二十分鐘，脹氣居然消了。

這時克拉克才想起薏心的身分，指著可樂瓶的茶問起來：「這茶葉是你們家種的嗎？」

薏心點點頭：「這是福爾摩沙烏龍茶。」把來意與自家的茶葉透過ＫＫ翻譯，清楚地講給克拉克聽。

「我們家的福爾摩沙烏龍茶品質第一，除了剛拿到日本總理大臣的獎賞外，連我國外交部都指定要由我們日光公司製作外交茶給智利。」

「我不需要聽那麼多，我在朝鮮半島幾十萬弟兄，天天吃戰備口糧，每個人都有肚脹的煩惱，妳的茶剛好可以解決我的煩惱。」克拉克講到這邊，臉色突然一沉：

「不過，妳必須老實回答我兩個問題，我在朝鮮半島前線的兄弟將近三十萬人，每人每天五公克，我先要三個月的量，妳有辦法在半個月內生產十五萬公斤的福爾摩沙烏龍茶嗎？然後兩個月後再交貨十五萬公斤嗎？」

別家茶廠恐怕吃不下這批又大又急的訂單，而日光恰好有超過百萬臺斤大約六十多萬公斤的茶菁，可以完全且迅速地交貨給美軍。

薏心點點頭答應，克拉克看著KK問著：

「老戰友，你能替這位茶小姐擔保嗎？」

KK舉起右手伸出三個手指，這是日軍俘虜營與英軍俘虜營，戰俘對俘虜營軍官的特殊致敬方式，這表示自己願意用生命來擔保。

克拉克也回了同樣軍禮，苦笑道：「KK，把從前忘了吧！」

KK神情凝重注視著克拉克說：「你認為戰爭結束了嗎？」

「只有上帝才曉得答案，身為軍需官的我，只能幫助前線的兄弟，每天有好吃的軍糧、溫暖的被帳、足夠的藥品、提神的香菸以及每天能在戰壕內喝上幾杯茶小姐的福爾摩沙烏龍茶。」克拉克指著薏心。

「第二個問題是，妳能否在明天中午之前把正式的茶樣交給我？我明天中午就要飛去東京，我會把茶樣帶給同事試試看才能決定，但請妳放心，茶小姐！只要妳的茶樣泡出的味道和我手上這瓶一模一樣，就沒什麼問題。」克拉克指著手上的可樂瓶。

薏心點點頭，她學著父親談生意的模樣伸出右手打算和克拉克握手，克拉克看見薏心的架勢不禁地愣了一下，才伸出自己右手。

「茶小姐！明天早上七點，我在這裡等妳的茶樣！」

一直站在二樓貴賓室撞球間窗邊看著事情經過的夏慕雪，見傾盆大雨落下，嘆了口氣起身關上窗戶。

一直坐在夏慕雪旁邊的靳將軍看在眼裡，用上海話問著：

「感情很難！對吧？」說完後伸出手握住她，夏慕雪下意識地縮回手：

「好久沒見到嫂夫人，替我向她問好！」

靳將軍慢慢踱步到窗邊：

「她還在無錫老家，沒能出來！」夏慕雪的手緩緩地搭在將軍肩上。

3

薏心坐上副駕駛座檢視茶樣箱，六種茶樣中少了六號茶樣，確認了克拉克所喝的茶是六號茶樣後鬆了口氣，只要知道是幾號茶樣，便可吩咐阿榮開車回北埔取茶樣後連夜趕回臺北。

「現在是半夜十二點，沒問題，臺北北埔這段路我太熟了，開快一點只要四個鐘頭就可以來回一趟。」阿榮信心滿滿。

先載薏心回臺北總公司，拍著深鎖的大門把留守的湯經理叫醒，被大雨淋濕的薏心邊走邊指示：

「先幫我打電話回日光，快點。」阿榮也忙著泡壺濃茶準備熬夜開車往返北埔。

北埔張家洋樓電話響起，剛睡著沒多久的吉桑被團魚叫起來接薏心的電話。

「早上七點之前，把山妹第六號茶樣交給美軍，我們就可以接到美軍訂單了。」

「那很好啊！」吉桑開心極了。

「可是我手邊已經沒有六號茶樣，阿榮大概在半夜三點開車回去取，你能不能從倉庫內取出六號茶樣交給阿榮。」

「什麼？」電話那頭的吉桑的語氣突然焦慮起來：「難道你不知道北埔這邊下了一天一夜的大雨，對外道路橋梁全部中斷，最快明天才能修好！」

「怎麼辦？」薏心焦慮起來。

在旁邊的湯經理對薏心與話筒大聲說：「臺北總公司有個小倉庫，所有公司有存貨的毛茶，這裡都會存放一些，社長把配茶樣的山妹叫到電話前，說出六號茶樣的配方比重，我就可以絲毫不差地配出來。」湯經理轉任管理職之前擔任了好幾年的配茶師，自然有其自信。

薏心也覺得這是好辦法：「對！趕快把山妹從宿舍叫過來。」

吉桑那頭沉默的一分鐘：「糟糕！山妹請假去臺北陪她爸爸住院去了！」

薏心整個人感到絕望，癱坐在沙發握著話筒不發一語，好不容易克服種種難關，好運才走到這一步，薏心不想放棄，心中浮現出些許雜念後對著吉桑說：「PAPA！不然你打開六號茶樣，大致告訴湯經理，裡頭有哪些毛茶與茶菁，我看那個克拉克將軍也不像懂茶的人，只要味道配得差不多，應該就……」

電話那頭傳來嚴厲的斥喝：「薏心！PAPA 說過做生意最重要的是什麼？」

「信用！」薏心也知道自己說錯了話。

「客人選了六號茶，我們就要給六號茶，少一張訂單不會怎麼樣，投機混充料沒了誠信，還敢說自己是做茶的人嗎？」吉桑很堅定。

「唉！難道我們眼睜睜要放棄這筆大訂單？庫存一百多萬斤的毛茶怎麼辦？」薏心又想起今晚在美軍

俱樂部所受到的委屈，但這些卻都不能跟父親傾訴。

「茶樣，我想辦法送到臺北。」吉桑淡淡地說著。

薏心訝異地問著：「什麼辦法？」

「成不成不知道，有個想法可以試試，你們等我的電話。」吉桑立刻掛上電話。

「路都斷了，能怎麼送？難不成用飛的嗎？」焦慮的湯經理在旁來回踱步。

「我們什麼都不能做，只能等了！」薏心無法想像父親的辦法是什麼，無助地看著臺北的辦公室裡堆積如山的各種茶菁與茶樣。

掛上電話的吉桑看著時鐘「12:50」，命令團魚去倉庫內把山妹的茶樣取過來，找出六號茶樣裝進小木盒，提著燈籠撐傘出門，在小巷內七彎八拐後來到一戶民宅用力敲門。「這都幾點了，誰啊？」門內傳來不高興的聲音。

「阿新桑！我福吉啦！」

「什麼事？」阿新一臉睡意看著吉桑。

「急事，想借你的『難巴萬』一用。」吉桑沒等對方答應就闖進去爬上樓梯，來到一間用木頭隨便蓋成的工具間模樣的小屋子前。

「你的『難巴萬』，臺北新竹一趟要多久？」吉桑劈頭就問。

阿新桑聽到有人提到「難巴萬」，得意洋洋地說：「哼！臺北新公園到北埔，紀錄是四十二分鐘三十二秒，臺灣金牌難巴萬第一名不是叫假的。」小屋子內傳出一陣陣咕嚕咕嚕沉悶聲響。

「四十二分，夠用了，我要借你『難巴萬』一用。」吉桑說完便推開小屋子的小門伸手進去亂抓一通。

「哈！沒想到吉桑也對賭粉鳥有興趣啊！」身材矮小的阿新桑鑽進鴿舍抓出那隻讓他引以為傲的「難巴萬」賽鴿。

「可是，三更半夜哪來賽鴿比賽呢？」阿新叔恢復理智。

吉桑打開茶樣盒，一旁還放了麻繩，吉桑抓著「難巴萬」的腳，想把茶樣盒綁在牠的腿上，護鳥心切的阿新桑連忙阻止。

「吉桑，你在做什麼？」

「急事啦！我要你『難巴萬』幫我把茶樣飛送到臺北！天亮之前就要到！」

阿新桑聽得火冒三丈：「我這隻是金牌『難巴萬』啊，你當牠是送貨！」

「不試怎麼知道會不會？古代飛鴿傳書不就是這樣飛來飛去嗎？」

「你欠我的會錢一萬塊！上禮拜已經到期了，天亮之後我派人來收……」吉桑使出逼債的手段，不得不就範的阿新桑只能嘆了口氣說：

「你用的盒子太重太大，」吉桑掂掂手中木盒再瞧瞧鴿子的身形大小，點了點頭。

阿新桑從鴿舍旁邊的箱子拿出各式工具，兩小管木製紅漆小圓筒，漆面還刻著「一番」兩個小字，穿孔綁著紅棉繩，圓筒打磨得細緻輕盈，然後把茶樣的茶葉倒進小圓筒內，小心翼翼地把蓋子蓋上並拴緊。

「以前古人說的飛鴿傳書，我早就想試試，這些是我自己為『難巴萬』量身打造的裝備，沒想到有派上用場的一日。」阿新桑越講越興奮，吉桑對著樓下的團魚吩咐著：

「先回去打電話給薏心，四十分鐘後派人到新公園接『難巴萬』的茶樣。」

阿新桑把兩只裝著六號茶樣的紅色小圓筒綁在「難巴萬」的雙腳，吉桑與阿新桑自信滿滿。

此時雨勢已停，吉桑高興地說：「連老天都來幫忙，再來就等著看『難巴萬』發揮實力了！」吉桑看著手表「01:40」，時間還綽綽有餘呢！

阿新桑雙手一拋，「難巴萬」展翅往北高飛而去，兩個歐吉桑很開心地看著賽鴿越飛越遠，總算卸下送茶樣的壓力，吉桑正要離開鴿舍下樓，只見阿新桑的面色越來越古怪。

「吉桑，我現在才想到，這十幾次，『難巴萬』都是從臺北新公園放飛回新竹，牠只會飛回來，不會飛出去。」

吉桑張大眼睛轉頭看向北邊的天空，只見一抹黑點，遠遠地繞了一個圈後，「難巴萬」又飛回前面的鴿舍，前後只花二十秒。

臺北總公司的湯經理接到團魚打來的莫名其妙電話：「誰是難巴萬？去新公園哪裡接啊？」

薏心更是聽得一頭霧水，四十分鐘怎麼有辦法，在旁待命隨時準備飛車的阿榮聽到難巴萬三個字後，笑得闔不攏嘴：

「難巴萬？難巴萬就是那個成天賭賽鴿的阿新桑養的鴿子的名字啊！」

當湯經理再度打電話回北埔問團魚時，這才真相大白，薏心忍不住發脾氣：「簡直是胡鬧！火燒眉毛了還在搞兒戲！」

「急也沒用，既然知道山妹來臺北陪她爸爸住院，不然我們開著車，一家醫院一家醫院地問！臺北大醫院就這麼幾間，說不定找得到山妹。」湯經理想出這個辦法來。

「可是，我們不知道山妹的爸爸的名字啊！」薏心反駁。

「打電話回北埔問，說不定有人知道！」湯經理也知道這個辦法太耗時。

一直在辦公室灌著濃茶隨時準備待命出發飛車的阿榮，聽到了薏心與湯經理的對話，他笑嘻嘻地走到薏心旁邊說：

「小姐，我知道今晚山妹住在哪裡！」

「你知道哪家醫院嗎？」

「別問了，她就在這附近，我開車載妳去。」阿榮露出神祕微笑。

4

從大稻埕開車到臺大醫院旁邊的巷弄，十分鐘後來到一間日式的平房古宅，阿榮和薏心敲著門，敲了半晌，裡頭終有人回應，門廊燈亮，開門的是薏心的堂哥張醫師，兩人驚訝地看了一會兒，薏心才開口：

「我有急事找山妹！」

睡眼惺忪的山妹聽到來意，二話不說回房換衣服，客廳只剩薏心與張醫師，張醫師尷尬地找其他話題：

「雖然聽阿公講過，沒想到妳真的在做生意了，新社長？」雖然小時候兩人很熟，張醫師調侃的語氣，還是讓薏心很介意。

「連你也覺得我是女生就不能接日光嗎？」

「沒……那是阿公他們老人家的想法，我百分之百站在妳這邊。」

客廳時鐘滴滴答答，時間已經是「03:30」，平常灑脫的山妹，今晚換個衣服格外耗時間，薏心心思全部放在茶樣上，倒是張醫生先沉不住氣：

「山妹的父親阿旺叔是我的病人，這兩天在臺大醫院住院檢查，我剛剛好有空就陪著一起來，妳知道的，醫院人來人往，一個女孩子家半夜實在不該在……」

「看不出妳對病人家屬也這麼仁心仁術。」薏心找到機會調侃回去。

「是啊！換成是妳，我也會這樣對待。」張醫生說謊一點都沒說服力。

薏心露出笑容：「免了！」

山妹換好工作服，帶了個小包與薏心走出門，張醫師遞了把雨傘給山妹。

「唉呦！我這個當妹妹的都沒有雨傘呢！」薏心再度捉弄張醫師。

「好啦，小姐就別再鬧他了，我們趕快去配茶樣啦！」山妹低著頭不敢看薏心。

薏心想到茶樣，忙說：

「來不及了！趕快回總公司。」

夜半四點臺北又下起一陣大雨，視線不好，阿榮開車沒辦法猛踩油門，十多分鐘的車程對薏心來說簡直比整個晚上還漫長。

回到臺北總公司，熟練的山妹立刻指揮：「跟我去取一到十號倉庫的毛茶，每個倉庫取二十公克，記得千萬別混在一起。」山妹知道阿榮不懂製茶，特別交代。

也是配茶老手的湯經理立刻從架子取出十只白色瓷盤，清光辦公桌的雜物文件，拿出紙張在每只瓷盤上填寫一—十的編號，薏心則去樓下門市拿天秤。

山妹走近貨架，挑開不同貨架茶袋取出微量毛茶，先是聞香、觀色，拿到燈光下檢視萎凋後的形狀，最後捏碎試試密度與濕度。

不同貨架上的毛茶，大小、粗細、顏色、密度、品種甚至連採收季節都不同，從十種貨架中取出不同毛茶，根據搭配比率不同重新配出茶樣，難度也許不高，但要在短時間內重新配出固定某種茶樣，這才是最困難之處，更何況，北埔倉庫與臺北倉庫的存放方式不一樣，在北埔茶廠編號一號的倉庫的茶不見得和臺北倉庫編號一號的茶是同一款。

薏心看著山妹，不明白她要怎麼做，但她相信只要山妹在，這一切都會迎刃而解。

此時電話響起，湯經理接了起來，原來是吉桑從北埔打過來：「湯經理！難巴萬沒辦法去新公園了，我幫不上忙……」

在旁的薏心搶來電話又好氣又好笑：「PAPA！什麼時候了，還在講難巴萬！我們找到山妹了，正在配六號茶。」

山妹知道是吉桑從北埔打電話來，好像是找到救星，她手邊忙著檢驗臺北倉庫的毛茶，所以只能大聲叫喊透過薏心與吉桑溝通：

「請社長派人去我的宿舍房間的桌上拿配方表。」

北埔張家與日光茶廠此時也是忙成一團，沒多久就找到配方表。

「請社長唸出編號第六號後面的那排數字，一共上下兩排。」山妹大喊。「上排是一、三、五、七，下排是四、二、一、三。」薏心轉述吉桑的話。

湯經理用紙筆抄下並對薏心解釋：「上面的數字是倉庫編號，下排數字是配茶比率，譬如上排第一個一是一號倉庫，對應的下排數字四，則是茶樣當中有十分之四取用一號倉庫的茶的意思。」

山妹不慌不忙把將臺北倉庫一到十號的毛茶各自放在桌上的十只白瓷盤，各自與倉庫編號對應，但山妹遲遲不開始配茶，只是盯著眼前瓷盤內的毛茶發愁起來。

「不對，不太對！」山妹喃喃自語起來

「到底有什麼問題？」在旁幫不上忙的薏心也跟著皺起眉頭。

「這裡的編號和北埔倉庫的編號不一樣！」山妹對著薏心手上的話筒大喊。

湯經理這才想起：「對了！這裡的毛茶的確沒有按照總廠的編號，畢竟這裡只是提供客人來看毛茶，而非正式配茶間，但這十批茶絕對沒有混摻過。」

大家看著山妹，電話那頭的吉桑更是不停催促：「怎麼辦？」

山妹聽到湯經理的解釋後反而鬆了一口氣，要薏心透過電話詢問吉桑，北埔倉庫一到十號的編號，分別是哪些茶種以及顏色深淺與揉捻形狀。

吉桑從電話知道山妹的需要後，立刻指示莫打與嗶嗶哥火速趕到倉庫一一打開每個編號的茶袋，由莫打鑑定每個編號的茶種顏色形狀，然後由嗶嗶哥來回在倉庫與洋樓客廳的電話筒之間傳話。

「一號倉庫，青心大冇種，嫩芽，淺烘……」

「三號倉庫，青心大冇種，著蝝過，深烘，色澤鐵灰……」

「五號倉庫，小綠葉種，五年老茶，色澤暗黑……」

就這樣透過莫打、嗶嗶哥、吉桑、薏心與山妹來回鑑茶與傳話，再經由山妹的嗅覺與目視一一比對，山妹抓起一片片的茶葉在手中輕輕一握，細看茶葉紋理，色澤及味道來辨別，一番折騰後總算把臺北的倉庫毛茶與北埔倉庫之間的編號重新整編分類。

「每一種茶都不能錯置，否則再加上比率不同，配出來的茶樣連三歲小孩子都會喝得出其中的差異。」山妹邊比對邊解釋。

山妹雙手抓住編號一、三、五、七等四只裝茶瓷盤的邊緣，進行篩轉，然後收攏，使茶葉在旋轉力的作用下，均勻地按照形狀、大小、輕重、粗細、整碎的不同，形成有次序的分層，接著取出第一號瓷盤的一片毛茶茶葉。

「毛茶看起來都一樣，能分辨嗎？」薏心分不出前面四盤茶葉之間有什麼不同。

「不管老茶或新茶，連資淺的茶師都可以透過聞茶香，觀察著蜒程度以及發酵深淺，輕易地辨識出來。」山妹一番話讓薏心感到慚愧，自己連毛茶都分辨不出來還敢自詡為新社長，還被美國人稱為茶小姐。

「一號茶毫毛多，芽葉細嫩香氣清純，是清明前做的茶。」山妹拿出一號倉庫茶的一片茶角，細看茶葉的紋理。

「三號茶芽小，有明顯的白毫，聞起來有蜜香，是青心大冇種，這是我們日光的寶貝，配一點點進去就可以讓整包茶樣喝起來滿嘴芳香。」山妹好像對待小嬰兒般地細心地取出。

「著蜒茶？」薏心問。

山妹笑著表示答對了，將取出的三號著蜒茶放在天平上，不斷撥弄調整著砝碼，確認重量後移到另外一只更小的瓷盤上。

時鐘指著「05:00」，花了一番功夫，山妹終於從一堆毛茶中配出六號茶茶樣，她先配出三堆，然後煮開水沖泡，分別給自己、薏心與湯經理。

「味道很甘醇！茶香發散的時間剛剛好。」沒喝過六號茶樣的薏心與湯經理發出讚嘆。

山妹自己喝了一口，眉頭緊緊鎖了起來，大喊不對，薏心也跟著糾結起來：

「哪裡不對？」

山妹舉起桌前的天平，取出薏心帶回來的一號茶樣放在秤上，秤出來的結果是三點三公克。

「我們日光茶樣的標準是三公克，明明在北埔秤的時候是三公克，為什麼這把天平量出來是三點三公克呢？」感到疑惑的山妹詢問湯經理。

湯經理拿出好幾個砝碼一一測試後才發現：「哎呀！這只天平沒辦法準確歸零，所以量出來的標準都會誤差十分之一。」

「還有沒有其他天平？」薏心追問著

「其他的都是拿來秤十斤甚至上百斤用的，如果要量到公克這麼小的單位，誤差會更大。」

薏心知道臺北總公司的主要工作是賣茶、銀行往來和展示而非製茶配茶，也不想再做無謂的究責。

湯經理不愧是老配茶師，他立刻提議；「要不然每款毛茶都多抓十分之一，這樣不就能把誤差調整回來。」

山妹一聽大喜，有了剛才的配茶過程，這次只花兩分鐘就重新配出新的六號茶茶樣，為了確保重量相等，還將新配出來的六號茶樣與原本的一號茶樣擺在天平兩端。

「重量一樣了！」薏心開心地手舞足蹈起來。

山妹再把熱水灌泡進去，自己先喝了一口後，眉頭鎖得更緊，害得開心到一半的薏心又跟著緊張起來。

「味道不對，這批新的六號茶與之前的味道不一樣，味道太香，跑得太快。」

「味道香一點有什麼關係？」薏心看著時間已經是早上五點三十分，離要交茶樣給克拉克將軍的時限只剩一個半鐘頭，那股妥協的念頭又再度浮起。

「如果只要求香味，直接加香料去調味還比較省事，但那就不是日光的福爾摩沙茶了，而且對方已經喝過原來的味道，如果交出去的味道不一樣，客人不一定會接受。」山妹和吉桑一樣很堅持。

「怎麼會這樣？」

「可能是這幾天臺北一直下大雨，倉庫的毛茶多少沾到一點濕氣。」山妹與湯經理異口同聲回答。

從昨晚到現在，整個晚上薏心的心情起起落落，這次無論如何，她都決定要放手一搏，此時她看到阿榮拿著空的酒瓶，這才突然想起昨晚克拉克泡六號茶的過程，將酒瓶刷洗乾淨去掉酒味後，把山妹做好的六號茶茶樣，塞進酒瓶後以冷水沖泡，大約等了二十分鐘後，將瓶子遞給山妹：

「妳喝喝看！」

山妹不可置信地露出狐疑的模樣，從小到大沒看過用冷水泡茶，更沒看過用玻璃瓶。

「克拉克將軍就是用這種方式泡妳的六號茶茶樣。」

半信半疑地喝了一口，山妹驚奇地說：「香味好像比較溫順，回甘也比較道地，更接近我配的六號茶。」

「你們可能有所不知，美國人喝茶和英國人不一樣，多數美國人的確是用冷水泡茶，也不講究泡茶用的杯皿，鐵罐、玻璃杯，手邊有什麼杯子就隨手用冷水來泡茶。」在臺北的湯經理經常接觸美國人，所以見怪不怪。

「可是，這樣豈不糟蹋了好不容易栽種製造出來的茶。」山妹不認同從小到大、喝了好幾代的沖泡方法。

「我覺得可以！」喝了一口的湯經理說著。

「我也覺得可以，沒想到冷水可以泡出這樣的茶。」大開眼界的阿榮附議。

「客人喜歡喝，喝了會開心，才是做茶人的天職，做茶不是做給自己喝爽的。」電話那頭也跟著折騰整晚的吉桑做出最後決定。

已經快要清晨六點，薏心催促山妹按照冷泡茶的原則配出六號茶茶樣，湯經理阿榮薏心等人跟著動手幫忙包裝，不到一個鐘頭就做出一百組茶樣。

美軍俱樂部的報時鐘精準地報出「七點」，薏心站在吧檯找到一模一樣的可樂瓶，裝進六號茶茶樣後用冷水沖泡，待出味後，恭恭敬敬地把瓶子遞給克拉克將軍：「將軍！請享用日光出產的福爾摩斯烏龍……嗯……冷泡茶！」

「妳很準時，很好！」

「做茶的人天天和時間賽跑。」

「就算在美國，女商人也很少見，昨天和KK聊過，知道妳才二十歲？」

「我已經成年了。」

「其實，別以為我是美國人就不懂喝茶，當年我和KK在印度大吉嶺的茶園一起度過好幾年，我喝得出來今天的茶和昨天的茶的細微差距，可以告訴我為什麼不一樣嗎？」

薏心嚇出一身冷汗，這時才真正體會到吉桑成天掛在嘴上講個不停的誠信與信用，因為賣茶的人隨時都可能會遇到比自己更內行的客人，薏心只好把昨晚的全部經過娓娓道出。

「難巴萬！真有趣！」克拉克笑得合不攏嘴，薏心很後悔講這一段。

克拉克笑過後說：「好想認識令尊，從難巴萬的事情，可見令尊真的很愛妳，我也有一個二十歲的女兒。」

「其實我早已經在印度與臺灣試過很多茶，一直找不到可以用冷水且在短短兩三分鐘泡出如此美味的茶，要知道，在前線打仗的兄弟，哪有閒情學英國貴婦煮開水慢慢品茶，他們只有一只鋼杯和冰冷河水。更重要的是，妳們公司能在如此短促的時間克服天氣與交通，做出味道如此接近的茶，我喝到的是妳們的能力、誠信和團隊合作。」克拉克說完後戴上軍帽站了起來，收下眼前的茶樣，對薏心伸出右手：

「張小姐！恭喜妳，我決定把半年分的美軍茶訂單交給妳們公司生產，讓我在朝鮮前線的弟兄也可以喝到如此美妙的福爾摩沙……難巴萬冷泡茶！」

說完，克拉克便帶著行李離開俱樂部，驅車到松山機場搭專機到東京。

回到臺北辦公室的薏心迫不及待地撥了第一通報喜電話：「KK，我拿到單了！」

5

KK臺北老家的彷彿定格在過去，新婚的擺設，小嬰兒的搖籃，妻子帶來的縫紉機嫁妝，外包裝尚未拆封。

接到薏心報喜的電話後，KK抛下家裡的客人，連忙衝到只隔兩條街的日光臺北總公司。

今天的客人有四位，一位是新朋友徐主編，一位是老朋友王瑛川，第三位則是夏慕雪，最後是自己的女兒月婷。

客廳除了沙發茶几外只有一張大製圖桌，桌上擺滿了化肥廠房的配線藍圖、繪圖的工具、一捆捆的公文卷宗和幾本英文與日文的農業化學教科書，月婷坐在桌上拿著鉛筆鋼筆在空白稿上塗塗抹抹。

沙發茶几上擺著夏慕雪帶來的點心。

「上海鬆糕、八寶甜粽、桂花條糕這幾款都是我們上海人從小吃到大的，還有這些是……？」徐主編問著另外幾盤。

王瑛川代替夏慕雪回答：「李亭香的平西餅、龍月堂的綠豆糕，這是我們大稻埕從小吃到大的。」

茶几上擺著印度錫壺，茶杯是鶯歌燒窯出產的仿青花杯。

「膨風茶！」

「我看KK為了討好夏老闆，可是下了重本買這麼貴的茶。」不了解兩人關係的徐主編胡亂猜測。

正在吃綠豆糕的王瑛川尷尬地看著夏慕雪，只見她神情自若地喝了口茶。

「這是從那位客家細妹仔家裡拿來的日本總理大臣賞的冠軍茶啦，難怪這麼好喝。」身為大稻埕永樂戲院的名角，天天都能收到戲迷票友送的高級茶葉，連見多識廣的夏慕雪也不禁稱讚起來。

「這錫壺好特別？」夏慕雪的目光轉到茶壺上。

「這是KK從印度帶回來的！」王瑛川回答

「KK去過印度？他不是去南洋當兵嗎？」每次提到往事，KK都只是輕描淡寫地不願多談。

「唉！說來話長！」王瑛川看著對KK往事饒有興趣的夏慕雪，喝口茶後繼續說下去。

KK在一九四五年春天被日本徵召到南洋當兵，因為學歷高又懂中英文與機器常識，一入伍就是中尉軍官，沒多久就搭上開往馬來西亞的運兵船，船才剛駛離基隆港，就遇到當年臺北大空襲，十幾條運兵船只有ＫＫ搭的那一條沒被擊沉，不幸的是ＫＫ的妻子與母親都在菜市場被炸死，ＫＫ的父親與女兒因為待在家裡逃過一劫。

「劉伯父是我的老師，當他接到ＫＫ搭的船在澎湖外海被炸沉的消息，整個人意志消沉，他們全家的後事都是由我張羅，連ＫＫ在新竹那邊也弄了個衣冠塚，說來悲慘。」夏慕雪與徐主任啞口無言。

ＫＫ的船開到馬來西亞，當地的日本指揮官擔心臺灣兵到前線會叛變，所以就派ＫＫ去擔任俘虜營當軍官，負責看守被日軍俘虜投降的美軍與英軍。

「難怪昨晚那位克拉克將軍會稱呼ＫＫ長官！」夏慕雪恍然大悟。

王瑛川停下來吃了幾口桂花條糕，喝口茶潤潤喉說下去：

「命運捉弄人，一九四五年八月日本投降，當了幾個月的俘虜營日本軍官變成盟軍的俘虜，ＫＫ與一群臺灣兵被關在盟軍俘虜營，由於是軍官身分，不能搭上第一批遣返戰俘回臺灣的船，身為軍官所以淪為戰犯，關了一個月後，因為ＫＫ具有農業化學的專業經驗又懂英日中文，加上擔任日軍俘虜營軍官時並沒有虐待美軍戰俘，於是找ＫＫ談條件，一是要去印度以工程師身分幫盟軍蓋化肥廠，二是被判兩年徒刑去坐牢。」

「換成我也會選當工程師。」徐主編搶著回答，王瑛川點點頭。

「那時盟軍負責在印度蓋化肥廠的就是現在ＫＫ的老闆，懷特公司在臺灣的迪克總經理。」

「原來如此！」夏慕雪總算明白ＫＫ在美援會的公司工作的緣故。

「飄洋過海，ＫＫ打完那場仗終究還是回到家了，倒是我們何時才能回家看老娘呢？」徐主編長嘆一聲。

夏慕雪以茶代酒，悶悶地喝了一口。

「ＫＫ的父親劉老師呢？」徐主編突然想起來。

一聽到劉老師三個字，王瑛川神情緊張東張西望，起身走到門口探了探頭，關緊客廳的窗戶，確認隔牆無耳後才緩緩道來：

「劉老師認定自己的妻子與兒媳都是間接被國民政府害死的，所以當國民政府來了以後，毫無忌憚地在報紙發表文章，然後……接下來就不用我多說，兩年多前突然就失蹤了，我雖然猜得到是怎麼一回事，也不敢去打聽。」

徐主編氣憤地敲打桌子，把正在畫畫的月婷嚇得哭出來：「那陣子一堆人莫名其妙地失蹤死亡，這個國民政府真的是造孽……」

夏慕雪阻止他說下去：「別在小孩子面前講這些……」說完後走到月婷旁邊緊緊抱著她。

「沒關係，月婷聽不懂國語北京話啦，只是……只是到現在劉老師的屍體都還找不到。」王瑛川說著說著也哭出來。

等情緒平復後王瑛川繼續說下去：「那一陣子，月婷就由我撫養，我結婚多年沒生一兒半女，正打算收養月婷當養女，沒多久ＫＫ就從印度回來，接下來的事情，你們都已經知道，只是我不知道為什麼，ＫＫ來我家把月婷接回去後，怎麼就把月婷交給夏老師妳來帶。」

講到這邊，王瑛川看著夏慕雪，吞吞吐吐地說不出話來。

夏慕雪知道他的疑惑，笑著說：「你一定以為我和ＫＫ之間是不是有什麼特殊關係吧？想知道我這個唱戲的怎麼會幫忙帶小孩？」

王瑛川抓抓頭髮表示歉意地回答：「別誤會！我沒有什麼意思！只是……」

夏慕雪牽著月婷的手：「事情也是說來話長……」

夏慕雪還沒機會講下去，KK已經回來了，一進門劈頭就說：「化肥廠已經復工，下個禮拜要舉辦盛大的開工典禮。」

「要趕快設計化肥廠的LOGO！」興高采烈的KK站在工作桌旁拿起鉛筆與藍圖草稿紙。

王瑛川對著夏慕雪：「說來話長的話以後再講吧！說點開心的吧！折騰了這麼久，化肥廠終於要試車了。」

徐主編看著手中糕餅也跟著高興起來：「化肥廠是一座沉睡的巨人，只要它醒了，大地就富裕了！KK，下這個標題怎麼樣？」

「又想讓我寫文章？」KK搓了搓雙手，表示自己也是手癢想寫。

「美援對臺灣的影響很大，我們都想知道中美合作的進度，你是身在局中的關鍵人物，穿針引線地蓋起一座化肥廠，這太不容易了，值得記錄下來！」

KK正思索著要不要換個標題，後面的夏慕雪用生硬的臺語對著月婷輕聲地責備：「唉，這是妳阿爸的，怎麼能亂畫呢？」臉上沒有一絲京劇名伶的風采，反倒像個溫柔慈母。

月婷一臉天真地將一張藍圖交給KK：「阿爸，給你！」

KK不可置信地看著月婷，這是他回臺灣三年來第一次聽到女兒開口叫他爸爸，高興地把月婷抱起來轉圈圈。

KK看著化肥廠藍圖被塗了三個紅色等邊三角形，問道：「妳畫的是什麼？」

月婷確定自己沒有闖禍，努力地從嘴巴蹦出三個字：「一顆山！」

ＫＫ滿意地看著圖笑了。

6

吉桑和薏心仰望著日光辦公室的牆壁，看著阿榮、林經理鄭重把美國國旗插在地圖上，現在一共插著日本、英國，智利與美國的國旗了。

指著美國國旗，吉桑得意地說：「這面旗是薏心拿下的！」左手插著腰右手摸著下巴，望著牆面豪邁地許下願望：「總有一天，這面牆要插滿全世界的國旗。」

林經理看著擺滿辦公室的化肥廠開工典禮紀念品說：「化肥廠明天開工典禮，ＫＫ那邊送來幾百個開工紀念茶杯。」

茶杯上印著「中美日光化肥廠敬贈」的字樣，另一邊則是印著三個等邊三角形，下面印個大大中文字：「山」。

「還沒開始賣化肥，就有很多農民指名要買山牌化肥，山這個牌子好記又響亮。」拿到美軍茶訂單與化肥廠即將開工，雙喜臨門的吉桑看著杯子上日光兩字，笑得合不攏嘴。

第二天中午，距離化肥廠開工典禮剩下不到兩個小時，裡裡外外忙得不可開交，十幾個工人不眠不休地搭建一公尺高的舞臺，臺上正中間擺著主講臺，有美國跟中華民國的國旗和中美合作標誌，大大的布條懸掛起來，寫著「中美日光化肥公司試車典禮」。

歐文好奇地問：「這個等邊三角形是什麼意思？」

ＫＫ看著歐文嚴肅地回答：「這很像中文的山字，靠山這個詞在臺灣的意思是可信賴的夥伴，意味著中美日光化肥廠的肥料是農民最可靠的夥伴，是農民的靠山。」

歐文恍然大悟，用彆腳的中文不斷地唸著「靠山！靠山！」

「有意思，簡單又有力！」

「所以，你下定決心在臺灣多留一年幫我的忙？」ＫＫ提出請求。

歐文忽然板著臉嚴肅地問ＫＫ：「客家人會不會討厭與外國人結婚？」

「我想送幾只紀念杯給山妹！」歐文對ＫＫ露出曖昧的表情。

這種表情意味著表態，ＫＫ用力點了點頭表示鼓勵，歐文開心地擦了擦茶杯，開心吹著五音不全的口哨離去。

化肥廠大門陸續駛進一部部黑頭轎車，高官政要、商業聞人與新竹桃園地方人士冠蓋雲集，觀禮人群一批批湧進，身為化肥廠主事者的迪克與吉桑站在典禮入口迎接一批批貴客，除了典禮紅布條、中美兩國國旗、各方道賀花籃匾額外，化肥廠大大一個「山」字的旗幟也掛滿了典禮現場。

典禮臺上坐著美國領事約翰、懷特公司也是化肥廠總經理迪克、駐臺美軍顧問團代表，中方有行政院袁副院長、美援會主委[14]、臺灣省農林廳長、新竹縣長以及掛名化肥公司董事長的吉桑等八人。

臺下擺了三排位子，其中薏心、ＫＫ、歐文、林經理與其他高級官員、美方工程顧問等坐在第一排。張家大家長伯公被分配到第三排，悻悻然不發一語，旁邊坐著邱議員、陳專員。

袁副院長首先致詞：

「中美日光化肥廠象徵著美國與中華民國友好關係，象徵兩國共同努力……貴公司生產的肥料，政府會依『美援會』的協定，協助進入自由市場，讓我們一起為臺灣糧食的增產而努力……公司三角形的標誌代表美國的美援、中華民國政府與新竹地方鄉親三方的鼎力合作……」

美國領事約翰、新竹縣長也緊接在後一一致詞。

臺上八個人一起宣布開工試車後，早就生產好的黑色化肥，被安排在工廠輸送帶，一包包象徵性地傳送出來，由KK帶領著工作團隊，身穿標準工作服，手戴手套嘴掛口罩，展示生產流程與化肥使用方法，並一一與參觀的高官政要合影拍照。

KK扛出第一包化肥：「副院長，之前就跟您保證過，日光化肥廠一定會產出全臺灣第一包化肥，沒讓您失望吧！」

副院長笑笑面對記者的拍照，伸手做出檢查化肥的樣子，卻被KK阻止，副院長愣了一下，以為KK還介意著先前的阻撓刁難。

「黑肥具有刺激性，不能用手碰！」聽了KK解釋後，副院長這才釋懷，笑著收回手對著陪同在旁的官員說：「不簡單啊！美國人做事的效率和技術，確實是我們國營工廠要多學習。」

說完看著吉桑：「聽說，中美日光化肥廠一開始遇到美援中斷的難關時，張先生投入很大的心力跟資金。」副院長藉誇獎吉桑暗諷美國政府。

---

14 一九六三年，美援會改組為國際經濟合作發展委員會，簡稱經合會。

「為了國家與新竹鄉親，應該的。」吉桑客套地回答。

「張先生是製茶公會的理事長，又接到美軍軍用茶的訂單，幫忙國家賺了很多外匯。」副院長故意在理事長三個字加重聲音，精明的吉桑聽出對方有意討上次選舉時的人情。

「省政府在新竹桃園有很多公有地很適合種茶，不知道張先生有沒有興趣？」

聽到種茶，吉桑自然顯露出濃厚的興趣，但不知道對方的葫蘆裡賣的是什麼藥，只能笑笑地點點頭敷衍。

副院長看著化肥廠，故意用開玩笑的口吻試探性地說：「要不然，政府用那些公地，跟張先生換這個廠所有的股分如何？」

吉桑與在旁邊對記者示範的ＫＫ，聽到這番話都大吃一驚，

「外匯都是靠茶農賺的，我做肥能照顧到茶農，又能幫助國家賺外匯，皆大歡喜！」吉桑只好虛問虛答。

笑容僵在臉上的迪克也趕緊透過翻譯插嘴：「張先生是化肥廠最重要的人！」

「副院長的好意我心領，但我可不能白白占國家公有地的便宜。」吉桑的場面話的確是四平八穩，副院長點點頭笑著對站在旁邊的伯公說：

「你們張家的吉桑真可堪稱國家棟梁呢！政府的地方農會得好好加把勁幫忙推銷化肥囉！」

對於高來高去的官話感到厭煩的ＫＫ，捱到典禮結束，一個人躲進沒人的實驗操作室，薏心見狀也跟了進去。

「那種官場應酬，我實在應付不來。」ＫＫ對薏心抱怨起來。

薏心走到KK旁邊，拿出放在口袋裡好幾天的一塊錢美金鈔票還給KK。

「謝謝你，這一塊美金幫了我大忙。」

KK手拿著一塊美金，想了想後又遞還到薏心的手中：「妳繼續留著吧！就當我的投資。」

「投資？」

「妳拿著這一塊美金，做成了幾百萬元的生意，這一塊美金留在妳這裡，有很高的投資報酬率，所以，我想投資妳。」

「既然是投資，你想獲得多少利息？」

KK看著薏心認真的神情，想了一下：「綠豆湯好了！」

薏心想起過去KK借用日光辦公室，自己經常藉喝綠豆湯的機會與他聊天的那段日子，不禁笑了出來。

「幾碗？」

「越多越好！」

薏心紅著臉，抽起KK手中的一塊美金。

「對了！這個送妳。」KK從實驗室角落的紙箱搬出一部「鏡面鐘」，上面寫著：「良辰吉時，金光閃閃」。

「哇！是鏡子又是時鐘，謝啦！」這是薏心第一次收到KK送的禮物。

KK指著實驗操作室的門口說：「上次外洩事件，一大堆人倒在這裡，還好妳挺身而出幫我說公道話，不然今天化肥廠開不了，我恐怕也還在坐牢啊！謝謝妳！」

薏心想到那天情景依然心有餘悸：「當天沒有起火，為什麼會平白無故燒起來？」

ＫＫ指著實驗臺上的電石：「這灰灰的石塊叫做電石，是生產化肥的最主要原料，可是，只要一碰到水，就注定要燒燃，這是電石的宿命。這世界所有事情都有它的宿命，來了避不掉，走了追不回。」

薏心從鏡面鐘內看著難得感性的ＫＫ，鼓起勇氣開口問：

「上次在美軍俱樂部幫我大忙的夏老師，好像和你很熟？你們認識很久了嗎？怎麼認識的？」薏心一口氣問了憋在心裡頭的所有疑問。

「的確很熟！至於怎麼認識，唉！怎麼說呢？」ＫＫ看著薏心，收起所有情緒想了一會才吐出幾個字：「算是雙方父親間接介紹吧！」

薏心聽了一陣心酸，原來二人已經是父母之命的關係。

還想繼續問下去的薏心被門口傳來熱鬧的吵雜聲打斷。

「ＫＫ！大家等著你乾杯啦！幹嘛躲在操作室加班！」歐文與大餅頭拿著酒瓶到處找ＫＫ。

7

日光公司門口廣場，天剛黑就已經燈火通明，聽了一個下午的大官訓話，大家早已悶壞，晚上的「開幕酒會」還沒正式開始，許多化肥廠的工人職員、日光北埔廠的茶師技工們早已喝開了，有人研究著ＸＯ玻璃瓶身，有人哼著小調，長桌上擺了各種小菜點心，洋酒ＸＯ一字排開。

「阿榮，美國酒不夠味，上樓去搬幾瓶英國威士忌。」吉桑豪邁地喊著。

又是白蘭地XO，又是英國威士忌，化肥廠工人們哪見識過這種場面。

「化肥大王！化肥大王！化肥大王！」能夠加入日光這個大家族工作，與有榮焉的大餅頭帶著大家高聲歡呼。

看到KK姍姍來遲，吉桑拉著KK先強灌他兩杯：「我『茶虎』能成為『化肥大王』全靠KK，來敬KK！」

「KK！KK！KK！KK！」又是一陣喝酒瘋的歡呼聲。

喝得醉茫茫的大餅頭前來敬酒：「劉經理，我敬你！」

一張臉喝得紅統統，KK揮著手表示不能再喝，擦去臉上的汗，眼神迷濛說：

「一杯就好，明天我還要上班！」

與KK稱兄道弟的大餅頭突然激動起來：「我們把你當做北埔自己人才敬你，敬你，就要喝下去，這是北埔人的慣例！怎樣啊？」

其他工人們齊聲喊著：「喝到倒下為止！」

KK看到大餅頭後面已經排了十幾個他教出來的實習工人，每個人都興致勃勃等著敬他，大家都把KK當成北埔人，但他知道自己不能再喝了，拉著領口散熱，此刻吉桑插隊擠了進來，排在第一個要敬酒：「吉桑？你要帶頭鬧我啊！」KK苦笑著，

「沒法度，這是我們北埔人的例！怎樣啊？」吉桑學著大餅頭的口吻。

KK想找歐文來幫忙擋個幾杯，卻發現歐文居然也排在隊伍裡頭，笑嘻嘻地看著KK，一副磨刀霍霍準備灌酒的嘴臉。

薏心見ＫＫ真的不行了，她出面擋酒：「PAPA，我和你喝第一杯。」

一排男人看到薏心跳出來喝眼睛為之一亮，笑鬧著：「新社長！新社長！新社長！還沒輪到妳，ＫＫ乾了後自然輪到妳！」

「好！一個是建第一座化肥廠！一個是第一個賣茶給美軍！全是不可能的事情，今天都遇在一起了！我們北埔出人才了！」吉桑一飲而盡。

ＫＫ跟薏心像是新郎新娘敬酒，二人成場中焦點，有人拿著嗩吶跳上桌，鼓起雙頰吹奏歡樂客家調，大夥踩著傳統「老背少」舞步，一列以吉桑為首，薏心排在吉桑後面讓父親揹著，一列以ＫＫ為首，成二條龍，互相逗陣，最終交匯成一片。

歐文與迪克也跟著跳著亂七八糟毫無章法的舞步，隨著嗩吶手吹奏的歡樂調越跳越快，直到不勝酒力紛紛倒成一片，與大家醉坐在地上哈哈大笑。

ＫＫ被大家輪流抱著，他很久沒有這麼快樂過了，很久沒如此被擁抱被接納，從這一刻起，他已經是北埔人，他滿心期盼自己的努力，至少能帶給北埔這塊土地的人一直快樂下去。

ＫＫ對著一起坐在地上的薏心說：「這個『北埔例』也太好玩了，沒想到妳很能喝啊？」

「我以前常偷喝 PAPA 的ＸＯ，被他發現了，以為他會生氣，沒想到他卻說女孩子會喝酒比較不吃虧。」

「哈哈哈，有這樣的爸爸，才有妳這樣女兒啊！」

「這算是讚美嗎？」

「當然是！」

吉桑見ＫＫ已經坐倒在地上，故作不高興的樣子把他拉起來：「想做北埔人，這樣子還不夠，至少還要再跳個八圈乾上八杯。」

看著父親及ＫＫ開心地玩在一起，薏心希望時間能永遠停留在這一刻。

開心的時刻是短暫的，化肥廠開工後，工人熟練上手，電石原料也陸續開採如期運達，一包包的化肥也順利地生產，但問題卻出在農會上頭。

ＫＫ跟著載化肥的卡車來到農會倉庫，捲毛與大餅頭忙著卸貨，只見農會倉庫早已堆滿化肥，負責驗收點貨的陳專員要他們把放不下的化肥堆放在農會大廳以及門口的小廣場。

「肥料怎麼還堆在這呢？」

陳專員停下手邊工作面對ＫＫ的質問，不慌不忙地解釋：「我們還沒收到可以賣化肥的公文。」

「工廠已經開工十幾天，幾千包化肥就被你這樣堆著，現在可是農民要施肥的時機，再晚就來不及了。」ＫＫ很不高興。

「我也很苦惱，依照美援會的規定，我們農會變成你們『美國肥』的販售店面，但公文一直沒下來，不能賣，囤著又占地方。」陳專員無奈聳聳肩。

「公文到底什麼時候會下來？」問了這個問題後，ＫＫ覺得根本浪費唇舌。

「劉經理，你和副院長、美援會比較熟，你去幫忙探探，不要逼我們這種小官啦！」陳專員打起官腔。

ＫＫ走到卡車旁對捲毛說：「不用下貨了，我們走！」

目送卡車原封不動的載走化肥，手上拿著沒簽收的驗貨單的陳專員，露出一抹得意的笑容。

ＫＫ向吉桑報告農會故意刁難的事情：「肥料全扣在農會倉庫裡，我催了副院長、糧食局，全無下文。」

「副院長曾經答應會依美援會的協定，協助肥料進入自由市場，沒想到，國民政府這麼惡劣，故意用公文流程來卡我的肥料，我想不透到底是為了什麼？」吉桑也是百思不得其解。

「現在是秋季施肥的最好時機，我們不能再等公文了，再等下去就冬天了。」KK清楚冬天是肥料使用的淡季。

「肥料比毛茶更耐放，擺個一兩年也不會壞啦！不用煩惱，你顧好生產線，其他政治的問題就讓政治自己慢慢去解決。」吉桑手一攤指著會議廳內掛著的蔣介石照片。

「自己沒能力解決的難題，就讓出難題的人自己去解決吧！先做自己能解決的事情啦。」吉桑吩咐阿榮搬了幾包黑肥到車上。

阿榮開車載著吉桑與黑肥來到一片枯萎的茶園。

「烏面！我答應過，做出來的第一批肥一定給你用。」吉桑指著兩包放在面前的黑肥，烏子開心地看著肥料。

烏面叔望著已經花開花謝的枯黃茶樹開心地說：「謝謝社長，這肥料等很久了，我的茶園有救了！烏子，過來，跟社長說謝謝！」

烏子見父親笑也跟笑了，笑起來的烏子的雙頰各有個深深的酒窩。

「以後，要肥就來找我，不要動不動就燒茶園！」

8

薏心決定親自去找出困惱自己很久的解答，人生當中，找出困惑自己難題的答案並不難，最難的是如何面對真相？以及到底想不想面對真相。

盛裝的薏心帶著花、水果籃與自家生產的高級紅茶，買通永樂戲院的經理，來到後臺。

夏慕雪一如往常，上妝前先吊嗓子，薏心在後臺化妝間門口猶豫不決，等到夏慕雪吊完嗓子後才鼓起勇氣走進去。

「感謝夏老闆在美軍俱樂部裡的幫忙。」

夏慕雪隨手從梳妝檯上拿起一個包裝精美的紅色鐵製禮盒當做回禮：

「哎呀！原來是妳！舉手之勞罷了，妳能拿到美軍軍用茶的訂單，其實都是ＫＫ幫的忙呢！」通常在後臺探班的多半是熟識的戲迷票友，一見到是薏心，夏慕雪心裡有數。

薏心透過鏡子看著正在上妝的夏慕雪，夏慕雪也透過鏡子對她笑了笑：「妳不是來道謝，是想找我問ＫＫ的事情吧？」

被料中來意，薏心點點頭。

夏慕雪開始塗口紅，看著鏡中的薏心：「很多話是說不太出口，所以透過我們唱戲的唱出來，人一輩子都在說話，有時說假話難，有時說實話更難。」

「為什麼？」

「因為沒有人知道什麼是真什麼是假！」

「夏老闆是怎麼認識KK？」再半個鐘頭，夏慕雪就要開始彩排，薏心鼓起勇氣開口。

夏慕雪塗著口紅，手突然停住，陷入回憶。

一九四七年六月，血色般的紅夕陽，淡水河被染成紅通通一片，染紅的不是夕照而是鮮血。

河邊是惡名昭彰的國民軍政府軍第二十一師部隊，好幾輛軍車停在堤防邊，每輛押著一排二十個人囚徒，一共有上百人，兩人一組被鐵絲緊緊綁住雙手雙腳，被迫站在堤防上，幾十個持槍的軍官士兵，對著上百個被蒙住眼睛捆綁手腳的囚徒開槍掃射，不到一分鐘全數被擊斃推下淡水河，軍車與軍人迅速離去。

幾個鐘頭後，沒有路燈、夜色暗黑的堤防邊，出現幾十個拿著油燈的身影，摸著退潮後的河灘，徒手在河床的爛泥與垃圾堆中挖掘，這些人都是今晚在此被處決者的家人親屬，幾十盞煤油燈在河床上緩緩移動，彎著腰翻過一具具屍體，尋找失蹤的親人，現場只有水拍打岸邊的聲音，沒人敢出一絲聲音。

我提著一盞煤油燈來此找尋失蹤多日的父親，彎著腰忍住作嘔與悲痛，翻著一具具還沒腐爛的屍體。

「阿彌陀佛！阿彌陀佛！」我不敢發出聲音，每挖出或翻出一具屍體只能在心中默念。

每兩具屍體的雙手雙腳被綑綁一起，有些人還挖出幾天前被槍決者的遺體，他們的死法更慘，一具具屍體被一條粗鐵絲穿過，一串十個人，有些死者身上甚至沒有彈孔，而是活生生被其他屍體拖下河淹死的。

我在橋墩處發現自己父親的屍體，屍體泡水多時，和另一具屍體綑綁在一起被沖到橋墩夾縫內，我費勁地想把父親屍體從橋墩與石頭縫中拉出來，但實在沒有力氣，此時一位男人也提著燈摸黑走了過來，我用燈照著對方，那男人不理會，彎下腰來翻著另一具屍體，提燈近照，發現死者手上戴著一支GMT雙時區手表，那男人蹲下來輕輕握住屍體的手，確認是自己父親後，摀著嘴乾嚎起來。

我知道現在不是哀傷的時候，拍了拍那男人的肩膀，用手比了比叫那男人不要發出聲音，一起先把卡在橋墩的兩具屍體拖出來。

我們很快地就把屍體搬到河岸邊，才發現兩具遺體被粗鐵鍊綑綁在一起，男人想要硬扯卻不小心損壞我父親的一小部分遺體，那男人低首合十默念阿彌陀佛，對我表示抱歉。

知道對方不是故意，我沒有責備，正當兩人對緊緊綑綁在一起的父親遺體一籌莫展時，遠方傳來一陣陣警哨聲，那男人警覺地將燈熄滅，直接把兩具屍體一起裝在事先準備好的麻布袋，屍袋抬上木板手推車，推著車拉起我的手往警哨聲的相反方向死命狂奔，連氣都不敢多喘兩下。

河水拍打岸邊的聲音，板車輪子的達達聲，急促又驚悚的警哨聲劃破淡水河岸邊的寧靜，一夜過後，所有的悲傷、驚悚與血腥都淹沒在漲潮的河水與歷史的洪流裡。

「那男人是KK？」

夏慕雪看著鏡中陷入回憶的自己，她點點頭不想再說下去。

9

回到日光公司，薏心隨手把夏慕雪送的禮盒擺在客廳玄關鞋櫃，剛好撞見與吉桑開完會的KK，二人在樓梯口四目相對，薏心什麼話也不想說，把自己關在辦公室內，隨手把門關得緊緊。

「改天再說，我很累！」以為敲門的是KK，薏心隨口敷衍。

「大小姐是我啦！妳前幾天交代要買的東西，已經有眉目了！」

聽到敲門的是林經理，薏心頗為失望，但聽到有眉目三個字，薏心精神立刻恢復。

「真的？」

撥著算盤的林經理十分來勁，對薏心說個不停：「第一批美軍軍茶的錢已經入帳，與美國人做生意實在爽快，運茶葉的船才剛進佐世保軍港，美國大使館就通知我們去領款，第一批茶葉款合計……」

「我要送PAPA的禮物，對方開價多少？」

「聽說對方手頭很緊，開價開得很鬆，感覺還可以砍價，要不，我們出這個價錢。」林經理用右手比個「一」。

「太好了，請你趕快去辦，越快越好，我想要給PAPA一個生日驚喜。」薏心一掃今天與夏慕雪見面的陰霾。

吉桑五十歲生日，習慣晚起的他一大早被薏心從床上挖了起來。

「PAPA！生日快樂！」

「唉呀！過生日不用這麼早吧！」吉桑睡眼惺忪看著牆上指著八點的時鐘。

「起來啦！我有禮物要送PAPA！」薏心在床邊催促著。

「好啦好啦！」吉桑苦笑著起床穿好衣服，閉上雙眼伸出雙手等著接禮物。這是薏心從小到大的小把戲，童心大發的吉桑這次索性來個角色對調。

「第一個禮物是剪報簿。」薏心捧著厚厚一本剪報簿，這本是她從六歲識字以來就開始收集至今，只要報紙上有吉桑或日光的好消息新聞，薏心都會細心地剪下來收集成冊，從以前的日文報紙，到現在的中文報紙，沒有漏掉半條新聞。

「臺灣茶虎：張福吉的茶」

「臺灣日光茶在滿州國大受歡迎」

「新竹北埔日光茶葉株式會社榮獲天皇大賞」

「十杯英國人的茶就有一杯是臺灣日光北埔茶……」

「北埔日光公司獲怡和洋行鉅額訂單」

「新竹客運開業……」

「北埔茶虎愛駒『紅茶』爆冷門勇奪冠軍……」

「全省最大精製茶廠日光公司北埔廠落成」

「北埔茶虎張福吉當選臺灣省茶業公會理事長」

「中美日光化肥公司完工 - 茶王張福吉出任董事長」

「化肥大王張福吉……」

「駐韓美軍來臺採購、北埔日光茶葉公司忙出貨」

吉桑眼眶含淚指著其中一張剪報：「這張在賽馬場的照片，妳媽媽也被拍進去，那時候妳還沒出生……」

薏心沒時間陪老爸話當年：「快一點起床啦，還有第二個禮物，要坐車出門才能拿！」拉著吉桑的手就想往外衝。

不知道女兒玩什麼把戲，吉桑收起眼淚笑咪咪地指著自己身上的睡衣說：

「可以讓 PAPA 換套衣裳嗎？」身為日本大正時代典型紳士的吉桑，只要離開臥房，就算只是在家裡餐廳獨自吃便飯，也堅持穿著正式西服。

吉桑被薏心半推半就坐上阿榮開的車，前座還有林經理。

「難道妳自己已經找到夫婿了？」這是吉桑最希望的禮物。

「還沒拿到禮物之前，PAPA 不准問任何問題！」薏心故作神祕狀，阿榮與林經理也是事先套好招，不發一語。

一年沒來，山林美麗依舊，連私人產業道路的門鎖也沒更換，新地主萬頭家看起來沒有砍過任何一棵樹，車子開到盡頭，登頂只有步道可走，這次換薏心拿起山刀走在前頭開路，吉桑汗流浹背地跟著，拎只大公事包的林經理氣喘吁吁遠遠落在後面。

薏心先爬到山頂伐木小工寮旁邊的三角點，默默地仰望遠方山頭整齊的杉木林，一直等到吉桑與林經理都爬上來後才對喘著氣休息的吉桑開口說：「PAPA，上次您說，這裡的每一棵樹都是您種的。」

吉桑低著頭嘆息：「但現在都是萬頭家的了……」

薏心眼神飄向林經理，林經理很有默契地從公事包中掏出一疊文件。

「PAPA，生日快樂！這些樹現在又都是你的了。」薏心比著所有樹木，假裝頒獎典禮模樣把土地權狀交給吉桑。

吉桑狐疑地打開土地權狀，發現大坪山的所有權人又變回到自己，令他難以置信：「這是怎麼一回事？」

「美軍追加了不少紅茶訂單，光是第一批就讓我們賺了兩百多萬，最讓人意外的是，之前開價兩百萬才要賣大坪山的萬頭家，好像是個人周轉不靈，居然降價到一百萬，於是我就先瞞著你買下來了，買下來沒幾天，美軍那邊就透過懷特公司來談這裡的木材開發案子，談成的話，我們就……」薏心越說越得意，在旁邊的林經理看著薏心的講話神韻表情，根本和吉桑是同一個模子刻出來的。

吉桑感動的握緊雙拳拍打杉木：「好好好！很好啊！當年，這片山頭是我的起家事業。」吉桑面對眼前一大片杉林，把手中土地權狀交給薏心：

「現在，我傳給妳！這片山今天起是妳的起家事業。」

第七章

1

美軍軍用茶的訂單，數量龐大利潤又高，日光出貨兩季就引來其他茶商的覬覦，茶業公會會議的氣氛凝滯，吉桑跟幾名理事喝著茶，幾名理事瞪著他。

「你憑什麼一個人獨占美軍軍用茶？」

吉桑火氣也上來了：「當初智利外交茶怎麼沒人說我獨占，有利潤大家就吵著要搶，賠錢生意就丟給我這個當理事長的！」

「話不能這樣說，現在國際紅茶市場已經被印度打得稀哩嘩啦，大家都沒生意可做，吉桑你身為理事長，分一些單讓我們大家可以活下去啊！」姜理事辯解著。

「美軍茶是日光好不容易才爭取到的，如果大家坐下來好好討論訂單的分配，身為理事長的我一定會秉公處理，但就是有人……」吉桑停了一下看一眼在場的理事。

「今天沒來開會的蘇理事，居然用日光一半的價格去搶生意，連我的生意都被搶光了，各位找我吵架也沒用。」吉桑說出美軍茶生意被搶的真相。

「你們去找蘇理事分啊！用低價胡亂搶，只會把大家搞得都沒生意做！臺灣茶在國際上已經被打得節節敗退，現在自己人又低價扯後腿，那真的不要做了！」吉桑嘆了口氣。

會議不歡而散，不想走低價搶單的不歸路，薏心又找上怡和洋行的大衛叔叔。

「這就是傳說的美軍六號茶！」大衛品著茶稱許著。

「是的！另外這杯是日光這季的新茶。」此時薏心已經可以用英文直接對談。

大衛審著新茶樣，發出簌簌簌的吸茶聲，露出一副喜歡的神情：「我嘗出做茶的茶師所追求的『香、醇、厚』的境界。」

「大衛叔叔，要不要下單？」

早就對薏心的表現刮目相看的大衛，知道薏心是來兜售茶葉：「當然！要是『新社長』能賣便宜一點，我就下單。」

「大衛叔叔應該知道，現在臺灣茶廠多了三倍，茶園面積卻沒有增加，茶菁價格一直居高不下，賣價不可能再低。」對自家茶葉頗有信心的薏心不想在價錢讓步。

大衛順著薏心的話：「妳說得對！妳自己剛剛說出，為什麼我不下單的理由。」

碰了一個軟釘子，薏心看著大衛叔叔，大衛看出她的憂心，示意她跟他到另一頭，審茶室的屏風後面，薏心走進後驚訝的睜大雙眼，放眼望去，桌上、地上堆滿上百個茶樣，薏心從沒見過這景象。

「這些全都是賣不出去的茶樣，你說得出來的茶行商號都有。」大衛很無奈。

「去年我還會在臺灣買一點茶，原因是膨風茶很香，一點點毛茶就可以配堆出很美味的紅茶，自然不在乎貴一點，但今年以來，全臺灣包括你們家的茶樹，著蝝著得很少，味道沒有以前的香醇，許多聰明又厲害的茶商茶師，故意挑那些非常嫩、外表漂亮的茶菁，這些茶菁帶有白毫，經過發酵也會出現美麗鮮紅的色彩，泡出來的茶湯，滋味非常接近真正的膨風茶，這就是你們臺灣人說的……」大衛突然想不起來。

薏心嘆了口氣，幫大衛說出：「騙番的番裝茶。」

「對！來中國這麼久，中國話還是不怎麼會講。幾年前番裝茶或許可以騙騙我們英國人。」大衛從櫃子上取出一瓶茶樣，上面標記著S.F.T.G.F.O.P.，薏心懂得這是最高紅茶等級的縮寫。

大衛泡了一杯給薏心：「喝喝看！」

薏心看著茶湯的色澤，聞聞茶香，吸了一口在嘴裡慢慢品味，喝完後把茶底的葉子攤開看個仔細。

「這……」薏心驚豔不已。

「對！這是印度阿薩姆生產的最高級紅茶，味道不輸給日光著蜂最深的純膨風茶，這款茶葉在印度的產量是臺灣純膨風茶的幾百倍，價格只有三分之一。」大衛露出在商言商的無奈表情。

大衛不忍看眼前這個從小看到大的小女生的失望模樣：「其實，你們日光還有兩條路可以走。」

「北埔的膨風茶在倫敦的上流貴婦間有一定的知名度，始終有一群喝高級茶的客戶支持，可惜的是，我們英國也有些不肖同業，用次等的番裝茶甚至併配茶偽裝成膨風茶欺騙客人，久而久之，這群客戶慢慢對膨風茶失望，如果你們日光能夠到英國打出品牌，賣得再貴都會有銷量。」大衛說著。

薏心聽到後眼神為之一亮，問著：「打出品牌要怎麼做？需要多久時間？」

大衛嘆了口氣：「我們怡和努力一百年才有今天……」

聽到一百年，薏心整個人如洩氣的皮球。

「還有第二條路，站在我們怡和的立場不該講，但基於我和你父親十年的情誼，我可以告訴妳。」大衛站起來拿出一罐紅色鐵罐的綠茶茶樣，和夏慕雪送她的茶罐一模一樣。

「這罐是綠茶！是臺灣茶能不能活下去的最後一線希望，我只能說到這裡，妳很聰明，一定聽得明白。」

2

第一個拿到化肥的烏面叔，忘了戴手套口罩，一大早就抓了幾把肥料往茶園撒，沒多久呼吸開始變得急促，不自主流著口水抽搐起來，四肢逐漸無力，就在烏面叔快喪失意識前，他斜眼看見也倒地的烏子，心中一驚，眼前一黑不省人事。

中毒倒在茶園的烏面父子倆，直到中午才被人發現送醫，聽到消息立刻趕去醫院的KK，與張醫師確認父子兩人無大礙後才鬆了口氣。

烏面叔吊著點滴躺在病床看見KK來探視，連忙起身滿臉歉意地說：

「歹勢啦，我只想趕快給我的茶樹吃肥，卻忘了規矩，還麻煩劉經理親自走一趟。」

「沒事就好，以後施肥記得要戴手套和口罩！」KK再三交代。

3

到臺北茶業公會出差，開了好幾天勾心鬥角卻毫無結論的會議，心情很糟的吉桑回到公司，看見一輛載著高麗菜的卡車停在茶廠門口，好奇地走過去瞧個究竟，見薏心與山妹站在甲種乾燥機前，二人像小白兔般吃著烘乾後的高麗菜片，菜還熱呼呼的，一群茶工忙著把卡車的高麗菜卸下來，拿著菜刀將高麗菜切成一片片後倒進乾燥機。

薏心笑著給父親一片高麗菜菜片。

「小片的比較好吃，烘起來也比較省時。」

「妳在做什麼？」吉桑咬著乾燥高麗菜。

「克拉克將軍要我們幫美軍作乾燥高麗菜。」薏心實話實說

「你講什麼？我的茶廠，絕對，絕對，不會落魄到幫人做高麗菜乾！」吉桑瞪大眼猶如她是叛徒，直接吐掉口中的高麗菜乾。

「PAPA，現在做茶無利可圖了，也沒什麼大的訂單可做。」早就料到父親的反應，薏心試圖說服。要不是眼前是自己女兒，最難聽的髒話肯定就直接罵出來。

「洋行不下單，美軍訂單也被搶走，克拉克將軍是為了補償我們的損失，才給我們……」薏心辯解著。

吉桑打斷女兒的話：「意思是我們要接受施捨……」

薏心不以為然指著工廠內外：「乾燥高麗菜也是美軍的必需品，利潤也跟軍用茶差不多，不接這些，工人茶師員工的薪水、水電開銷上哪裡找？」

吉桑盯著其他人問：「薏心自己發瘋亂搞就算了，難道你們也同意烘高麗菜嗎？」

所有人低頭沉默不語，很明顯地是站在薏心這邊。

吉桑垂頭喪氣地看著薏心：「才幾天而已，在大坪山的時候，我還期待妳把日光做大，沒想到，妳這樣快就放棄做茶了？妳太讓我失望了。」

「PAPA！這都是暫時的，乾燥機放著也是放著，高麗菜乾加減做一點維持公司開銷運作啦！」

吉桑更生氣了：「什麼加減做一點？前兩季美軍茶還結餘現金一百多萬，我還打算重建已經燒掉的大坪廠啊！」

原來父親還在打擴充紅茶生產的主意，薏心聽了也有點上火：

「臺灣紅茶已經沒有市場，你還要蓋一座茶廠嗎？」

「沒有市場？全世界有八十趴仙的人是喝紅茶的，怎麼會沒有市場！沒有紅茶的生意，也可以做烏龍茶啊！」北埔附近的茶種不適合做烏龍茶，吉桑明顯講氣話。

「全世界有八十趴仙的人是喝紅茶的，那麼，PAPA！我們的紅茶訂單在哪？在倫敦、巴黎，東京還是阿姆斯特丹？」薏心問，吉桑答不出來。

薏心把一塊美金拿出來，對父親指著中間的華盛頓頭像：

「美軍高麗菜訂單就在眼前，有錢為什麼不賺？」原來薏心還一直隨身帶著KK送的一塊錢美金。

吉桑盯著「華盛頓」，講不過薏心，想伸出手去關掉甲種乾燥機電源，薏心擋在前面堅決不關電源。

「除非我死，否則妳休想用我的機器做高麗菜！」吉桑撂下這句狠話揚長而去。

工廠內工人茶師停下手邊工作，看著老少兩位社長的爭執，各個面面相覷。

「繼續做！還有，橫山那座廠明天起開始烘紅蘿蔔，美軍要我們一周內交出五百噸的乾燥紅蘿蔔乾。」

工廠機器轟轟作響，伴隨著剁高麗菜的刀聲。

張家灶下咚咚咚咚，下人們全在切高麗菜，順妹切著高麗菜抱怨：

「切了整個禮拜的高麗菜，茶虎在做高麗菜，傳出去很難聽。」

團魚切著菜回嘴：「難聽？總比叫妳走路回家吃自己好，放心啦！社長絕對會把大坪廠蓋起來。」

「唉，沒訂單，建十個茶廠也沒用。」另一個在洗高麗菜的猴進嘆息著。

晚餐時間，父女兩人賭氣地一人一桌，薏心故意在廚房開飯，都是「高麗菜料理」：麻油紅棗高麗菜、高麗菜炒蛋、臺式泡菜、汆燙高麗菜沾桔醬和高麗菜封肉，吉桑端起碗筷遙望著坐在廚房裡吃飯的薏心。

「吃膩高麗菜？沒關係，PAPA，明天起有紅蘿蔔了！」薏心知道父親已經讓步，滿臉勝算盯著的父親，她用「高麗菜法」逼父親就範。

林經理對吉桑嘀嘀咕咕報告著，吉桑臉上浮起驚喜神情，對著上菜的春姨吩咐：「明天一早有貴客臨門，別再端高麗菜出來！」

4

只要是喜慶或重要客人來訪，春姨便會拉高嗓子：「今天『中國茶葉大王』來訪，要談大生意，大家不要怠慢！」

「中國茶葉大王？是有個電影女明星為他自殺的那個人嗎？」學漢文好多年都沒什麼進步的猴進，對報紙上的社會新聞與戲劇八卦倒是最感興趣。

順妹扔掉一盤高麗菜換成大白菜跟著說：「聽說，人很風流，臺北與上海大都市的人都叫他『尖頭鰻』（Gentleman）？」

「尖頭鰻來我們鄉下做什麼？難不成社長又要幫小姐找女婿？」猴進替薏心煩惱起來。

「拜託，尖頭鰻還比社長老個好幾歲，別瞎猜。」順妹笑著

忙著炸番薯的春姨笑著說：「來談生意的啦！」

遠遠傳來汽車叭叭聲，張家下人與茶廠工人無不放下工作，爭先恐後地擠到門口或窗邊，想一睹中國

茶葉大王的廬山真面目。

聽到汽車喇叭聲的吉桑，立刻放下正在修剪的盆栽出門迎接，薏心也好奇地跟著出去。開車的是個穿西裝打領帶的白種人，白人司機還下車幫忙開車門，光這派頭排場就讓所有人嘖嘖稱奇。

下車的男人，身穿鐵灰色三件式正式西服套裝，不在乎外頭秋老虎的酷熱，神韻看起來很特別，既像遊戲人生的紈褲子弟，也有歷經滄桑的江湖老練，閱人無數的吉桑心中立刻警戒起來，小聲地用海陸腔客語提醒林經理：

「這個人不簡單！」

同車來訪的還有張家熟識的邱議員，他忙著介紹彼此給對方：

「吉桑，這位就是我向你提過很多遍，被稱為中國茶葉大王的穆桂錦穆先生，他很隨和，叫他穆老就可以，他這幾天來新竹桃園拜訪茶廠茶園，第一個要我引見的人就是你。」

「穆先生，歡迎歡迎！」吉桑禮貌地與對方握手。

薏心也迎上前伸手要和穆老握手，穆老看到年輕的客家細妹如此大方，有些錯愕。

邱議員笑著介紹：「這是張社長的千金張薏心。」

「好名字，一心二葉，不愧是茶人家的女兒！難怪年紀輕輕地就用一杯美軍六號茶征服美國大兵的胃。」穆老熱情伸出手與薏心握手。

「穆伯伯，我的薏是草字頭加上心意的薏，不是一心二葉的一。」

「今天特別過來拜訪日光張社長，又能見到把茶賣給美軍的傳奇人物，真是我的榮幸！」穆老的北京話帶有徽州口音。

穆老走進門時瞥見放在玄關鞋櫃上的紅色鐵罐，愣了一下。

「薏心真是不簡單，年紀輕輕就可以把紅茶賣給只喝咖啡可樂的美國大兵！」穆老對著站在吉桑後面的薏心不停稱讚。

「幸運而已，美國人想換個口味解膩，剛好給小女碰上。」吉桑謙虛地回答。

「吉桑不能這樣說哦！能夠被『中國茶葉大王』稱讚，可見薏心真的是有本事！」邱議員替薏心叫屈。

「唉唷，邱議員，什麼『中國茶葉大王』？都是過去的事！」穆老自謙著。

薏心忍不住打量著眼前的「中國茶葉大王」，被他身上一種說不上來的氣質所吸引，一種和自己從小到大看到的所有人都截然不同的特殊茶人氣質。

「不如來看看我們日光的茶廠，請穆老指點指點。」吉桑還沒天亮就已經叫總茶師山妹把高麗菜乾先藏了起來，以免在穆老這種老行家面前丟人現眼。

站在北埔廠的大型甲種乾燥機前，穆老伸出雙手摸著機器，閉著眼睛感受機器傳來的震動與熱度，認真地享受著機器運轉聲響：

「好久沒聽到了！這種規格的乾燥機比女人還令人愛憐啊！」

「穆老真是性情中人。」雖然不苟同拿女人來和機器比較，但那股對製茶的感情，吉桑也是感同身受。

「吉桑！穆老當年在上海開的華茶公司，光一年直接出口外銷就高達四千三百多噸呢！如果加上內銷中國，那就好幾倍呢！」邱議員如數家珍般地道出穆老的風光過往。

「外銷四千三百噸！」吉桑、薏心同聲驚呼。

四千三百噸的產量並不特別突出，日光公司鼎盛時期的產量每年可達幾萬噸，但這大部分都是內銷或賣給臺灣洋行去配堆，四千三百噸差不多就是一年臺灣茶葉外銷出口的總量。

「唉！那些都是陳年往事啦！」穆老捧起一堆剛烘乾的毛茶用力嗅聞。

邱議員為穆老感到惋惜：「是啊，生意正好時，遇到中日戰爭，他的工廠、倉庫、機器全被燒了，茶廠又搬不走，好不容易戰爭結束，眼看又有機會東山再起，卻碰到共匪作亂，別說機器，連熟練的茶師茶工都被打死，最後只能落得一人來到臺灣……」

吉桑看到機器旁邊的穆老背對著身體微顫，連腰桿子都打不直，暗示邱議員別再說下去。

穆老轉過身眼眶泛紅，雙手還是捨不得離開機器：「這聲音這溫度，一輩子都沒辦法忘得掉啊！」穆老撿起一片還沒送進乾燥機的茶菁，似乎想起當年自己的意氣風發。

「紅茶！就像成熟的千面女郎……老家的祁門！」穆老說著

吉桑順著對女人的比喻接下話：「什麼滋味都有。」

穆老又拾起另一竹簍的茶菁說：「綠茶！就是小家碧玉……杭州的碧螺春。」

吉桑微笑地說：「最忠於原味。」

兩大茶人對望，哈哈大笑起來。

「可惜，一場戰爭，全走味了。」穆老對吉桑嚴肅地說：

「你真讓人羨慕，擁有最新的英國傑克遜揉捻機，最熟練的茶師以及最好的接班人。」穆老指著薏心。

「而我只能淪落到替洋人打工，想當年……」邱議員怕穆老繼續話當年，趕緊插話：「穆老現在是協和洋行在臺灣的總顧問，想在臺灣找茶廠合作。」

吉桑熱情地邀請穆老到審茶室泡了好幾杯茶說：「穆先生，北埔日光茶在全臺灣若說第二，沒人敢稱第一，我的茶的品質你放心，你喝喝看！」說完送上一杯琥珀色的熟茶。

「是啊，日光是全臺灣最大的毛茶廠！」邱議員與有榮焉地幫腔。

穆老喝著茶看著吉桑與薏心，恭敬有禮地說：「張社長，我代表協和洋行正式向你邀請，一起合作生產外銷到北非的綠茶，你們日光有最熟練的茶師茶工，有最熱情與最可靠的經營者，又有勇於開拓創新的下一代接班人，我相信未來十年甚至更久，協和與日光的合作一定……」

聽到穆老的邀請，吉桑錯愕地差點把嘴巴裡的茶吐出來：「北非綠茶？」

聽到「北非綠茶」，又看到父親的表情，薏心知道好戲要登場了。

「穆先生，您不是來看我的紅茶嗎？」吉桑禮貌性地再確認一次。

「我是專程來找你合作綠茶，協和也不想在紅茶市場與同業怡和洋行硬拚啊！邱議員沒告訴你嗎？」

邱議員尷尬地喝著茶。

「抱歉！讓你白跑一趟了，日光不做綠茶。」吉桑失望地起身道歉。

「我還以為被讚譽成茶虎，一定有過人的眼光，沒想到只是隻井底之蛙。」穆老的嘲諷令吉桑火冒三丈。

「邱議員，請你送穆老回去吧！」吉桑強忍住怒火起身送客。

穆老不慍不火地笑著：「臺灣茶得天獨厚，適合做紅茶，也適合做綠茶，韓戰打出了一個北非市場，中國的綠茶被美軍封鎖運不出去，北非人少了中國綠茶的貨源，日本綠茶的生產能力又還沒恢復，這對臺灣綠茶來說是個大好機會。」

吉桑也知道自己失禮，臉上再堆起應酬式的笑容說：「我很佩服穆先生的生意眼光，不過我還是相信臺灣只適合做紅茶。」

「臺灣的紅茶一直都只能賣給外國人併堆，大家心知肚明。」

穆老毫不保留直指問題核心，薏心在一旁頻頻點頭，吉桑看出女兒的態度。

「國際的紅茶市場一直都在，你有你的看法，但我有我的堅持，我打算趁現在提升日光茶的品質，到時可以賣到倫敦、巴黎和阿姆斯特丹去！」吉桑這番話其實是講給自己女兒聽的。

「製茶是一門藝術，更是一門生意，人們的口味是一直在變的。」穆老勸著。

在旁的邱議員幫腔說著：「吉桑，現在知道北非市場的人不多，現在你有機會搶到『北非綠茶』的先機，絕對有賺頭，時代在變，做法也要變啊。」

「小邱啊！你替穆先生牽線應該也很有賺頭吧！」吉桑太了解邱議員了。

聽得越來越心動的薏心不理會父親：「穆先生，請問這個北非市場有多大呢？」

穆老看出吉桑的固執不變通，但薏心沒有包袱，轉而拉攏這位在美軍茶一戰成名的第二代女生，他比著掛在大廳地圖上的北非位置解釋：

「摩洛哥、利比亞、阿爾及利亞、突尼西亞，這幾個法屬殖民地喝了幾百年的綠茶，人口又多，以前大多是向中國買，但現在大陸已經淪陷，他們也急著買茶。光北非一年就喝掉七八百萬磅的茶，我不想做次等茶，我只想做高品質的綠茶，一開始我打算先賣兩百萬磅到北非。」

看著地圖的北非地區，想著光是面積就是臺灣的幾百倍，薏心眼中閃爍著憧憬，但她還是得問最實際的問題：「若是合作，不知道穆先生可以提供什麼協助呢？」

穆老跟薏心二個人站在世界地圖面前，像師徒般微妙互動著，吉桑看得很不是滋味。

「我會親自傳授以前我在大陸做綠茶的技術，幫忙從日本引進炒綠茶與蒸綠茶的機器，還會協助幫忙爭取訂單，最重要的是，臺灣的政府很重視這個全新市場……」

吉桑冷笑：「說到底，穆先生只是想來賣機器，找人代工而已。」

「看來，張社長對紅茶是情有獨鍾。」

吉桑拿出剛剛從乾燥機裡拿出來的紅茶毛茶說：

「我相信臺茶的未來在我手上！」

穆老走到玄關的鞋櫃上拿起夏慕雪送薏心的禮盒，指著紅色鐵罐回覆吉桑：

「臺茶的未來早就悄悄地進來日光，只是你不知道而已！」

大家看著兩罐茶葉，陷入一陣沉默。

邱議員眼看雙方沒有共識，尷尬地起身陪笑說：「時間不早了，我還要帶穆老去關西羅家看他們的茶廠。」

穆老穿好鞋子，臨別前比著紅色茶罐語重心長地對薏心提醒：「好好喝，妳可以喝出另外一個世界。」

穆老並非只是單純賣機器與洋行的掮客，他還不辭辛勞地在楊梅埔心的茶葉改良場成立茶業青年團，對新竹桃園一帶茶廠的年輕老闆與茶師，開班傳授畢生的心血。

薏心瞞著吉桑，每個禮拜帶著山妹和莫打跑到埔心去上課。看重日光製茶實力與經驗，穆老特別為了薏心等三個人開了小型綠茶班。

課程從綠茶市場的演進變化、綠茶的製作、如何到國際市場投標到機器實際操作，甚至連專業的英語法語都傾囊傳授。

「中國大陸的茶區很多，福建以烏龍聞名，徽州杭州則是種植與製作綠茶，臺灣茶最早是由福建傳過來，所以臺灣一開始都是做烏龍茶。到了日本統治時期，為了增加紅茶出口賺取外匯，且日本本土的茶葉不適合做紅茶，所以才選中臺灣大力扶植紅茶製作，你們日光公司就是在日本幾個大商社的扶植下，有了今天的規模。」

「的確，吉桑說的對，全世界有八成的人喝紅茶，綠茶市場連兩成都不到，多數集中在中國大陸、日本與北非，以往大陸的綠茶產量很大，大陸茶商亂殺價造成價格又亂又低，吉桑不碰綠茶是正確的，但現在大陸淪陷，茶區與茶廠受到十幾年的戰爭破壞，共匪不重視綠茶外銷且海運完全被美軍封鎖，印度紅茶的產量與品質，相信你們比我更清楚，根本很難跟他們競爭。」

穆老說到這裡，停下來喝口自己炒出來的綠茶，對著薏心等人說：

「你們應該都喝了我做的綠茶，說說你們的看法，沒關係，想說什麼就說什麼，年輕人別瞻前顧後。」

莫打第一個發言：「我從來沒喝過這麼順口的生茶[15]！」

穆老點點頭順著莫打的話說下去：「這就要話當年了，日本人扶持臺灣茶廠茶農，但和多數老師傅一樣都會保留技術藏招數，日本本土盛產綠茶，為了保護他們自己的綠茶，才沒有把綠茶技術引進臺灣，還刻意壓抑臺灣的綠茶生產，幾十年下來，綠茶在臺灣淪為三等飲料。」

山妹看到莫打的發言沒被斥罵，她鼓起勇氣指著其中一杯質疑著：

「這茶葉的茶身一條一條長長的，看起來跟青草沒兩樣，好喝是好喝，只是……」

穆老哈哈大笑回答：「沒錯，這款茶叫做毛峰，大陸徽州的名茶，大陸與北非那邊，很多人就是這樣喝，但也有不同做法，可以捲成海螺或玉珠般一顆顆小小的，賣相會比較好。」說完後從另一茶罐取出珠

---

15 完全不發酵的綠茶。

狀的茶葉沖泡，螺狀的茶身慢慢伸展開來。

「捲成螺狀的綠茶，香味被完全包覆，茶身在沖泡的過程慢慢遇熱打開，除了耐泡以外，也有欣賞的樂趣，這種螺旋狀的綠茶，最有名的是蘇州碧螺春和杭州西湖龍井。」山妹恍然大悟，只是還不清楚如何將毛茶烘成螺狀。

「炒菁過後直接揉捻，可以靠揉捻機也可以用手工，我會一步步帶著妳實際操作，教妳揉捻出珠螺狀的碧螺春、長條狀的包種茶等等。」穆老解答了山妹的困惑。

「哇！真的呢！到第五泡還有淡淡青草香。」薏心感到不可思議，就算自家最頂級的膨風茶，也很難維持茶香到第五泡。

穆老帶他們到實際製作綠茶的地方，薏心與莫打看到茶改場的廠房後嚇了一跳：

「做綠茶怎麼如此簡陋？」薏心狐疑著眼前，揉捻機乾燥機都比自家茶廠小了許多，但卻多了好幾只鍋爐。

穆老知道他們的疑惑：「綠茶製作簡單來說分為炒菁綠茶、蒸菁綠茶，與紅茶烏龍茶最大的不同，在於不需要高溫。各位都是內行茶人，知道茶的烘焙原理就在於加熱，破壞茶菁茶葉的組織，又稱發酵，發酵程度越高的茶如紅茶膨風茶，需要越高的溫度，發酵越高，越能散發出炒過的香味，但處理不好，簡直和燒焦的稻草沒兩樣。反之，不需要發酵或僅需要部分發酵的綠茶，溫度不能太高，頂多八十度就可。」

穆老指著炒鍋解釋：「既然不需要高溫，用炒鍋把茶菁炒乾就可以，比起紅茶少了很多道工序，但操作炒鍋卻需要熟練的技巧，為了維持適度的溫度，甚至必須用手去炒茶菁。」

接著他又示範另外一個比較特殊的機器：「這是日本的蒸菁綠茶的鍋爐，溫度更低，是用水蒸氣加熱的發法把茶菁烘乾，用水蒸氣的目的是確保茶菁完全不會發酵，來！你們喝看看！眼前第一杯是失敗的蒸菁綠茶，第二杯是成功的蒸菁綠茶！」

薏心等人喝了失敗的第一杯，立刻受不了過腥的草味，喝了第二杯，薏心吐了一口氣緩緩說出：「我終於喝出另一個世界！」

「很好！這個新世界就是綠茶，我相信臺灣茶除了紅茶與烏龍茶以外，未來很有機會能夠靠著綠茶開拓出一片新天地。」穆老看著眼前專門用來製作綠茶與包種茶的望月式揉捻機激動地說著，

穆老補充說著：「綠茶喝到極致，是一種稱為玉露的日本綠茶，完全顛覆對茶的想像，這種茶在採收前兩周，茶農用榻榻米覆蓋茶樹，完全不走水，採收後用最快的速度蒸菁，不給茶菁任何發酵的機會就馬上製茶，只喝茶葉本身的草香，最頂級的玉露喝起來會散發類似海藻海帶的鮮味。」

深山長大的山妹與家境比較貧窮的莫打，沒吃過海帶，但就算是從小山珍海味的薏心聽到茶湯有海帶鮮味，還是無法想像。

「以前我號稱中國茶葉大王，徽州、祁門與蘇杭的茶葉，有一半是我經手製茶與買賣，靠著自家資金成立製茶廠，又靠著家鄉人脈掌握了大半毛茶貨源，也掌握了運茶的交通運輸，在大陸的幾大茶區，只要我喊出茶菁價格，沒有茶販茶農小茶廠敢討價還價，我一開始和吉桑一樣，部分做國內市場，其他則是透過洋行賣到外國，久而久之被洋行牽著鼻子走，後來當我知道自己的茶葉賣到海外，經手的洋行賺了五六倍之後，不甘心被剝削，我自己開了家貿易商，想憑著自己在大陸的實力，繞過洋行的箝制直接出口給海外的客戶。」

聽到繞過洋行將茶葉自行賣到外國，薏心顯得興致勃勃，還拿出大大一本筆記簿準備聆聽寫筆記，穆老不想潑她冷水只是搖搖頭：

「直接外銷，海很深、浪很大，是茶人的惡夢也是華茶最難突破的天險，妳還是先把綠茶學會了再說吧！」

5

在中國大陸經商失敗的穆老，輾轉來新竹尋找合作夥伴徐圖東山再起，同時也有一位被新竹老家趕出門，輾轉到臺北大稻埕尋找生路的范文貴。

被父親趕出家門後，文貴來到臺北大稻埕，靠著吉桑透過湯經理的暗中資助下在民生公園落腳，用幾張木板拼湊擺了攤茶棧開張做茶販生意，從小製茶的他也會接一些小商社貿易行的毛茶配堆工作。

民生公園旁的貴德街，由於靠近大稻埕港，全臺灣準備要出口的茶葉都會先送到港邊的倉庫，附近洋行茶商林立，幾條巷弄內群聚著數十家小型精製茶廠，茶販子茶猴沿街擺攤四處叫賣，苦力搬著茶袋下車上船。

「你的茶烘得不差！」一位老闆模樣的人和文貴握手。

「有閒再擱來喝茶！」來大稻埕快兩年，操著熟練的閩南話的文貴有禮地目送客人，待客人遠去後，立刻拿起木梳對著水壺鏡面梳理頭髮，雖然只是擺著小小茶棧，雖然只是個沿街叫賣毛茶的茶販，但他隨時都把自已打理得很整齊，與其他街上的茶販明顯不同，他無時不刻記得吉桑曾經對他說過的話：

「男人在外面要懂得穿好、吃好，你不虧待生活，生活就不會虧待你，知道嗎！」

文貴站在茶棧攤旁的小木桌前，從攤子下面取出一只布包，布包攤開後擺著幾根大小不一的試茶湯匙，再取出從鶯歌買來的老陶茶組、聞香杯、茶壺，品茗杯……宛如一張小型的專業審茶臺，和旁邊幾十攤髒亂不堪的茶棧相比，體面正式的穿著、一塵不染的茶棧攤位、專業的審茶與對配堆的熟練，賣次等茶的文貴，生意卻是這一帶小茶棧中最好的一攤，一年下來靠著口碑也累積了幾百個常客，每天少說能賣個百來斤。

一部小板車從巷口推了進來，幾個從鄉下來兜售毛茶的年輕人，他們把茶樣擺好，一包包茶樣像供在車上的神佛像一樣，對茶樣拜了又拜，希望能夠賣出去。

其中一個年輕人球仔笑著問：「文貴，下一季我們要做什麼茶好？」說完把茶樣交給文貴試飲。

拿到茶樣的文貴開始審茶，取出第一包茶樣，把茶底攤放在球仔前面：「你這黃柑種能做什麼茶，只能給人配堆而已。」

「我有什麼辦法，總不可能把舊茶樹砍掉廢園，改栽新茶種吧！」球仔苦笑。

文貴不理會他們的訴苦，用湯匙一杯杯慢慢地試喝著他們帶來的所有茶樣。

「我要第三、第五、第六、第八一共四種茶樣，球仔，你們帶多少來？」

「可以湊到兩百斤。」球仔回答

「留下來我幫你賣。」文貴答應他們。

聽到文貴願意幫忙賣，球仔開心地對一起來的同鄉茶猴說：

「文貴師說能賣就一定賣得掉，大稻埕這裡的洋行商號都只看大不看小，只收大茶廠的茶，只有文貴師願意幫忙我們這種小茶猴小茶農。」

球仔說完後敬文貴一杯茶：「我們在臺北沒公司商社可靠行，賣茶全靠你了。」

另一個一直在打蚊子的年輕茶猴揶揄著：「哼，球仔你要能在臺北開公司，我們就不必坐在這餵蚊子了，早就到前面巷口去看戲了。」

幾個年輕人吃著花生米喝茶閒聊，羨慕地看著巷口的永樂戲院。

6

韓戰已經呈現膠著，劍拔弩張的氣氛也和緩不少，沒了戰爭威脅，永樂戲院又恢復高朋滿座夜夜笙歌，夏慕雪唱著今晚最後劇目《貴妃醉酒》，這是她最熟練的段子，一群外省籍票友醉心於她的神韻與唱腔，席間鼓掌聲不斷。

包下兩個最貴的包廂的靳元凱上將看得如癡如醉，眼神流露著欲望，陪他看戲的除了副官與祕書外，還有兩個男人，一個年約四十多歲，基隆人黃麒銘，擔任黨營貿易事業國華公司董事長，另一個是國華公司的詹祕書。兩人如坐針氈地陪著看戲，散場後畢恭畢敬地送靳上將上座車，後車窗半開著，坐在裡面的靳上將手上戴著一枚顯眼的寬版黃金尾戒，伸出手把菸蒂丟在黃董身上罵著：

「黨養你們這些廢物，就是要你們想辦法搞些外匯進來，一場韓戰打下來，連軍用茶軍用食品都被臺灣商人搶走，一毛美金都賺不到，今年如果沒賺到一百萬美金，別怪我不客氣！滾！」靳上將比個槍斃的手勢，揚長而去，嚇出一身冷汗的黃董與詹祕書愣在戲院前，目視著黑頭車消失在大稻埕巷底。

「董事長……那我們要用什麼來賺外匯啊？」詹祕書顫抖地問著。

巷底有幾個年輕人正忙著卸下一簍簍的毛茶，其中一人正是被范家趕出門的文貴，文貴見黃董兩人站在旁邊，上前吆喝叫賣著：「上等膨風茶，一斤只要兩塊錢……」

黃董瞇著眼，起了一個想頭，比著文貴的茶簍對詹祕書笑而不答。

兩天後詹祕書來到北埔的日光公司，吉桑看著名片上的「國華企業」幾個大字。

「張社長！我們國華公司是黨直接經營的海外貿易公司。」

吉桑聽到黨營公司四個字，整個人厭煩起來，嘴裡菸斗從左邊移到右邊來掩飾自己的不悅，詹祕書打開帶來的禮盒內的茶葉，生疏地沖泡兩杯，一杯給吉桑一杯給自己。

「張社長，號稱茶虎的您，請笑納我們帶來的綠茶。」

「我們日光公司跟綠茶沒什麼關係吧！」吉桑其實是想講黨營事業，但這種話實在太過敏感。

薏心遠遠地看著桌上擺著客人帶來的禮物，兩盒紅色鐵罐，與夏慕雪送她的綠茶禮盒一模一樣。

詹祕書大口端起茶杯一飲而盡，一副對茶完全外行的模樣，吉桑不禁皺起眉頭。

「我們國華公司最近打算從北非接一筆兩百萬磅綠茶的訂單，你們當地的邱議員介紹我們過來拜託張社長，聽說整個桃園新竹地區，只有貴公司才有辦法做出這麼大量的綠茶。」詹祕書滔滔不絕地說明來意。

吉桑聽到兩百萬磅，和穆老提到的數字不謀而合，對綠茶沒多少興趣的他，礙於黨營公司的面子，只能陪著枯坐聽詹祕書大放厥詞：

「我們國華公司不論是在貿易接洽、外匯調度與海外貨船，規模是其他洋行不能比，別人拿不到訂單，我們拿得到，別人弄不到外匯，我們調得到，連貨運的船期船班，也是先排我們國華的貨，這是我們國華公司第一次踏入茶葉外銷生意，希望能和日光公司建立長期可靠的合作關係……」

「張社長，跟我們國華合作，日光絕對不會吃虧。」詹祕書舉起茶壺想為吉桑倒第二杯茶，發現杯子還是滿的。

詹祕書有點不太高興：「張社長，怎麼不喝呢？」

薏心知道父親沒有合作意願，只好打破沉默跳出來拒絕：

「詹祕書，謝謝您，但是我們無法承接貴公司的委託，因為我們日光不做綠茶。」

「為什麼？」

「因為喝不習慣！」吉桑冷冷地回答。

詹祕書氣得翻了個白眼，從他接任黨營事業的祕書到現在，這是第一次被民間商人拒絕，薏心看氣氛越來越僵，面帶微笑地解釋：

「我們日光已經接了紅茶訂單，實在無法……」

詹祕書指著自己帶來的綠茶禮盒，用力地搖著說：

「紅茶的市場現在都是印度茶的天下，北非綠茶的賣價是紅茶的兩倍，這麼好的價格與賺錢機會，不知道張董事長在猶豫什麼？」詹祕書雖然不懂茶，但黨營公司收集情報的能力卻不可小覷。眼前的吉桑的態度已經很明顯，詹祕書只好悻悻然離去。

7

晚餐時間吉桑又看到滿桌的高麗菜料理，麻油紅棗高麗菜、高麗菜炒蛋、高麗菜肉捲、臺式泡菜、氽燙高麗菜沾桔醬。

「今天怎麼還是高麗菜，而且全都是菜梗。」吉桑不高興地看著春姨。

「PAPA，對不起，美軍對紅蘿蔔乾更有興趣，所以我們紅蘿蔔賣到缺貨，高麗菜葉都拿去做乾燥菜乾，只剩下高麗菜梗，你再忍耐一兩個月吧！我們倉庫還有幾千斤。」

吉桑擺出一副不想再聽美軍高麗菜乾的臉，薏心故意說：

「還是，PAPA 想烘香菇，做蒜頭粉，做鳳梨罐頭？這些我都可以去找廠商。」

「嗯！終於有高麗菜菜葉了。」春姨又上了一道高麗菜封肉，這次換春姨抱怨：

「公司把整個新竹桃園的高麗菜買光，你不知道現在高麗菜比茶葉還貴啊，你有錢還買不到！真是吃米不知米價！」阿舍兩個字差點從嘴中吐出來。

吉桑看向女兒，薏心倒是一臉自在，示意父親請用餐。

「聽說美國人還會生吃高麗菜，跟菜蟲沒兩樣啊！改天我下廚弄一盤生菜淋上醬油給 PAPA 吃。」薏心很認真地看著筷子上的高麗菜梗泡菜。

聽到生吃高麗菜，還沒動筷的吉桑食欲全無，半口飯菜都沒動，一個人踱步到茶廠。

吉桑小小身影，與偌大的茶廠形成對比，停工一個月的揉捻區，只剩一群夜蛾在昏暗的小燈泡下飛舞。他伸出雙手摸著巨大的傑克遜揉捻機，打開電源感受著震動，閉上雙眼聆聽機器聲，他想起剛引進時，他和阿土師兩人整夜不睡覺，興奮地對著它傻笑，還捨不得開機的往事。

十五年前吧！忽然接到日本三井商社的幾百萬磅銷往滿州的紅茶訂單，那是公司第一次接到如此龐大的訂單，茶師技工臨時工甚至家裡的僕人，全部都在這裡日夜加班，連吉桑自己也得捲起衣袖幫忙技工修理這部機器。一樣是秋天晚上，薏心媽媽與春姨兩個人從廚房端出上百人的消夜，那晚，吉桑不捨地看著疲憊不堪的妻子，但自己也是累到連句安慰的話都沒氣力說出口。

老舊機器的電壓不穩，揉捻機上的燈泡忽明忽暗。

薏心走進來，吉桑趕緊擦拭眼角的淚水，怕被女兒看到，他關上電源背對著薏心。

薏心看著父親摸著機器認真聆聽機器運轉聲，和穆老一模一樣。

「PAPA？」

「我知道妳要講什麼！」

薏心伸出手打開電源，與父親一起站在揉捻機前。

「不是我不做綠茶，而是做綠茶對日光而言，是打擊！綠茶，小茶寮就可以做了，不需要萎凋的空間，一臺機器、一只鍋爐、一間茶寮，就可以生產了。做紅茶，機器跟規格都是高門檻的，我們日光是大廠，很難去和小茶寮拚價格！」吉桑又關掉電源。

「日光是做紅茶起家的，從茶師到機器到技術都是做紅茶的規格，做綠茶全部要重頭開始，機器要換新的，舊的要……」吉桑又把電源打開，機器再傳出轟隆聲響。

這時薏心才明白父親抗拒綠茶並非因為食古不化，而是務實的成本考量。

「我知道，PAPA！但是……」

吉桑打斷薏心的反駁，他又把電源關上讓機器慢慢停轉，轟隆聲越來越大。

「這些機器陪我一起打過多少仗，現在卻被時代拋棄，難道紅茶真的是淡而無味嗎？」

薏心的手也放在機器上感受著震動，享受著餘溫，吉桑看見的已經不是單純的女兒的手，而是一雙年輕茶人的手。

頭上咚咚作響，吉桑抬頭看著飛蛾繞著小燈泡，撞著燈泡。

「飛蛾撲火，是奮勇還是愚昧？」薏心疑惑著。

「是追尋光明與溫暖的天性。」吉桑若有所思。

「薏心！」「PAPA！」父女兩同時開口。

「拿到單，日光就轉做綠茶吧！現在我去的地方，是一個完全陌生的世界！」吉桑搶著說。

「是我們！」薏心開心地回答。

吉桑關掉茶廠的燈，工廠內一片黑暗。

「妳趕快去吃飯，我想巡一下工廠。」

吉桑支開薏心，不發一語地走進工廠深處，薏心知道重感情的父親，巡機器其實是想和這些機器做最後的告別。

美商協和洋行臺灣分公司的總經理麥可在穆老與邱議員的陪同下，親自來到北埔與日光公司簽訂綠茶生產的合約。

「張小姐，妳確認一下，這是日光跟協和洋行的訂單合約。」麥克攤開合約，一式兩份分別是中文與英文。

英文能力大增的薏心端詳半天後，疑惑地問著穆老：

「不是說好兩百萬磅嗎？」

「張小姐真是有信心，但是我們第一次合作，我還是建議維持原來的量，其他的量就等下一季……」

麥可操著美式英文，保持著客套的笑容。

「麥可先生，既然貴公司想要兩百萬磅綠茶，我們日光公司在這一季就可以做出來交貨，我打算全部賣給協和比較省事，免得我們還要找上國華公司。」薏心故意看著邱議員繼續說：「邱叔叔，你說對不對？」

邱議員怕自己兩頭押寶的行為在洋行面前當場被掀開，只好幫著講話：

「美軍上千萬磅的訂單，他們都能提前出貨，區區兩百萬磅對日光不是問題。他們幾天前已經買了十幾部綠茶的機器，隨時都能夠開機生產。」

「綠茶跟紅茶是兩個世界。」麥可不太放心。

「麥可，日光是全臺最大毛茶廠，量不會是問題！」在旁陪同擔任協和顧問的穆老也跟著幫腔。

「我信任穆先生，既然穆老都這麼說了，那我就先把船期定下來了！」麥可對薏心與吉桑伸出雙手，握手表示彼此成交。

「我們一定如期交貨！」薏心爽快地在合約上蓋上公司大小章。

協和洋行給的茶樣和夏慕雪送的紅色茶罐一模一樣，薏心、吉桑、山妹、林經理與湯經理聚在一起審茶，想方設法破解北非人喝茶的祕密。

「會不會協和給錯了？這綠茶實在是太苦澀，我們能交出這種毛茶嗎？」湯經理提出疑問。

「日光第一次做綠茶，妳就這麼貪心，多要了一百多萬磅的訂單！」吉桑有點擔心。

「買機器花了不少錢，我想爭取多一點，努力一下可以達成的。」薏心很有信心，用眼神尋求林經理與山妹的支持。

林經理打著算盤搖著頭潑了薏心冷水：「主要是交貨期太短，這兩季的茶菁沒有發生大倒市，三峽那邊的同業蘇理事為了搶美軍茶，跑來我們這邊收了不少茶菁，這個量怕趕不來。」

「應該不會啦！四斤茶菁做一斤毛茶，兩百萬磅的毛茶只需要八百萬磅茶菁就夠了，山妹！」薏心點名山妹。

山妹檢查著茶罐的茶底，面有難色地回答：「那是紅茶，綠茶不同。」

連最挺她的山妹都沒有信心，薏心有點意外。

「茶樣是珠茶，北埔峨眉竹東這帶全是青心大冇種，用青心大冇做珠茶，『步留』低很多，而且炒綠茶需要人力，不是所有茶師茶工的技術都能做到四比一，我估計至少要準備一千萬磅[16]的茶菁才會夠。

「不只這樣，菁心大冇種做出來的珠茶，色澤偏暗，臭菁味也比較重。」山妹越說讓薏心更心慌：

山妹說完拿起自己用菁心大冇種炒出的綠茶，泡開了給大家品嘗。

「這茶不能出！」連薏心也承認。

「味道不好、賣相不好、步留又低，用菁心大冇種做珠茶很吃虧，日光的面子也會掛不住。」林經理點頭贊同。

薏心看著大家：「所以……」

「紅茶綠茶搞不清狀況就亂接單，妳不是瞞著我去上了一個月的綠茶修習課，結果學到亂做主張啊！這張單，妳要負全責！」吉桑罵完後，便氣呼呼的離去。

接到訂單還被罵，薏心感到委屈，但還是打起精神說：「還有半個月才交茶，一定有辦法的，對吧？」口氣不再意氣風發。

「咦？」專注於茶樣的山妹發出疑問：

16 七百五十萬臺斤。

「這茶底應該是黃柑種！」

湯經理立刻把審查室的黃柑種毛茶取出，兩相比對之下說出：

「很接近，茶樣的黃柑種茶菁不知道是哪裡種植的，泡出來的味道跟新竹桃園的黃柑種毛茶還是有點不同。」

「味道不一樣不成問題，可以調整炒菁時間與揉捻手法，只要再加點菁心大冇種就會降低草臭、提高苦澀的口感。」薏心聽到山妹找出解答，開心地抱著山妹。

「所以只要用黃柑種茶菁，就可以配出北非珠茶嗎？」

山妹點點頭：「不過，所有茶師茶工要趕緊學會炒菁的技巧。」

「日光的茶師茶工都是十年以上的老經驗，又不是要做比賽茶，大家可以放心，穆老那邊隨時都可以派人來教。」。

林經理提出疑問：「黃柑種的茶菁，產量很大價錢又賤，以往都只能拿去做番裝茶的配堆，日光用這種茶菁，傳出去很難聽！就算不考慮面子問題，哪裡去找幾百萬磅的黃柑仔？」

山妹突然想起來：「現在桃竹苗地區最大的黃柑種茶廠，是寶山富記的范頭家。」

「啊！」薏心聽到范頭家三個字大叫一聲。

范頭家退婚的事情發生在山妹來日光之前，日光上下對此失顏面的往事都三緘其口，所以山妹並不清楚其中的糾葛與為難，還繼續問下去：

「只是，富記有沒有那麼多毛茶？願不願意賣？」

湯經理突然想起來：「大家放心，今年以來，范頭家三番兩次跑到臺北找我兜售，他不敢找吉桑，繞過吉桑找我幫他忙，他的黃柑種茶根本沒人要買，庫存多到沒倉庫可擺，據我了解，他的倉庫內少說有五百多萬斤，范頭家為了在寶山鄉親前擺闊，還死要面子地繼續向茶農收黃柑種茶，宣布破產只是時間問題而已，這時候去找他買，三更半夜都會跑來。」

薏心握著珠茶倚在辦公室外的牆邊看著夕陽，來報告烏面叔父子中毒住院近狀的ＫＫ，剛從吉桑辦公室走出來：

「北埔的 CRIMSON 夕陽，很漂亮，對吧？」

「每天都一樣，沒什麼好看的。」心煩的薏心想躲避ＫＫ。

「聽說妳接到北非綠茶的大訂單，恭喜！」

薏心嘆了一口氣：「唉！一堆麻煩事！」

ＫＫ露出不解的表情。

「可能出不了貨！」

「出不了貨是小事，出了人命就麻煩了……」ＫＫ也跟著嘆了口氣。

薏心想了一下：「烏面叔？」

ＫＫ點點頭：「以後得加強宣導，才能減少中毒的意外，農民習慣用調和肥與水肥，不會使用單質肥……」發現薏心沒心思聽這些，自嘲地說：

「化學肥料這東西，複雜又無趣吧？」

「茶都還沒做，怎麼知道出不了貨？又不是賣不出去，多找些茶販子就好了。」

「啊，但是，如果你跟這個茶販子有過不愉快的過去呢？」薏心避重就輕地說。

ＫＫ笑了：「還記得我投資妳的那張華盛頓嗎？」

聽到華盛頓三個字，薏心從口袋掏出那張一塊錢美金。

「原來妳隨身帶著我對妳的投資。」KK很開心。

薏心滿臉通紅：「記得，『華盛頓』是所有人的朋友，所以，商場上沒有永遠的敵人！」

「還記得國府的袁副院長嗎？他有時候把我視為奇才，有時候卻在我背後放冷箭要打要殺，但我都不在乎，因為對我來說，那都是做事業必須要面對的，只要成功做好化肥廠，誰在乎我曾在他面前卑躬屈膝。」

「原來這就是華盛頓的祕密！」薏心拿起美金照著夕陽點點頭。

「烏面叔會好起來的，我會拜託春姨燉些補品送給他吃。」薏心反過來鼓勵KK。

「夕陽雖一成不變，但它就是溫暖。」兩人終於相視大笑。

8

誠如湯經理說的，第二天天還沒亮，范頭家果真就來到日光公司門口徘徊。

看到帶著伴手禮在門口張望的范頭家神情緊張，讓薏心覺得好笑，范頭家見開門迎客的是薏心，要問也不是，要走也不是，心裡咒罵負責聯絡的湯經理，為什麼不乾脆約在日光的臺北辦公室。

「范頭家，好久不見了？文貴還好吧？」薏心落落大方地問候。

「還好還好。」范頭家不願提起文貴被自己趕出門的事情，尷尬地在大廳內東張西望。

「妳爸叫我來，說有事找我，吉桑人呢？」

「是我找您來的！」范頭家驚愕地不知所措。

薏心請范頭家到辦公室，攤開一份前晚才擬好的採購合約，范頭家不可置信地再三確認：

「黃柑種？妳確定？一斤要收購八毛錢？」

已經被黃柑種的庫存困擾大半年的范頭家，前一陣子連開價五毛錢都乏人問津，薏心卻直接提高到八毛錢，而且除了一口氣要買光五百萬斤全部存貨外，連下一季的茶菁都全部收購。

「我下一季能交貨兩百萬斤茶菁。」范頭家打包票

北非綠茶這批訂單估計需要七百五十萬斤茶菁與毛茶，除了范頭家庫存現貨五百萬斤外，日光還缺兩百五十萬斤。

「我全都要！」薏心斬釘截鐵地說著。

「五百萬斤？還有下一整季的兩百萬斤？」范頭家看不出薏心玩的是什麼把戲。

「范頭家不願意嗎？」薏心擺起姿態，故意對著旁邊的林經理交代：

「開好的支票請林叔叔去作廢啦，原來范頭家不願意賣！」

「願意願意！怎麼會不願意？妳日光沒問題，我就沒問題！」范頭家一急立刻在合約上簽名蓋章還押上手印，生怕薏心反悔。

「張大小姐，妳真是大人不計小人過，做事跟吉桑一樣阿沙力。」范頭家拍起馬屁來。

「生意不分親疏，你情我願，記得要準時交貨！合約上白紙黑字，遲了可是要賠償！」

「一定一定！今天日頭下山前就會把我倉庫的黃柑種都運過來，下個月新茶一採收，也一定會準時交茶。」范頭家拿著剛用完印的臺銀本票，喜孜孜地點頭如搗蒜。

目送吹著口哨離開的范頭家，薏心緊捏著手上那張一塊錢美金鈔票。

「一共只簽到七百萬斤的毛茶與茶菁，還缺五十萬斤怎麼辦？」林經理又開始念著算盤經。

「只能做番茶併堆的黃柑種茶，現在又多又賤，區區五十萬斤，再過半個月，下一季的新茶就要採收，多找幾家茶販子跑跑腿，不成問題啦！」薏心信心滿滿。

9

吉桑手上拿著一面旗子，看著和榮鐵工廠的老闆矮子李忙進忙出，指揮著他的夥計在茶廠安裝綠茶專用望月揉捻機，一邊指導日光的技工與茶師用法。

「李頭家辛苦了，讓你每天這麼忙。」吉桑客氣地問好。

「哈哈哈，沒辦法，全臺灣只有我一家做綠茶機器。」矮子李得意地笑著。

「獨占生意，穩賺的！早知道我就改行做機器。」吉桑羨慕著。

「現在每個大小茶寮都想自己當頭家，但只有像你們日光拿出現金的，我才會接下來做。」矮子李暗示收現金才裝機器。

「當然當然！做生意就是要做大，你是最大綠茶機器廠，我是最大茶廠。」

吉桑聽得懂暗示，畢竟自己一家就把和榮鐵工廠生產的幾十部機器統統包下來，買大量機器除了應付北非綠茶龐大訂單外，更重要的是讓其他人買不到做綠茶的機器，這樣才能確保自己在綠茶製作的龍頭地位。

吉桑把手中的那面摩洛哥旗子掛到公司牆上，團魚和阿榮忙著調整旗子的高度。

「摸哥哥在哪裡啊？」團魚問著

在旁的ＫＫ笑著比出摩洛哥的位置後糾正：「是摩洛哥啦！這是法國的殖民地，聽說再過幾年就會獨立建國。」

ＫＫ拿出一整組精緻的北非錫壺與鑲有彩繪的玻璃杯，仔細沖泡自己拿來的北非綠茶，吉桑和山妹等人好奇看著，薏心發現ＫＫ帶來的和夏慕雪送她的茶葉一模一樣，不怎麼高興。

「北非人沿襲法國人泡茶傳統，他們把茶葉與方糖放在壺內一起煮熟，水開了後再加幾片薄荷葉，這就是傳統的北非綠茶喝法，有些北非人還會加點羊奶一起喝。」

茶湯流經長長的錫壺壺嘴，倒入繽紛的彩繪玻璃杯中。

「原來北非綠茶是拿來『煮的』不是『泡的』，還要加這麼多東西！」山妹用心聞著茶，看著茶杯，檢視著北非綠茶後恍然大悟：

「加了糖以後，茶湯本身澀不澀、苦不苦，好像也不重要了！」

「跟臺灣人在榕樹下廟埕前一樣，一壺茶，摩洛哥人就能在清真寺前坐整個下午。」ＫＫ解釋著。

「好甜啊！實在是喝不習慣！」吉桑勉為其難喝了一小口。

「對啊！妳怎麼也會有這罐北非綠茶呢？」ＫＫ看著桌上另一罐茶葉同表好奇。

薏心不想在ＫＫ面前提起夏慕雪，不喝茶也不講話，默默攪拌著茶。

「不是妳堅持要做綠茶嗎？怎麼不試喝看看？」吉桑發現薏心意興闌珊且冷淡。

「再喝也是一樣，反正我不懂茶！」薏心不停地攪拌著茶杯。

「妳怎麼會不懂茶，妳的冷泡茶還接到美軍訂單呢！也是妳的堅持才找到北非綠茶的祕密！」KK鼓勵著她。

薏心放下杯子轉頭就走，大家覺得莫名其妙，但薏心的前腳才剛走，林經理便帶著一位身著中山裝留小平頭的國字臉男人走進來。

「社長，這是財政部的查稅員，說是要來查稅的。」所有人放下茶杯看著這位查稅員，查稅員看著擺在桌上的精緻錫杯茶具，好奇地笑問著：

「這是什麼茶？沒看過呢！」

「北非綠茶，不知道財政部想要看哪幾本帳冊呢？」吉桑相當鎮靜。

「社長！歹勢，你們的帳沒有問題，我是奉上頭的意思來關心一下。」查稅員倒是實話實說。

「沒問題，我們都可以配合，公司工廠倉庫請隨便看。」吉桑自認光明磊落。

查稅員不疾不徐喝了口茶：「這北非綠茶好甜，甘甜甘甜，有了這壺茶，可以坐下來聊一下午呢！」長年與這些查稅員打交道的林經理陪笑著說：「你來得太早，我們還沒開始做北非綠茶，要不，你喜歡的話，我準備兩斤外銷用紅茶讓你潤潤喉。」林經理故意加重兩斤這兩個字，言下之意就是會在茶葉罐內準備兩百塊錢紅包。

那查稅員聽到兩斤愣了一會兒後，笑著替自己辯護：「別誤會！日光是優良商號，我怎麼敢來亂收紅包，我真的只是奉命來看看，方便的話，我想看看貴公司最近一個月內簽的所有製茶賣茶合約。」

那查稅員替自己又倒了杯茶，旁若無人地邊看文件邊喝了起來，隨便看了幾眼，什麼都不問只是盯著

ＫＫ打量，喝完一壺茶，打聲招呼就大搖大擺離開。

「不要紅包的官最可怕！」林經理眉頭深鎖著

「我看是來警告的。吉桑！日光公司最近有沒有得罪什麼大官？」ＫＫ感到此事不單純。

「隨他去吧！天如果要塌，躲也沒用。」

10

文貴被叫到國華公司的辦公室，不知道發生什麼事情的他，誠惶誠恐地站在黃董面前，黃董坐在辦公椅兩隻腳翹得老高，抽著雪茄上下打量文貴，他打開雪茄盒讓文貴挑選，文貴趁黃董沒注意，多拿了幾根塞在口袋。

「我們公司想找一個懂茶的『北非綠茶』專員，許多人異口同聲推薦你。」黃董一臉嚴肅。

「國華是茶公司嗎？」在大稻埕茶市打滾了一年，南來北往的茶商號中，文貴從來沒聽過這家公司。

「茶公司？我們是做進出口貿易，你想得到的，我們都有在做，你想不到的，我們也有做。」黃董對只賣茶的茶公司有些瞧不起。

「我已經打聽過你，寶山富記公司么兒，大稻埕最會賣茶選茶做茶的茶猴。」黃董把工作內容交代一遍。

「收購三十萬磅黃柑種茶菁？這根本不算多！」文貴一聽是從小摸到大的茶種，爽快地答應。

黃董狠狠地盯著站在一旁的詹祕書：「本來是一件很簡單的事，兩百萬磅的單被搶走，搞得我還得親自出馬。」詹祕書低頭不敢回嘴。

說完黃董伸出手，文貴以為要握手馬上伸出手，不料黃董只是揮手，表示文貴可以離開了，文貴尷尬收回手：

「是的，黃董，我一定會在三天內把事辦好！」

文貴剛走出辦公室，回頭看著豪華的門面，靈機一動對著門內的黃董，大膽地提議：

「董事長，如果國華公司什麼都可以買，什麼都可以賣，董事長有沒有想過進口茶機器？」

聽到進口兩字，黃董抬起頭看著文貴，示意文貴說下去：

「臺灣茶市非常混亂，種茶的人很多，想賣茶到外國的商社洋行也不少，但是，在中間製茶的人卻不多，尤其是綠茶，全都是茶農自己弄個深山小工寮，用手工的方法製茶，就算有外國大訂單，就算能收到足夠的茶菁，能找到幫忙製茶的大茶廠就只有少數幾家。」

覺得有點意思的黃董從椅子起身看著文貴。見新老闆沒有打斷自己的話，受到激勵的文貴繼續說出大膽的想法：

「如果國華直接進口茶機器，把機器賣給小茶寮小茶猴，暫時不向他們收錢，然後再跟他們約定用製作出來的毛茶或精茶來償還買機器的欠款，他們有的是技術與人力，只是沒錢買機器，如此一來，他們就會是國華公司的專屬製茶廠，以後不管您要做兩百萬磅，還是兩千萬磅都沒問題，而且公司也不用去自己搞製茶學技術。」一口氣說出想法。

黃董吃驚地拍著桌子，首度露出笑容大聲叫好：

「好！這次我終於找對人了。」說完後扔了一整盒雪茄給文貴。

文貴連忙趕回民生公園的茶棧，約集了與自己熟識的十幾個年輕茶猴，每人發一根雪茄。

球仔接過雪茄捨不得抽：「美國雪茄！文貴師發大財了啊！這麼大手筆。」

文貴吞吐著美味的雪茄笑而不答。

另一個茶猴小楊吐了口煙問起：「現在阿貴師要我們收什麼茶？」

文貴終於開口：「收什麼茶？以後大家可以做頭家了！」

捨不得點菸的球仔接過小楊的雪茄抽了一口：「師仔！別說笑了！」

故作神祕狀的文貴笑著說：「時來運轉，我們要翻身了。」他把賣機器的計畫講給這群天天從桃園新竹載毛茶來賣的年輕茶猴聽。

幾個人你看我我看你，小楊問著：「聽起來不錯，但是我們哪來錢買機器啊？」所有人都點點頭。

「不用出錢，我免費幫你們裝機器，機器的錢，以後從你們做的茶裡面扣就好了。」所有人聽到不用出錢四個字，既驚訝又感興趣，認真盯著文貴。

文貴抽著雪茄一派輕鬆地解釋：「我會下訂單給你們，保證買下你們所做出來的毛茶，你們……」文貴一一點名：

「全部都變成茶廠頭家，我做的生意越大，你們賺的就越多。」文貴的提議還是讓一小部分人感到狐疑。

小楊與球仔率先舉杯乾盡紅露米酒，高興地說：

「反正我們沒有損失，阿貴師，算我一份！」

「夭壽啊，我要做頭家了！來，乾啦！」

「但是但是……」文貴揮著手要大家靜下來聽他講話。

「在做頭家之前，我有筆生意請大家幫幫忙！」

很快地，文貴帶著幾十個年輕小茶猴跑遍桃園的小茶園，不到三天時間就收足了三十萬磅黃柑種茶菁與毛茶。

回到國華公司，文貴把三十萬磅茶的倉單與契約交給黃董：

「報告！三十萬磅的茶，大部分已經收到倉庫，小部分等過幾天採完茶菁後就會送到倉庫。」

黃董接過倉單與契約，對於文貴的高效率有點吃驚，其實並非文貴有三頭六臂的功力，而是黃董給他「不計成本收購」的指令。

黃董滿意地拍拍文貴的肩膀：「很好！你就繼續收！」

「繼續收？」文貴不明白

「嗯……我剛來不太懂公司規矩，但是黃柑種茶並不好賣，要不要……」文貴善意提醒眼前這位新老闆。

「我們是出口賺外匯的公司，國家未來要反攻大陸，槍砲子彈、軍服軍糧樣樣都需要外匯，這個月還有上百萬的美金外匯的業績要衝。」詹祕書在旁補充。

「是！是！一定一定！但是我們收了這麼多要賣給誰？」文貴不懂什麼反攻大陸，只關心公司收進來的茶是否能真的賣到國外去。

「立刻賣掉！賣給日光公司，他們現在到處收茶，你應該跟他們熟識吧！」黃董提到日光讓文貴驚訝不已。

此時黃董從抽屜取出一份文件交給詹祕書，要詹祕書解釋：

「這份合約是日光與協和洋行簽訂的兩百萬磅北非綠茶合約，我們用關係拿到一份抄本，內容白紙黑字寫著，如果這個月底不能全數交貨，日光得賠償兩百五十萬元，同時我們也透過國稅局去查清楚，日光這次要用黃柑種茶來製作北非綠茶，所以我們才要跟著去搶黃柑種茶，讓他們買不到足夠的茶菁量。」

詹祕書說完馬上將合約折好交還給黃董，蹺著二郎腿的黃董忿忿不平地說：「沒有人可以跟黨跟政府搶生意，現在我要連本帶利討回來。」

說完後交給文貴一張小紙條，轉過辦公椅背對他，意思是要文貴趕緊去辦。

夜晚的民生公園，文貴收拾著一年來賴以維生的茶棧茶寮，他端起泡茶用的茶壺，茶壺上映著為生計所苦的疲憊臉孔，工寮內簡陋的炒鍋、幾只防水的尼龍茶袋、秤重的天秤，有了體面多薪又有前途的頭路的他，這些都可以拋棄，唯一捨不得拋棄的是那只小小箱包，裡面收疊著整齊全新的海軍藍西裝禮服，薏心帶他去訂作的結婚禮服。

文貴捏著紙條，兩眼呆滯陷入長考，紙條上面寫著：

「黃柑種茶賣日光兩百五十萬元」。

11

日光北埔茶廠，廠內現場炒菁聲轟轟大作，雙手忙著揉茶的山妹皺起眉頭對薏心抱怨：「炒煎綠茶的技術，公司的茶師茶工都還不熟悉，我怕會做不出四斤炒成一斤的步留。」

薏心安慰著：「沒關係啦！這筆茶的訂單很肥，四比一做不到，就多收點茶菁，就算是五比一的步留，公司還是會賺錢的。」

「但是……」

還來不及聽山妹的憂慮，各式各樣茶販子的車已經開到茶廠，負責報價的薏心飛奔到門口去和茶販子們討價還價。

先下茶菁的是范頭家，他已經和日光簽過約拿到訂金，自然不必再議價，但其他茶販子只是停好車卻不肯把茶菁卸下來，有志一同的安靜站在卸貨區面前。

雖然還沒議價卸貨，負責驗收的嗶嗶哥必須先幫茶販子過磅秤重，但只見他面有難色地來到薏心旁邊悄悄地說著：

「最近來賣黃柑種茶菁的越來越少，今天只有百來斤，而且價錢一天比一天還要硬，怎麼辦？」

忙著炒菁的山妹放下工作跑出來檢查上門兜售的茶菁，看了一眼稀稀疏疏的茶販車隊，臉色立刻鐵青起來。

「唉唷，越來越少，這樣下去會趕不及下個禮拜交貨的。」林經理也擔心起來。

「按照我們炒菁的步留與速度，所以我們的報價……」山妹提醒薏心。

大家看著薏心等著她開出報價，薏心牙一咬喊出：「一斤兩塊四毛錢。」這已經是兩個禮拜以來第五度抬價了。

和薏心老早就簽訂一斤八毛錢的范頭家聽到已經漲了三倍，唉聲嘆氣大罵薏心坑人，一邊下貨一邊罵著不堪入耳的髒話。

薏心抬高價錢的用意在於，剩下幾十萬斤的茶菁收購，小虧一些也無妨，重點在於能否準時交貨給協和，否則賠償起來會虧越多，讓整個北非綠茶的工作前功盡棄。

聽到兩塊四毛報價的茶販收起茶袋轉身就要離開，林經理大喊著：

「太田叔！良叔！有話好商量，大老遠把茶菁載過來，何必說走就走呢？」

太田叔跳上小貨車發動引擎笑著說：「別人國華公司已經喊出來，日光開價多少，他們就加一毛錢收。」

薏心陪笑著說：「太田叔！這麼多年的交情了，為了一角錢就要走了！」

太田叔拉下臉不客氣地指著薏心罵著：「大倒市時，你的茶人的宿命也是這樣，新社長！」說完後頭也不回地驅車離去。

其他茶販趕著牛車，推著板車跟在太田叔車子後面揚長而去，只留下飛揚的塵土和依然咒罵個不停的范頭家。

薏心打量范頭家送來的茶：「范頭家！你今天送來的茶菁好像也變少了，別忘了你有打手印白紙黑字！」

范頭家委屈地說：「我也收不到黃柑種，這幾天的茶都是自家茶園趕出來給妳的，早知道妳這麼會坑人，哼！」

「那夭壽的『國華』倒底是哪裡跑出來的，一直跟我們搶茶菁。」嗶嗶哥氣憤不平。

消息最靈通的莫打回答：「聽說是幾個原來在大稻埕混的小茶猴，捧著現金到處在桃園新竹收黃柑種。」

薏心與林經理聽到國華公司四個字，知道大勢不妙了。

「還缺多少？」薏心問著。

「還差一百萬斤茶菁！」山妹回答著，這個缺口比剛接單時估計的五十萬斤還要大，一來是因為范頭家送來的量不太夠，二來是因為炒菁技巧不熟練造成茶菁耗損率提高，第三是因為新一季的茶菁大多被國華搶走。

「怎麼辦？」薏心進入日光工作後第一次感到心慌。

「這條路是我們自己走出來的，只要知道往哪裡走，路就會自然出現，放心啦！」不知道什麼時候出現在茶廠門口的吉桑，抽著菸斗看著門口的道路盡頭，安慰著大家。

話剛講完，果然如吉桑預料，兩部印著國華公司字樣的大卡車緩緩駛進日光門口，嗶嗶哥訝異地吹了一聲口哨：「是誰的車，載這麼多茶菁？」

抬頭望去，只見文貴穿著那套海軍藍色西裝從駕駛座旁邊慢慢下車，從容地整理衣領，車上跳下來好幾位年輕茶猴，大家訝異地看著文貴出現，尤其是范頭家。

文貴命令開車的小楊與球仔：「下茶菁準備秤重驗貨！」文貴畢恭畢敬地遞上名片給吉桑。

「原來是文貴！混的不錯，國華公司綠茶專員！」吉桑露出愛才的模樣稱讚著。

文貴走向磅秤，熟練地抬了一袋茶上臺秤。

「張小姐，現在茶真的很難做，是不是？」文貴明知故問。

不知道文貴來意的薏心忍不住開口問：「文貴……嗯應該稱范專員……」

「做生意一定要控制好成本，做北非綠茶，一斤超過兩塊錢會賠錢！」文貴秤著茶菁的手一直沒停著。

「但在這個節骨眼上，妳已經顧不了價格了，對吧？」文貴字字句句都像一根根針刺著薏心，薏心盯著文貴卻不能否認。

「文貴，你有屁快放，別在那邊胡言亂語。」在旁邊聽得火冒三丈的嗶嗶哥忍不住。

「我是來幫吉桑與日光一個忙，知道日光最近要收黃柑種，我和公司的同事三天三夜不眠不休到處收了五十萬斤的茶菁來幫你們度過難關。」

薏心終於明白文貴來意，二人對望著，文貴看出薏心眼中的渴望。

「你要賣多少？」知道來者不善，薏心還是得問。

「妳如果有興趣，這五十萬斤茶我借[17]妳，一斤算妳五塊，若是妳不想借，我們國華公司就直接到大稻埕賣給協和洋行。」

范頭家聽到文貴開五塊錢的賣價，又想到自己賤賣八毛錢，氣得連自己兒子都咒罵下去。

薏心陷入兩難抉擇，這時，吉桑哈哈大笑起來：

「借！文貴！算你風神！」

薏心看著吉桑想打斷父親的話：

「一斤五塊，五十萬斤是兩百五十萬元，我們會……」薏心沒出說口的是「慘賠」兩字。

見薏心難過與憤怒的模樣，文貴露出羞愧的表情，但馬上掩飾起來：「不會慘賠啦！日光早就用低價收了我父親幾百萬斤的低價毛茶，又可省下大筆賠償費，抓長補短還不至於賠什麼錢啦！」

聽到賠償三個字，老練的吉桑聯想到前一陣子來公司查稅的官員嘴臉。

17 茶廠同業之間的買賣通稱借。

「兩百五十萬元！借啦！做生意維持信用最重要，對不對，文貴、范頭家？」知道自己淪為底牌被對手摸的一清二楚的賭徒，吉桑除了認輸已經沒有退路。

吉桑走到文貴面前，伸出手幫文貴整理西裝領口：

「我看你日子過得不錯，男人在外要懂得穿好吃好。」

吉桑走到氣憤難消的薏心耳旁悄悄地說了句：「臺灣人做生意第一要緊事：民不與官鬥！」說完後頭也不回地走進辦公室。

文貴靠近范頭家耳朵旁悄悄地問：

「阿爸，你覺得我現在成材了嗎？」

范頭家看著眼前這個自己都認不太出來的兒子咒罵起來：

「夭壽！你要高價收也不事先告訴我一聲，害我幾百萬斤的茶葉賤賣給外人。」

文貴對著范頭家搖搖頭，環顧四周，所有人都瞪著眼睛看他，知道自己在張家已經不受歡迎，對著卡車向所有帶來的工人威風地大喊：

「下貨！」

光彩被搶走的詹祕書，心不甘情不願地在國華公司辦公室倒著香檳塔，黃董端起第一杯給文貴，對著公司上下一百多人稱讚：

「公司沒看錯人，范專員幾天內一轉手就達成這個月幾百萬的業績。」

「要學習的地方還很多，請大家多多指教。」文貴謙虛地說著。

「客氣！這次你幫公司立下大功，大家要向他多多效法。」黃董誇著文貴眼睛卻盯著詹祕書看。

「范專員太厲害了，買賣轉個手就賺到大把鈔票。」

「一下子就找到幾十家茶農茶廠替我們製茶，還賺了不少賣機器的錢。」

聽著歌功頌德，文貴有點不是滋味，他手握香檳杯一口都沒喝，這些利潤是藉由傷害日光才賺到的，對日光始終有份感情的他，只能找藉口安慰自己，這些事情就算不是文貴自己來做，總會有其他人會做，想通這些環節，略感釋懷的文貴舉起酒杯對公司同事一一回敬。

12

雖然從國華公司那邊收到足夠出貨的茶菁數量，但問題卻是接踵而來。

晚上十一點多，負責製作綠茶的北埔廠與附近的北埔口精製廠燈火通明連夜趕工，其他幾個茶廠的茶師茶工技工都調來北埔支援炒菁工作。

咣噹一聲，負責機器修理的莫打雙手一攤，急忙跟薏心報告：

「小姐，這已經是三天以來第五臺壞掉的機器。」

「我的天公伯啊！怎麼在這個時候又壞掉？什麼爛機器，和榮鐵工廠的矮子李還拍胸脯保證。」薏心氣得連講話都不加修飾。

已經三天不曾闔眼，忙著修機器的莫打無奈的說：「機器連續十幾天都沒停，機器跟人一樣要休息。」

思緒很快的薏心想到一招：「先去和榮鐵工廠調借幾臺揉捻機來，我們日光卡車好幾部，連夜過去載機器。」

忙到焦頭爛耳的林經理搖搖頭說：「我剛剛已經打電話去問矮子李，他說他剩下的機器都已經被國華公司訂走了，最快要等半年才有新機器。」

「再過幾天就要交貨，山妹，妳算算看，剩下的機器加上所有會做茶的師傅都來揉捻炒菁，多久能把協和的貨趕出來？」薏心提出問題。

山妹老早就心算好多遍，她立刻回答：「按照現有的機器與人工，拚到交貨期，我們還會短缺五萬磅，這個時候最好的方法就是去拜託協和，多給我們一個星期的交貨寬限期……」

林經理立刻否決：「跟外國洋行簽契約，一是一，二是二，根本沒有商量的餘地，我們要有賠款的心理準備。」

薏心嘆了口氣，「說的也是，第一次接單就遲交，以後就沒有信用了。」

「兩百萬磅！最後小小的五萬磅！唉！為什麼這麼難？」薏心的信心有點動搖，為什麼做生意總會面臨一道又一道料想不到的難關。

山妹看著一分鐘四十五轉的望月揉捻機，一下子掐起指頭算老半天，一下子調整機器、測量著揉捻過後的毛茶重量，自言自語起來：

「除非……」

薏心、林經理、莫打等人好像找到救星般看著一臉呆滯的山妹。

「除非減少揉捻次數，三回變一回，可以省下一些時間。」

「這樣行得通嗎？」薏心燃起一線希望。

「只是茶的形狀會跑掉，賣相不好。」山妹有點心虛。

「現在管不了賣相了，就這麼做吧！」薏心與山妹取得共識。

「絕對不行！」跑來檢查機器的吉桑聽到後大聲否決，氣呼呼地瞪著薏心。

「該揉捻三次，就三次，一次也不能少！妳身為日光總茶師可以這樣亂來嗎？」

山妹慚愧地低下頭默默接受吉桑的斥責。

「PAPA不這麼做，我們會來不及……」薏心辯解。

「這是偷工減料，第一次合作就偷工減料，妳的信用到底值多少錢？」

「第一次合作就不能如期交貨，不是也有失誠信？」

氣呼呼的父女兩人互不相讓，吉桑氣憤又無奈地看著薏心，薏心也擺出不服輸的倔強態度。

「揉捻三次就三次，一次也不能少，誰偷工減料，明天就不要來公司上班，包括薏心妳。」吉桑第一次在薏心面前撂下如此決絕的狠話。

感到委屈的薏心哇一聲哭出來，轉身就跑出茶廠回辦公室，不知不覺地走到懷特公司辦公室門口，擦乾眼淚後發現裡頭的燈還亮著。

難得發脾氣的吉桑，會大發雷霆的原因不光只是綠茶出不了貨的困擾，就在同一天的下午，張醫師緊急通知吉桑與ＫＫ，中毒的烏面叔病情突然惡化。

濟陽醫院病房內，烏面叔正在接受靜脈注射治療，吉桑與ＫＫ一起去探視，阿榮端著燉煮的雞湯慢慢餵著烏面叔，早就康復痊癒的烏子在床榻邊擦拭著父親的口水，氣喘吁吁的烏面叔不捨地看著烏子，似乎對自己病情早就心裡有數。

烏面叔手裡握著一張紙，此時張醫師神情沮喪地把吉桑與ＫＫ叫到門外：「烏面叔要轉診到臺大醫院，臺大的救護車等一下會過來把人載走。」

「大醫院的設備比較好，對烏面叔的病情會有幫助吧！」KK不解

「以烏面叔現在這個情況，不適合長途顛簸，我真的不敢想像，萬一……」張醫師不贊成上頭的做法。

「這怎麼成！」吉桑不太高興

「這是縣府衛生處長親自下命令，我沒有權力拒絕。」張醫師低著頭。

三個人同時嘆了氣。

烏面叔比著床頭的茶罐喘著氣賣力地說：「大家講我的茶最有味，就怕以後會喝不到了……」

「胡亂講話，不吉利！」吉桑打斷烏面叔

烏面叔打開手上的紙，上面畫著自己茶園的地圖，對著烏子好像在交代遺言：

「最上面那塊排水最好，先幫我過茶秧，以後記得幫我種回來。」

吉桑看著烏子點著頭，他難過地說：「這種事情，怎麼能叫一個小孩去做呢！我們不是講好，要讓你的茶園再綠起來嗎？」

「歹勢，社長，我恐怕是難了。」

「現在轉去大醫院，他就可以好起來。」KK突然冒出這句話，大家看著KK

「烏面，日光化肥廠可不可以做下去，就全要靠你了，萬一你有三長兩短，工廠會被迫停工，你的茶園就沒有肥可以澆了。」KK實話實說

吉桑與張醫師很快就了解KK講這些話的用意。

「啊，什麼意思？我沒有這麼重要啦！」烏面叔不解其意。

「有！烏面，你真的很重要，萬一你死掉，大家就會誣賴我吉桑用肥料毒死你，為了我，你一定要撐下去。」吉桑順著KK的話半威脅半鼓勵對烏面叔講話。

烏面叔滿臉歉意：「歹勢啦……我……」

KK接過阿榮手上的雞湯親自餵烏面叔喝：「您要趕快好起來！我還沒喝過你做的茶呢！」

一講到茶，烏面叔恢復精神驕傲地回答：「對！你還沒喝過我的茶！別的本事我沒有，我一定讓劉經理喝到我種的茶！沒那麼快死！」

烏面叔指著窗外的夕陽：「我的茶就像快下山的日頭，跟黃金一樣漂亮！真美！」

救護車的鳴聲漸漸遠離，車上的烏面叔，滿足地看著夕陽，眼睛慢慢闔上。

折騰了大半夜，回到辦公室的KK，呆坐在茶几前看著烏面叔生前手繪的茶園地圖發呆，好久才發現站在面前的薏心。

「妳進來多久了？」KK眼睛滿滿血絲，很是嚇人。

「不記得了！」心亂如麻的薏心也同樣心不在焉。

「烏面叔走了，我和妳爸爸晚上才去送他最後一程。」KK也想找人講話。

「什麼！」烏面叔看著薏心長大，聽到噩耗，薏心痛哭失聲，不捨、委屈、憤怒與無助一股腦宣洩在KK的肩頭上。

「為什麼這麼難？為什麼會這樣？你告訴我為什麼？」薏心語無倫次地哽咽著，好不容易恢復情緒，薏心才把做北非綠茶所遭遇的困難講給KK聽。

KK沒有回答任何話，只打開抽屜從方糖盒子取出一塊糖，丟到薏心的嘴裡：「學學北非人，他們不快樂的時候就會吃糖。」

滿嘴是糖的薏心講不出話，只能眨著眼睛看著ＫＫ。

「糖，是大腦唯一的燃料，你越焦慮、心煩意亂，大腦就越需要糖，因為糖可以釋放……」

「哈哈！你不要再講那套什麼化學分析公式了啊！」不知道是糖的甜蜜還是ＫＫ太過正經嚴肅，薏心被逗得哈哈大笑。

「我說吃顆糖有效吧！別小看我們學化學的。」ＫＫ得意的模樣，又逗得薏心笑起來。

ＫＫ指著煤油燈說：「我們常被小小的亮點沖昏了頭，其實都忽略了周遭的黑暗。」

薏心想了一會回答：「你的意思是我們往往會過於樂觀？」

ＫＫ點了點頭繼續說：「當黑暗來臨時，又往往會被黑暗吞噬，而忽略了身邊可以依靠的亮點。」

「可以依靠的亮點？」

「妳既然從來沒做過綠茶，怎麼會知道什麼是可以？什麼是不可以呢？」ＫＫ的話讓薏心越聽越迷茫。

「簡單地說，誰教你做綠茶，妳就直接去問他，我一個局外人，不認為妳的煩惱有妳自己想像的那麼巨大。」

薏心想了一會終於想通，她高興地一把抱著ＫＫ說：「你說的對！穆老是帶我進綠茶世界的師傅，是綠茶大王又是協和的顧問，我不去問他，只會一個人偷偷哭，笨死了。」

「看起來我也該吃顆糖。」ＫＫ剛說完，薏心也抓起一顆糖丟進他的嘴裡。

「我想知道，你為什麼也想要吃糖？」薏心問起。

「我不明白我們生產的肥料，為什麼一定要透過農會賣？我不明白為什麼政府一直要把手伸進化肥廠？我不明白那麼多人需要化肥，為什麼農會寧可囤積起來也不賣出去給需要的農民？」KK一口氣說出悶在心中許久的委屈。

薏心聽完後學著KK的口吻回答：「我一個局外人，不認為你的煩惱有你自己想像的那麼巨大。」

「我是認真跟妳說話，妳別胡鬧好不好？」KK有點不太高興。

「你的問題很簡單，太過認真執著以致於擋人財路，送你五個字當做你請我吃糖的回禮。」薏心有模有樣學著KK的嚴肅。

「哪五個字？」

「民不與官鬥！」薏心現學現賣。

13

很顯然地，孤傲的KK沒有聽懂薏心的善意提醒，始終認為問題只是出在農民對使用化肥的知識不足，他想繞過政治，卻不知道政治根本是繞不過的。

KK站在農會教習室的講臺，黑板上寫著「化學肥料教育運動義務指導班」，臺下坐著三十幾位「種子農民」，這些農民是KK所找的一群比較年輕的北埔務農鄉親，事先發給幾包免費化肥讓他們試用，然後各自將使用的心得在教室內分享，或者藉課堂來提出使用上的各種疑難雜症，比較年輕的農夫對新鮮事物的接受度比較高，課堂上每個「種子農民」爭相發言提問。

「為什麼我把肥放下去，根頭都變黑？」

「你太急了，不能直接施肥下去，要堆個幾天才可以用。」

「我的皮膚碰到肥後就一直癢？」

「黑肥有刺激性，不能直接碰，一定要戴手套，戴口罩。」KK講完後發給每人一條藥膏：「拿回家擦個幾天就不癢了，如果還會癢記得去看醫生。」

「又要先堆肥又得很小心，用化肥會不會太麻煩？」

「黑肥可以先殺蟲，再變肥，是長效性的氮肥，知道肥性如何轉化，以後就不用看天吃飯！」

幾位農夫眼神發亮：「可以除蟲，還不用看天吃飯？劉經理，你講是真的嗎？」

「當然是真的！只要正確小心使用，就可以在自己的地上當家做主。」

此時王瑛川也來到現場採訪，拿著小本子勤做筆記，還帶了攝影記者現場拍照。

講到化肥，KK的話匣子就停不下來：「在座受訓的種子農友回去後，請記得把用肥需知教會親戚鄰居朋友，一個教兩個，兩個教四個，我們新竹的農地就會一點一滴肥沃起來。」

「劉經理讚啦！大家作夥來當種子農民，自己的田自己顧！」學員高興地稱讚KK。

「可是，什麼時候才可以買到化肥？」一個年紀比較大的茶農舉手吞吞吐吐地發問，KK認出是隔壁峨眉鄉的茶猴小范。

「各位請耐心多等一段期間，我們中美日光化肥公司做事情一向謹慎，要先教會農友，確保不會再發生烏面叔中毒的悲劇。大家積極參與，是我們所樂見的，日光化肥廠樂意做農民的靠山，請農民朋友做土地的靠山。」KK慷慨激昂卻言不由衷。

「聽說是上面官府不准賣化肥！」小范說出這句話讓當場農民氣炸了

「我也聽說了，以前肥料不夠說什麼以穀換肥，現在農會倉庫堆到滿出來，卻擺在裡頭不給我們農民使用。」

幾個看過農會倉庫的農友學員附和著。

「這麼好的東西為什麼不給農民？官府眼裡還有我們嗎？」小范加油添醋。

「太過分啦！」

「農人命賤啦！」

原本站在教室門口監看這一切的陳專員，露出冷笑後匆忙離去。

採訪中的王瑛川感覺到事情有點不太對勁。

果然，沒多久教室門口就出現由陳專員帶來的三個警察和一位身穿中山裝的國字臉男子，眼尖的王瑛川認出國字臉男子是調查局新竹調查站的人。

講到一半的KK看著門口的警察突然頓住了，現場人心惶惶。

KK對著臺下的王瑛川使了個眼色，王瑛川馬上意會，趁沒人注意溜出去打公共電話。

忙了整晚烏面叔的後事，回茶廠又發了頓脾氣的吉桑，疲憊的他一覺睡到快中午，想到綠茶出貨不順，連飯也沒吃直接去茶廠上班，睡得更少的薏心和山妹二人看見吉桑，二人有點緊張。

「沒關係啦！」吉桑還以為兩人還糾結在昨晚的過失。

「PAPA！你看！」薏心指著站在茶廠門口的四個官員與一個警察，這些人一大早就來到日光門口，礙於吉桑是茶葉公會理事長的身分，直到吉桑出現才表明來意。

「社長，我是農林廳的茶葉檢查員，抱歉，我們奉命來查封茶廠。」

所有人聽到查封兩字，整座工廠除了機器聲外完全鴉雀無聲。

吉桑硬是擠出笑容問著檢查員：

「為什麼封？我們犯了什麼法？」

「違反『臺灣省肥料配銷辦法』，讓未經核可的肥料流入市面。」

「那是化肥廠的事，為什麼查封茶廠？」薏心覺得很莫名其妙。

「張先生是化肥廠董事長，在事情沒釐清前，所有東西都要封存。」檢查員其實也是很心虛。

幾個官員和警察準備著拉起封條的動作對吉桑說：「為了配合調查，在結果出來之前，日光茶廠將斷電、停工。」

薏心很吃驚，但很快恢復鎮定指出不合理的地方問起：「化肥廠的事，反倒要茶廠斷電停工，要封也應該是封化肥廠吧？」

從化肥廠來茶廠支援加班的捲毛小聲地說：「他們早上去過化肥廠，看到大老闆迪克與幾個美國工程師，不敢封才跑來這裡的。」

聽到捲毛的提醒，機警的山妹趕緊溜到辦公室打電話。

薏心的質問讓小官員啞口無言，幾個官員聚在角落竊竊私語商量整件事情該如何處理，現場的人都停下手邊工作不知所措。

吉桑大聲安撫茶廠員工說：「大家繼續趕工不要停，官府這邊只要解釋清楚就沒事了。」

「不能斷電！」薏心很堅持。

「妳有意見？」

「要是斷電，在機器裡的茶都會發酵，這一批茶會全部報銷。」

「這不是我的問題。」檢查員面無表情。

「What happened?」遠遠就傳來一句英文，原來是山妹的一通電話把歐文叫來了。

「化肥是我做的，有事情來問我！」歐文大聲喊著。

檢查員看到美國人，一時之間慌了手腳：「請社長務必配合，我們只是聽上面指示奉命行事的小官。」

「奉什麼命？奉誰的命？」聽對方語氣放軟，吉桑直接問。

「上面，很上面的上面，上面是說要我們來帶社長去警察局，如果帶不走，至少也要查封茶廠，我們小官哪敢帶社長走，所以希望您配合封上封條，說不定……」檢查員的語氣聽得出來，他們也不想蹚渾水，只好避重就輕處理。

「長官，既然是化肥廠的問題，我是合夥人，跟你走沒問題，但日光茶廠跟化肥廠沒有關係，封我茶廠，就太失公道！」沒想到吉桑選擇自己被抓也要茶廠繼續趕工。

「PAPA ？」

「我跟您走就是了，別封我茶廠。」吉桑對著警察說。

所有人包括歐文都瞪著這群官員，為了不犯眾怒，警察不敢拿出手銬，很客氣地請吉桑上警車，檢查員只好撤掉已經封到一半的封條。

吉桑想講話安慰薏心，只能擠出一絲笑容：「唉，不用擔心！」

薏心與林經理見無計可施，交代山妹等人繼續趕工，便跟著警車到派出所，沒想到吉桑一下車，雙手就被手銬銬起來。

嚥不下這口氣的薏心，動手拉住銬吉桑手銬的警察大喊：「這一切都是栽贓！」

警察一心急，動手反扣住薏心雙臂，倔強的薏心忍住疼痛不吭半聲。

「細妹！什麼栽贓？你爸爸是日光化肥廠的股東，一切都是依法處理……」警察咆哮著。

「依那條法律？」

警察其實也搞不清楚。

「讓我告訴你們，『臺灣省肥料配銷辦法』是行政命令，沒有罰則，所以你們根本不能亂抓人。」不死心的薏心想搬出法條跟官員繼續周旋下去。

被薏心糾纏的檢查員情急之下脫口而出：「就是有人要妳爸爸到裡面好好反省！」

林經理按住薏心的嘴巴暗示別再開口，然後笑了笑拿出幾罐茶葉分別交給警察與檢查員：「大人辛苦！來茶廠什麼都沒有，只有上等茶葉，其他幾罐就麻煩轉交給上頭長官。」

內行的警察看到茶葉罐後有默契地對林經理客氣笑著：「謝謝啦！我保證張社長在裡面吃好睡好，比家裡還舒適。」收下茶罐打開手銬的動作一氣呵成。

此時警察局門口傳來另一陣吵雜聲，原來是KK，後面還跟著幾位警察與官員，薏心看見KK，緊繃的情緒總算鬆了口氣，彷彿只要KK出現，一切都會沒事：「太好了！謝謝你趕過來救我爸爸！」

KK面色驚訝，對著薏心苦笑：「吉桑也在這裡？」。

KK從農會教室直接被押到警察局，連講師名牌都還掛在衣領上來不及拔下來，用西裝外套遮住被銬住的雙手，樣子比吉桑還要狼狽難堪。

發現KK被上了手銬，薏心大吃一驚：「怎麼回事？」

押解他的警察大聲斥喝：「別亂問，否則把妳當同謀抓起來。」

「應該是烏面叔過世的事情吧！」KK猜測著。

KK被押到拘留所門口桌上畫押，十個指頭塗滿黑油按下指紋，KK趁警察吹乾油墨的空檔交代薏心：「請妳幫我通知歐文跟阿雪，他們就知道該怎麼做了！」

「阿雪？」薏心聽不懂

「就是夏慕雪，請妳立刻通知她。」

「聊天啊！要不幫兩位泡杯茶啊，一起關進去慢慢聊，快滾！」警察拿起警棍作勢威嚇賴著不走的薏心。

臺灣閩南人對人加個阿字稱呼，多半是極為親近熟識的人，聽到KK口中的阿雪稱呼，薏心心頭一酸，失魂落魄地站在警察局門口。

「大小姐！林經理！」阿榮滿身是汗地從公司趕到警局。

「山妹有急事要我轉告，北非綠茶出貨有大麻煩了！」

「我們日光是招誰惹誰了！」薏心氣得揮著拳頭用力打警局招牌，林經理一把拉走憤怒的薏心。

「走！在警察局門口乾著急沒用，回公司再做打算。」

第八章

1

「劉坤凱，手舉高。」警察搜著KK的身體，檢查是否藏匿危險物品，打量著KK全身行頭，看到名牌旁有一精美的白金別針，順手扯下占為己有。

KK冷眼盯著警察，作賊心虛的警察舉起警棍朝KK的手臂敲了一記，KK冷笑了一聲：「只有這招嗎？我在集中營當守衛時比你強多了，要打就要打腰窩，」還指著自己腰窩的位置示範給警察看，說完後毫無畏懼地走進拘留室。

被囚禁的KK本能地環顧四周，牆上印著大大的標語：「保密防諜人人有責」、「效忠領袖奉行三民主義」等政治標語。

隔壁囚室傳來熟悉的聲音：「KK！是你嗎？」

KK走到牆邊回答：「社長！你也進來啦！」牆壁隔音很差，小聲講話也能清楚傳到隔壁囚室。

吉桑靠著牆問：「你怎麼也被關進來？」

「應該是烏面叔過世的事情！我已經安排烏子的住處，等我出去後會安頓好。」

「很好！你做事很細心。」

「化肥廠連累到您，實在抱歉。」

「化肥大王不是這麼好做！隔行如隔山，算是自己學點教訓。」

「我會跟懷特公司通報，彌補您財務上的損失。」KK也伸出雙手做出道歉的抱拳手勢。

「沒要緊！你對化肥廠很用心，我很看好你！」吉桑把手伸出鐵窗搖搖手表示並不怪罪。惹出這麼多事情，吉桑對他的信心依然絲毫不減，KK眼眶泛紅。

「謝謝社長錯愛，我一定會想辦法讓化肥廠繼續營運下去，不讓您和北埔鄉親失望！」

吉桑笑了笑，伸出手遞出一根香菸丟到KK囚室鐵窗門口：「抽口菸輕鬆點，別那麼拘束！明天就會被放出去了。」既然只是有人想警告，重點在於妥協的程度，對方如果做得太絕，以後就沒有妥協討價還價的空間，吉桑一點都不擔心。

身處囚室對KK來說是家常便飯，與俘虜營的牢房相比，這裡有草蓆可睡，有香菸可抽，還可以跟隔壁獄友聊天，簡直是豪華大旅社。

吉桑清了清喉嚨突然結巴起來：「有件事情，嗯……我想了好久，也看了一段日子了，想知道劉坤凱先生，你的想法是……」

KK聽吉桑如此盛重，緊緊靠著牆邊怕漏聽一字半語：

「是！社長！只要你交辦！我一定盡全力……」

吉桑笑了笑：「這種事情不必盡全力啦！」

笑了兩聲後嘆了口氣輕聲說下去：「關在這裡，明天會怎麼都不曉得，就好像烏面突然走了留下孤苦的烏子，萬一，如果我有萬一，你可不可以來幫我家的薏心！」吉桑先用幫忙兩個字來試探。

「好啊！沒問題！」KK心想在工作上幫薏心不就等同幫自己。

吉桑聽到KK答應，整個人精神抖擻起來：

「我觀察你和薏心很久了，很多事情我都看在眼裡，不便多說，而且我看你也是個人才，換成是別人，身為父親的我早就打斷他的狗腿了，你自己也有女兒，懂吧！」

KK越聽越感到莫名其妙。

「社長！你不要亂想，我不是故意的。」KK回答的有點語無倫次。

吉桑喜孜孜地回答：「是故意的也沒關係，我在這裡就把薏心許配給你了，我知道你比較洋派，婚禮要怎麼辦隨你們年輕人歡喜，記得通知我這個老丈人就好，我希望女婿入贅進來。」

「啊？入贅？」

「我知道你們河洛人不喜歡入贅，這件事情我也沒意見，在這種場合跟你提這種事，要是我真的出不去，至少薏心有人照顧。」吉桑以為KK只是不願入贅，放低姿態。

KK看不到隔壁吉桑的表情，但可以從鐵窗看到吉桑的手在囚室窗前高興揮舞，KK有些猶豫，他想起了薏心的美麗，薏心的年輕，還有最吸引自己的是薏心身上那股朝氣。

回過神來，KK提點自己，一言一語都不能加深吉桑的誤會：「等一下！等一下！社長！承蒙您看得起，要我幫忙可以，但是，但是，我可能配不上薏心！」

「哈！哪有誰配得上配不上？我家薏心都被退婚兩次了！」吉桑乾笑了兩聲。

「我才不在乎！」KK脫口而出，赫然又發現自己說錯話了，趕快岔開話題：

「社長，我不適合做家族企業。」

「KK！幫美國人做事，永遠是替人打工，如果你願意到日光，就是自己做頭家呢！」吉桑提醒。

「謝謝社長好意，現在我只想讓化肥廠走上軌道。」

「哈哈！日光是化肥廠最大民營股東，我也是社長，幫化肥廠就等於是幫日光，話說回來，茶葉還是我們的老本行，哪一天，你化肥廠上軌道了或者做膩了，能不能來日光幫忙？你懂英文，有商業頭腦，可以把日光帶到世界的舞臺，薏心她一個小女孩，還是別在外拋頭露面。」

「薏心有點任性霸道，但我看得出來她對你可說是言聽計從，你主外、她主內……哈哈哈。」吉桑開心地忘了自己身處囚牢中。

「張社長，小聲點，你睡不著可別吵我睡覺啊！」事先收了林經理的「茶葉罐」關照的值班警察，對吉桑相當客氣。

「社長，你可能認為我不識抬舉，但結婚跟到日光做事，是兩件事情。」

「全臺灣哪家公司不是這樣做，一家人同在一起為共同目標奮鬥，有什麼不對？」吉桑不明白。

「以後的世界不是這樣，像美國洛克斐勒、可口可樂，這些大公司，他們的創辦人並沒有把公司交給他們的後代，而是聘請專業的經理人來經營。」KK解釋著自己理念

「什麼世界潮流，這根本就是日本浪人，亂來！」吉桑開始對東扯西扯的KK感到不耐煩：「我不管什麼美國公司還是日本浪人，一句話，你喜歡我們家薏心嗎？」

KK答不出來，也不知道怎麼回答，這世界上的標準答案有很多種，一種是別人的標準答案，一種是自己的標準答案，人生的考題，答案通常只是簡單的要與不要，但多數人耗盡一生也解答不出。

隔壁再也沒傳來聲音，吉桑也不急著等答案。

同樣是囚室，KK睡在印緬邊界環境惡劣的牢房還能一覺到天明，今晚卻是輾轉難眠。

第二天警察送來早餐，KK只有一顆白饅頭，吉桑則是吃著阿榮送過來，春姨一大清晨就準備的白粥、九層塔炒蛋、回鍋肉和一壺熱紅茶。

兩人隔著牆背對背吃著早餐，ＫＫ先開口打破沉默：

「對不起，社長，我沒辦法給張小姐幸福。」

滿懷希望整夜好眠的吉桑「啊」了一聲，氣惱地放下碗筷，用力敲著寫著「奉行三民主義」的牆面，懊悔自己為什麼不先試探清楚再提出。

反正隔著牆，也顧不上面子問題，吉桑嘆了口氣徹底對ＫＫ交心：「這種事，女孩子家總是不好開口，我看得出來，薏心和你兩個人都彼此喜歡對方，我做父親的，就代她問了，日光跟薏心比起來，我更希望薏心有個好歸宿，我也認為你是一個值得託付的人！你不想接日光的事業，無要緊啦，做父親的人講話講到這種地步。」

「社長，您別這麼說！您知道我有個六歲女兒。」

「你有女兒又怎麼樣！我和我的父親盛文公，盛文公和他的父親，我們三代之間統統沒有血緣關係，還不是成為一家人？ＫＫ，你要站在有女兒的父親的角度去考慮，能不能給女兒一個完整的家？溫暖的家？不能當個我行我素的自私浪人。」

「社長，給我一點時間考慮！」吉桑這番話讓ＫＫ啞口無言。

2

慌張的山妹對著緊急趕回茶廠的薏心報告：

「剩下兩天就要交貨，莫打勉強修了兩臺揉捻機，連峨眉廠與橫山廠的幾個茶工都已經調過來用手工趕工，照這種速度，可能還缺兩萬磅。」

上百名工人們各個面露倦容苦撐著，春姨和順妹穿梭其間分送薯餅點心，家裡的長工如團魚等也來幫忙秤重包裝，莫打蹲在地上修理因過熱而損壞的圓筒式殺菁機，嗶嗶哥一邊製茶、一邊還要指導從外廠調來支援的茶工。

莫打趴在地上對幫忙抬機器的林經理吼著：「你沒吃飯，扛高一點！」用盡力氣的林經理苦不堪言。

「我來抬！」山妹自告奮勇

「山妹？你行嗎？這玩意少說百斤！」莫打已經快摸到裡面的鐵鍊。

賭性堅強的嗶嗶哥聽了大喊：「我賭山妹抬得起來，一塊錢！」才剛說完，身材瘦小的山妹居然把殺菁機抬起來，莫打趁機器抬高的間隙伸手進去檢查鐵鏈哎呀一聲：「唉！整條斷成三截，沒救了！」

「這幾部機器如果修不好，怎麼趕都趕不出來。」山妹失望極了。

不想就此放棄的薏心，抬頭看著皎潔的星空想起昨晚ＫＫ對她說的話：

「誰教妳做綠茶，妳就直接去問他。」腦中突然閃過一個念頭，對著林經理與阿榮大喊：「去街上的吳記米店買糯米。」

「糯米？」所有人狐疑地看著薏心。

「這個時候？」林經理看著手錶指著晚上十一點。

「不管，直接敲門進去，有多少買多少？」薏心轉頭吩咐春姨：

「把家裡還有鄰居的磨米機統統借過來，有幾臺就搬幾臺。」

山妹停下工作問起：「大小姐，妳是想用穆老教的方法？」一起去上過課的山妹有點遲疑：

「摻糯米粉在綠茶上頭，妥當嗎？」

「既然是穆老教過的，他又是綠茶大王，他這麼說我們就這麼做，我們沒錢可賠啊！剩下三天，能夠準時交貨最重要！」薏心顧不了那麼多了。

「這也是沒有辦法中的辨法了，摻了糯米粉可以增加重量，也能讓毛茶更快成型。」

茶廠外牆牆邊擺著幾十部磨米機，阿榮與林經理很快地買來一千多斤糯米，春姨、順妹連米店老闆一家人都忙著磨米，米漿汁不斷流出，阿榮與團魚忙著將一桶桶的糯米粉搬到揉捻機旁，所有人圍著山妹看她示範，現學現做，把還沒成型的幾萬磅毛茶加入糯米粉一起揉捻，果然如穆老所教的，毛茶很快地製成圓珠狀，且重量也增加了兩三成。

林經理看到這一幕憂心重重，不準時交貨就得支付巨額賠款，但又不認同這種摻粉的行為，冷靜的他，天一亮就打電話給住在竹東旅館的穆老。

在工廠忙了一整夜，暫時解決出貨危機的薏心，整個心還是懸在被關在拘留所的父親，天還沒亮就去找邱議員想辦法營救。

邱議員是北埔地區選出來的民意代表，服務上牆上掛滿了「為民喉舌」、「為民服務」的匾額，有些還是吉桑的署名。

「薏心，你爸這件事情，我真的沒辦法，妳請回吧。」邱議員面有難色。

「邱叔叔，你每次選舉，我父親哪一次沒幫你，你真的眼睜睜看我父親去坐牢？」心急的薏心直接討起人情。

邱議員沒把薏心的失禮放在心上，低著頭默默不語，薏心很失望，點頭表示感謝離去，打算去臺北找懷特公司的迪克總經理幫忙。

邱議員看著薏心落寞身影，忍不住叫住她：「薏心，這件事，妳只能找你伯公出面。」

薏心回過頭看著邱議員，邱議員面有難色地說：「找他一定有用，吉桑的事情，事主就是伯公，還有，千萬不要告訴別人是我跟妳講的。」

薏心心情沉重地回到辦公室，交代阿榮送早餐給在拘留所的父親後，無意識地摸著父親最愛那盆五十年茶樹小盆栽的新芽，看著父親桌上整齊擺著的文具鋼筆，看看時間已經早上八點，正起身要去伯公的家，伯公本人卻主動來到張家走上樓找薏心。

伯公抽著菸站在窗邊看著茶廠，朝著化肥廠的方向吐了口菸說：

「福吉真的好風神，家大業大。」

接著一屁股坐在吉桑的辦公椅上：「妳不要急，這事伯公一定幫！」薏心不明白不請自來的伯公的用意。

「妳 PAPA 啊，都五十歲的人，還是那麼年輕氣盛啊，受點小教訓，受得受得！」

焦急的薏心根本不想聽伯公這些風涼話，但形勢比人強，薏心堆起笑臉：「伯公，你能不能幫忙把我 PAPA 救出來，我 PAPA 他不聽話，我聽話就是！」

伯公哈哈大笑：「走！去保妳的 PAPA 出來！」

拘留室走道傳來陣陣腳步聲，哐噹一聲，KK 的鐵門被打開。

「劉坤凱，你妻子來保你，你可以走了！」

KK 表情錯愕：「我的妻子？」

坐在隔壁囚房的吉桑聽見，放下吃到一半的早餐，靠著門口豎耳聆聽，聽到女人和警察交談的聲音以及女童叫喊著爸爸。

吉桑伸出頭賣力地從門口鐵條縫隙望去，只見KK牽著小女童，小女童另一手牽著一個女人，但吉桑卻只能看到女人的背影。

KK有點訝異地看著夏慕雪問起：「怎麼是妳來保釋我？」

「來接你回家，回家再說。」

聽到夏慕雪的話，又聽到解開手銬的聲音，吉桑氣得在牢房裡摔碗筷，想到昨晚自己一廂情願邀KK入贅的想法就越想越嘔，疲累地用雙手抹著臉，弄得自己滿臉又黑又髒。

KK回過神來想對吉桑解釋些什麼，警察卻催促著去辦交保手續，只好對著吉桑的牢門嘆了口氣。

警察對夏慕雪很恭敬，站在忙著簽保釋文件的夏慕雪的後面，連話都不敢多講一句。

沒多久，伯公也帶著薏心來派出所保釋吉桑，警察神神祕祕地用手摀著嘴打著電話請示生怕被人聽到，點點頭表示知情後便掛斷電話，警察很有默契地對伯公鞠躬致意說著：

「張先生，一切都沒問題，你可以帶人走了！」

伯公笑笑地對薏心說：「妳爸可以出來了，快去辦手續。」

此時警員剛好帶著已經辦好手續的KK領隨身物品，後面還跟著夏慕雪與月婷，正在簽文件的薏心見到眼前情景，眼淚不聽話地流了下來，心思細密的夏慕雪瞥見流著淚的薏心，敏感的她也只能嘆口氣，什麼話都不方便說。

「張小姐，簽這裡！」警察的催促打斷了兩個女人的對視，把薏心拉回現實。

ＫＫ看見吉桑也被保釋，鬆了口氣對吉桑微微一笑，帶著歉意，和女兒與夏慕雪走出派出所大門。派出所所有警察與所長站在門口列隊恭送ＫＫ離開，排場比對待伯公還要大，夏慕雪只對著警察們微笑回禮，和ＫＫ月婷跳上一部黑頭車揚長而去。

吉桑走出派出所看到黑頭車揚長而去，站在門口等阿榮把車開過來。

伯公開口了：「福吉啊！這兩天受罪了，來支菸，精神一下。」說完，將一支菸遞給吉桑，吉桑禮貌地表示：

「我不抽這種駱駝香菸！太苦了！」

伯公一愣，隨手把遞出去的洋菸丟在地上，但仍面帶微笑：

「少抽點好！看你滿臉黑油，在牢中沒辦法好好打理。」伯公掏出手帕想替吉桑擦拭臉上黑油。

「你啊！被關進去也沒來找我，還在跟我鬧脾氣啊，還好你有個聰明的女兒，懂得來求我幫忙。」

吉桑聽出言外之意，將伯公的手輕推開：「我自己擦就好。」擦著臉整整衣襟後問起來：「阿伯，您有什麼話就直說吧。」

冷笑了兩聲，伯公說：

「你那間小化肥廠最近問題挺多的，你又要搞綠茶，是不是考慮讓給比較有空的人去做？」

「我做那間化肥廠是為了北埔人的收成，怎樣我也要做下去！」吉桑沒料到伯公提的是化肥廠。

伯公警告：「你有這個心很好，不過，我們張家不想惹麻煩的事！」

吉桑把臉擦乾淨頂了回去：「我不知什麼是麻煩的事？我只想把好好地經營事業，讓張家世世代代子孫有飯可吃。」

伯公拍拍吉桑的肩膀表示嘉許，但滿臉不高興：「很好很好，我的面子只能賣一次，北非綠茶別再惹出什麼麻煩，別說我沒提醒你！」說完便與管家阿清離去，離去還特別回望了吉桑再交代一下：「交茶順利！」

上車後才發現薏心還站在警察局的門口遙望著KK離去的方向，吉桑嘆了口氣：「笨蛋！我們回家啦！」

被折騰幾天幾夜的林經理坐在前座呼呼大睡，開著車的阿榮從後照鏡看著不發一語的父女倆，絲毫沒有出獄的喜悅，隨著車子搖晃，薏心心情低落地看著窗外不斷流逝的景物，吉桑抽著煙斗眉頭深鎖，車子只剩下林經理的打呼聲。

KK的車與薏心回家的路是相反方向，車內放著輕快的阿哥哥舞曲，開車的是王瑛川。

王瑛川滔滔不絕地對著KK講述營救過程：「昨天你在農會，講到一半後面出現幾個調查局的人，那幾個人我曾經見過，警覺到事情不單純，我趕緊去找歐文，我一句英文都不會講，費了一番功夫才把你的事情告訴歐文，請他拜託你老闆迪克出面去打幾通電話，包括美援會、外交部甚至連袁副院長都找過了，居然連袁副院長都表示愛莫能助，說你的案子是屬於警備總部。」

「警備總部！怎麼會？」KK吃驚地叫出聲，將熟睡中的月婷吵醒。

「我實在沒辦法，突然想到夏老闆認識警備總部的靳元凱將軍，昨晚立刻跑去臺北永樂戲院的後臺，把你的事情告訴夏老闆，多虧夏老闆與靳將軍認識，昨晚半夜一通電話就搞定你的案子。」

KK知道整個過程絕對沒王瑛川講得那麼簡單。

「對不起，在派出所內我只能冒充你太太，反正小小派出所也只是奉命行事，表面做做樣子。」夏慕雪解釋。

「千萬別這麼說，我感謝都來不及了。」KK理解。

「只是，你那位茶小姐好像誤會了。」夏慕雪看著KK，KK轉過頭對夏慕雪擠出勉強的苦笑。

「警備總部會抓你，恐怕不是化肥中毒那麼簡單吧？」王瑛川擔憂著。

KK將視線轉向窗外一副無所謂的樣子：「中美日光化肥廠牽扯到許多利益，再怎麼說我也只是美國懷特公司的雇員，只要美國人還在臺灣一天，我就沒什麼好擔心的。」

夏慕雪哼了一聲不屑地提醒：「你忘了還有月婷。」

「月婷比較需要妳！」

「王先生！請你路邊停車一會兒！」

夏慕雪等車子停妥後要KK跟她一起下車，兩個人走進路邊的茶園，夏慕雪確認車上的王瑛川與月婷看不到他們之後，狠狠地給了KK四個耳光。

「第一個耳光，我替月婷打醒你！什麼是責任？」

「第二個耳光，我替張薏心小姐打醒你！什麼是真愛？」

「第三個耳光，我自己要打醒你！什麼只是同病相憐？」

「第四個耳光，我替你自己要打醒你！什麼是匹夫之勇？」

3

「入門前過火爐！去晦氣！」

「入門後豬腳麵線，一口去邪！兩口添福！」

「放燒水洗手腳！外面的妖魔斷手腳！」

對習俗最虔誠的春姨，堅持剛回到家的吉桑要按照習俗，不能有一絲馬虎。

工廠門口又傳來騷動聲，吉桑才剛除穢就急忙跑到茶廠一探究竟，映入吉桑與薏心等人眼簾的是一團混亂，廠內的茶師茶工等五六十人圍住幾名茶葉檢查員。

「你們這些檢查員是吃飽沒事做嗎？昨天才來說查封工廠，我們好不容易才做完北非綠茶所有的訂單，今天又要來扣押茶葉。」脾氣不好的嗶嗶哥和檢查員拉拉扯扯。

吉桑罵嗶嗶哥：「來者是客，不能動手動腳。」

其中一個帶頭的檢查員推開嗶嗶哥生氣的說：「我們接獲檢舉，有人舉報您們的茶裡有不法添加物！」

吉桑聽了簡直氣炸了吼叫著：「不法添加物？不可能！我做茶幾十年，向來堅守品質，我以日光誠信保證，絕對沒有！」

那檢查員也沒被嚇著：「不用大小聲，開湯驗茶！」

吉桑滿肚子火：「要驗是嗎？好啊！來啊！你婆太的！我開茶廠的時候，你還在吃奶呢！」

茶廠上下看著火大的吉桑，各個都心虛地不敢出聲，尤其是薏心跟山妹。

檢查員從木箱中取出審茶杯、碘酒、滴管等驗查器具，對吉桑說明著：

「把茶泡開，再把碘酒滴入茶湯裡面，純的茶葉的茶湯的顏色是不會變的，若是變色，就表示茶裡有摻粉或其他雜質！」講完後，茶廠眾人臉色更加難看。

「我是理事長，不必教我如何驗茶，要驗就快驗，不要耽誤我們趕工。」

吉桑信心滿滿抽著煙翹著二郎腿，看著檢查員將碘酒滴在珠茶的茶湯中。

只見茶湯越來越混濁，青綠的色澤變成不透明的紫紅色，檢查員激動地大喊：

「抓到了！抓到了！」

吉桑站了起來揉了揉眼睛不敢置信，只見一旁的薏心、山妹、嗶嗶哥現場所有人都低著頭不敢直視吉桑，吉桑抓起幾顆做好等著出貨的渾圓珠茶，剝開茶體吐些口水在上頭，用手掌用力一壓，再用手指來回搓擠，的確發現有糊狀物附著在指尖上，他舉著自己手指問著大家：

「這是怎麼回事？」

檢查員酸溜溜地替大家回答：「理事長，那是糯米粉，你們日光的珠茶摻了糯米粉，這下您無話可說了吧？我宣布日光公司違反『製茶業管理規則』，現場全部的茶都要扣留，全廠停工，吊銷執照！」

山妹趨前辯解：「糯米粉是可以加的，這是『炒菁綠茶』的新技法！」

眾員工聽聞總茶師山妹解釋，個個點頭如搗蒜。

對專業知識感到很不耐煩的檢查員：「管妳新技法、舊技法，『制茶業管理規則』上面寫的清清楚楚，什麼都不能加！現場的綠茶全部沒收。」

「誰敢動我的茶！」茶廠門口傳來一陣吼叫聲。

穆老昨晚緊急接到林經理電話，今天一早就找來協和洋行的麥可總經理一起從從竹東趕來，手裡還拿著一份法文文件。

「你們要沒收的是協和洋行的茶，是我們授權他們加糯米粉在珠茶上的，而且法國的規定在此，寫得一清二楚，」

「這個……」半途殺出程咬金，檢查員面面相覷商量了幾分鐘後說：

「這裡是中華民國，不適用法國法律！」

急著等這批綠茶的麥可透過穆老翻譯對檢查員說：「糯米粉能讓珠茶更加緊固，北非人就是喜歡這樣喝，貴國政府的管理辦法要跟上腳步吧！」

穆老見對方愛理不理的樣子，態度強硬了起來：

「這批茶不在臺灣銷售，自然不受臺灣的法律管制，你們如果沒收協和洋行的茶，就等著打國際官司吧！協和洋行一共在法國、英國、美國、越南、西班牙、法屬摩洛哥、法屬利比亞等國家與地區註冊成立，一共七場國際官司等著你們。」

聽到穆老搬出國際官司以及一大堆連聽都沒聽過的國家，檢查員的態度也鬆動不少，只好對吉桑讓步：「日光替協和生產的茶不用扣留，但茶廠與公司還是得查封。」

急著等綠茶裝船運到北非的穆老，示意吉桑這已經是大家都可接受的結果，迫於無奈吉桑只能點頭同意。

林經理立刻笑面遞菸陪笑，上前安撫官員，希望大事化小事，小事化無。

為首的檢查員不領情，拍掉菸下令封廠，另一個檢查員開始拍照記錄，員工七嘴八舌，雜唸著：「要吊銷執照？」「查封了，剩下最後兩千磅要怎麼趕工！」

吉桑心情漸漸平復，安撫著趕工幾天幾夜的員工：「不要緊！今天就當放假一天，大家回去好好睡覺，明天就沒事了。」

吉桑拿著驗茶杯走到薏心面前，冷冷看了她一眼，滿眼失望與憤怒，她竟聯合全茶廠人欺騙自己，薏心愣愣地杵在原地，父親的冷眼神情使她不寒而慄。

員工們望著吉桑離去的背影，大家你看我我看你，躊躇不前。

「沒聽見嗎？全都去休息了，要我抬轎子扛你們回家不成嗎？」林經理揮揮手要大家離去。

薏心自責的站在原地，離去的員工像潮水般將薏心淹沒。

走回辦公室的吉桑看到眼前的情景嚇了一跳，檢查員把辦公室搜得亂七八糟，那株「五十年茶樹小盆栽」被打破，碎瓦掉落一地，茶樹也被折成兩段，吉桑心疼地撿拾著塵土與殘破的枝芽。

「這些到底是官員還是土匪，太過分了！」林經理氣憤地破口大罵。

辦公室門口還是擠著不願離去的員工，他們不忍放下好不容易快要趕工完成的工作。

薏心與山妹被吉桑叫進辦公室內，他們試著對吉桑解釋。

「社長，這茶對人體沒害的！」山妹辯解著

「山妹！妳不用來上班了！」吉桑雖然只是輕聲地講，但連擠在辦公室門口內外的員工全都啞口無言。

「薏心不懂茶就算了，妳身為總茶師，跟著她一起胡搞，做出這樣的茶，我很失望你在專業上的判斷。」吉桑口吻很平淡。

「PAPA，加糯米粉是我決定的，山妹只是幫我解決問題，加糯米粉可以增加點重量，又節省揉捻時間，一切都是為了趕出貨！」薏心著急替山妹求情。

「吉桑！昨天我也在場，加粉也是經過我同意的。」林經理也幫腔。

「對！我也同意！」門口的莫打也加入求情的行列。

「我也同意！」其他員工也紛紛替山妹求情。

吉桑不理會眾人求情，弄著破盆的盆栽，清理著。

「我們第一次做綠茶，難免有些環節搞不清楚，當作學經驗啦。」林經理見吉桑默不吭聲，打起圓場來。

「山妹！沒聽見我的話嗎？」吉桑的臉不怒而威。

自責不已的山妹，低著頭離去。

「山妹！是我的錯，別走！你先回宿舍休息！」薏心哭著對山妹說。

吉桑把大家趕出辦公室關上門，煩惱交貨問題的薏心不死心地勸著：

「如果明天不出貨，我們要賠協和洋行兩百五十萬元，能不能透過公會的關係去找同業借最後的幾千磅……」

吉桑打斷：「薏心啊，妳說，爸爸有虧待過妳嗎？」

不明白父親怎麼突然講這話，面露困惑的薏心仍然一手撥著算盤一手翻著其他茶業同業的名片簿。

「從小，我給妳吃好、用好、穿好、讀最好的學校，妳想要的，我這個父親都盡量滿足妳，可是妳為了兩百五十萬，卻出賣日光的信用，早知道今天是這樣的局面，當初就不該順著妳去做綠茶，怪只怪我沒有阻止妳，日光的名聲這樣被妳出賣了！」吉桑又氣又悔地想要修復破損的盆栽。

「出賣？PAPA！你說得太嚴重了！」

「我的茶廠不需要新技法，只要踏踏實實的做茶，讓北埔鄉親有飯吃，這樣很難嗎？我做茶三十年，從來沒有被人檢舉過，現在妳為了交貨，在茶裡『加料』，還用日光的名義出貨，妳這不叫出賣，叫什麼？」吉桑還是盯著他的盆栽。

薏心語塞不知如何答覆，她急欲解釋：「時代不一樣了，我們要懂得變通。」

吉桑抬起頭看著薏心：「『加料』不是變通，是投機！妳僥倖接了幾張單，就以為自己很會做生意了？是啦，妳是有做生意的頭腦，不過，妳沒做生意的良心！只知道價錢成本。」

「PAPA說的對，我是有『價碼』的！我之所以有價碼，是因為我在乎，我不像PAPA野心這麼大，一心想要為整個北埔人做大事，我只在乎，日光下個月是不是發得出工資、下一季公司是不是還有單，做生意最在乎『誠信』，我們出貨，有失品質的誠信；但我們不出貨，也是有失誠信，如何降低日光最大的損失，就是現在我在乎的！」薏心的頂嘴讓吉桑不知所措。

「我一個細妹走進美軍俱樂部，被誤會成是有價碼的舞女，我忍了，我只知道忍過一切，日光就有救，你呢？你在哪裡？就在這張辦公桌前摸著盆栽……」薏心豁出去數落著自己父親。

「PAPA，加糯米粉是合法的添加物，穆老就是這樣教的！」

「合法？合法會有官員來搜查嗎？生意不好，我們可以再想辦法，違背良心的事，妳怎麼做得下去？『茶』要給人喝的！早知道這樣，我寧願幫人烘高麗菜乾！但是，違背良心的事，妳怎麼做得下去？以後，公司的事不用妳操心，我沒指望妳擔下日光，細妹該嫁就嫁，該生子就生子……」

這次換薏心打斷吉桑：「我要不要嫁，嫁給誰，跟這批綠茶沒關係！合法不合法？PAPA，你自己每天掛在嘴裡，這個國民政府，沒錢重判，有錢豬腳麵線，會不會是……」薏心全盤被否定，頓時覺得飽受委曲，忍不住哭了出來。

吉桑意識到自己言重，感到心疼。「出去，不要在我這裡哭！」不忍看女兒哭索性趕走薏心，吉桑咆哮著。

吉桑獨自坐在凌亂不堪的辦公室，掏出菸絲點燃，看著散落滿地的菸蒂煙灰，抽了一口想起薏心的話：「這個國民政府，沒錢重判，有錢豬腳麵線……」

林經理走進來探究竟，順便幫忙清理地上的菸蒂，試圖安撫吉桑的情緒：「薏心也是為公司好啦，今日幸好有伯公，不然你現在還被關在裡面啊，好好休息啦！」吉桑眼睛瞪得大大地看著林經理，林經理被瞪到閉上嘴。

聽到林經理的話後似乎想到什麼事情，吉桑看著滿地的菸蒂，撿起來全都是駱駝牌香菸，感到整件事情怪怪的，突然想到剛剛在茶廠內看見的東西。

吉桑快步走到茶廠的萎凋區以及廠外放置糯米袋的區域，發現也有幾根相同牌子的菸蒂，雖然多數員工都有抽菸的習慣，但在茶廠內外、倉庫以及卸貨區，幾十年來都是三令五申禁止抽菸以免茶葉與機器著火，員工們都很配合，想抽菸的人會到辦公室玄關的角落去抽，就算有哪個員工忘了規定，買包駱駝牌香菸可得花上半個月工資，沒有員工抽得起這款從美國進口的洋菸，而這款洋菸在整個北埔只有一個人在抽。

他把幾位還在茶廠內忙著整理的員工叫過來詢問，果然證實了自己的想法，從昨天半夜到今天早上，住在附近的伯公來回茶廠東張西望至少十趟以上。

了然於胸的吉桑回辦公室拿起話筒，撥了電話鍵盤，語氣平順地說：「喂，阿伯嗎？」

伯公客套地回話：「福吉哦？交茶順利嗎？」

「阿伯早上講的化肥廠那件事情，一切就請阿伯做主！」吉桑講完立刻掛上電話。

幾個小時後，伯公來到臺北行政院副院長辦公室。

「接下來就要張先生多費心了。」坐在辦公桌前的袁副院長滿意地笑著。

「一切都遵從政府安排。」伯公像剛入伍的二等兵立正聽訓。

「你放心，相應的補償，都可以討論，國家絕對不會和人民爭利，你辛苦了。」

伯公露出笑容，對著副院長一次又一次的彎腰鞠躬。

4

吉桑走在他生平第一次被查封的茶廠門口，他探頭看著全部靜止的機器，原料、工具、全部都被貼上封條，三十年來就算遇到沒訂單的窘迫時機，偌大的生產線從來不曾這般鴉雀無聲，夜半的風吹著封條，上頭有「臺灣省政府農林廳檢驗局」字樣。

吉桑回頭看，似乎有人影佇立在月光下，原來是山妹坐在工廠外面的小板凳上打起瞌睡，看到吉桑，山妹慌張地站了起來低頭不語。

「為什麼不回去睡覺？」

「身為茶師，這麼大的工廠與倉庫都沒人看管，萬一有小偷……」山妹解釋著。

「我不是叫妳……」吉桑想起白天的魯莽，「開除」兩個字開不了口。

山妹明白：「就算我已經不是日光的茶師，但這批北非綠茶還是我做的，石頭師生前老是叮嚀我，每批茶都有做它的茶師，不管喝茶人知不知道。」

洋房房間的燈也是亮著的，薏心從窗戶眺望茶廠，月光照映在兩個嗜茶成痴的茶人身上，等待著明天的第一道日光，她知道日光不會不見，只是偶爾會遇到比較深的黑夜罷了，吉桑知道、山妹知道、所有在宿舍等著開工的日光員工也都知道。

清晨六點，迎來第一道曙光，農林廳檢驗局的檢查員來到茶廠門口，拿起卷宗取出公文，吉桑信心滿滿地領著員工等候宣讀，還不知道父親已經和伯公妥協的薏心焦急地來回踱步。

「經查證，本批茶葉對人體健康沒有影響，為維持我國國際信用，准予放行！」

員工一陣歡呼，嗶嗶哥吹了幾聲響亮的口哨，跑回倉庫邊拿起鞭炮點燃來慶祝，薏心高興地和山妹抱在一起，吉桑面無表情地接下公文，一把將工廠門口的封條扒開撕個粉碎，轉身宣布：

「開工做茶！」

看見大家興高采烈地走進茶廠，山妹站在門口若有所思不敢走進去，薏心開心地對她說：

「你被老社長開除，但我這個新社長重新聘僱妳。」說完後對吉桑做個鬼臉，抽著菸斗的吉桑走到山妹面前微笑地說著：

「妳是日光的總茶師，還不趕快進去加班！」

工廠解封的喜悅只是短暫，山妹還是緊張地提醒著：

「今天中午協和就要來取茶，現在還是短少兩千磅。」山妹不敢提摻粉兩個字。

薏心鼓起勇氣走到父親旁邊，眾人看著父女二人，怕他們又吵起來。

「PAPA，這張單，我們必須如期出貨！」薏心指著時鐘。

員工們緊張地看著吉桑，吉桑直直望著女兒，薏心以為父親又要責備她，吉桑走向山妹，鄭重交代：

「準時交貨！昨天已經加了粉的就算了，今天新做的絕對不可以摻粉。」吉桑斬釘截鐵。

「是！」山妹有點為難但還是答應。

吉桑嚴厲地對薏心警告：「這批茶做完，沒我同意，妳不准再接單！」

所有人聽了都看著薏心與山妹，山妹憂心地喃喃自語：

「一定來不及。」

「身為總茶師，不能說出這種洩氣的話！」吉桑用同樣嚴厲的語氣斥責山妹。

薏心看出大家的猶豫，但她不再辯解，而是直接走到旁邊去幫忙抬機器，從沒抬過機器的她，沒想到會如此沉重，阿榮見狀也連忙過來幫忙，漲紅臉抬著機器的嗶嗶哥，驚愕看著「新社長」出手幫忙，受此激勵下一鼓作氣把機器抬了起來，已經準備好新鐵鏈的莫打哥，鑽進機器底下奮不顧身地把新零件裝上。

匡噹一聲修好了第一部壞掉的揉捻機，滿臉是黑油的莫打爬了出來想伸個懶腰，但眼看還有一半的機器等著修理，心涼了半截。

薏心來到第二部等著修理的機器，用盡全身氣力推抬機身，她什麼都不去想，盯著地上，誠心祈求上天保佑度過這一關，今天一定要出貨！只是一滴淚不爭氣掉了下來！她抬起頭看著旁邊，只見吉桑也脫下西裝捲起衣袖漲紅著臉，使勁地抬著機器。

莫打哥受此激勵，大聲地對著揉捻機罵著：「你！婆！太！好！你們這些機器專門跟我作對啊！看我今天怎樣修理你！」

茶廠內機器轟隆聲此起彼落，茶工們使勁地用力揉著一包又一包用乾布包覆的茶菁，大家齊心，似乎一切仍有希望。

春姨順妹忙著在廚房做早餐與點心，順妹燒著柴火一邊念著：

「夭壽唷，這批茶絕對會被退貨！」

「檢查員不是講『准予放行』嗎？」團魚問著

「放行是政府這關，客戶那還有一關！這批茶，有文貴做的，有我們日光做的，有的加粉有的沒加粉，同一批茶，茶大小顆差這麼多，對方一句『不對版』，就準備賠到脫褲了！」順妹擔心著。

「這筆單已經賠很多錢，要是再被退貨，怎麼辦啊？」團魚急著快要哭出來。

「煩惱也沒用，來下單的是那個中國綠茶大王，聽說收了薏心當徒弟，只能希望看在師徒情面上……」團魚還是抱著一線希望。

「穆老也是外國人請來的打工仔，外國商社驗貨一是一二是二，比閻羅王還嚴格。」順妹端著一大鍋稀飯往外送邊走邊說著。

距離交貨時間剩下不到三十分鐘，協和洋行的貨車已經開抵茶廠與倉庫門口，吉桑與薏心都換好了正式的衣著，山妹眼看還有最後兩千磅無法做出來，急著流眼淚但手邊還是不停地揉捻著茶菁，該揉捻幾遍就揉捻幾遍，就算來不及交貨也不能再偷工降低品質。

林經理對著協和驗收的人鞠躬哈腰遞菸，打算邀約對方去鎮上的酒家喝花酒把他們灌醉來爭取時間，此時突然駛進兩部眼熟的卡車，卡車身上還漆著國華公司的字樣，薏心皺著眉頭看著從卡車跳下來的文貴，文貴對著車上的搬運工人大喊：

「下貨！」

繃著臉的薏心咬著牙忍住怒氣對文貴說：

「我寧可賠錢，也不會再被你要脅了，把你的車與你的貨趕快搬走，否則我要叫警察來！」

文貴的神情和緩，他搖搖頭解釋：「我知道你們家趕不出最後幾千磅綠茶，我昨晚找了好幾家小茶寮連夜幫妳趕出來，這次不是借，而是送！」

林經理抓起文貴送來的綠茶來對版，高興地說著：「這批茶完全符合協和的要求。」

薏心毫不領情：「天下沒有不勞而獲的事情，我們很忙，范專員請回吧！」

文貴來到吉桑面前鞠躬行禮說著：「社長，謝謝你在我最落魄的時候伸出援手接濟我，吃人一口還人一斗。」

說完後對著薏心點頭微笑後跳上卸完貨的卡車離去，只留下一袋袋合格對版的綠茶。

吉桑叼著菸斗與坐在卡車上的文貴對看一眼，豎起大拇指對著文貴喊著：

「你很成材！」

5

吉桑跟薏心一人一桌各有六道菜，剛從臺北的協和洋行完成履約取回支票的薏心，在桌邊認真地看著英文合約，春姨端出長壽麵，見薏心沒動筷：「自昨天就沒吃飯……」。

「我待會再吃。」薏心從文件堆內抬起頭敷衍了幾句。

「茶趕出來了，不用愁了！長壽麵可以去去霉運。」春姨站在旁邊強迫薏心先吃個幾口。

薏心笑笑隨便吃了兩口：「誰說我們日光有霉運了，我們要走運了！」

吉桑哼了一聲。

「社長，這兩天您辛苦了！薏心也沒閒著，為了保社長出來，她四處奔波，到處拜託人幫忙，真是難為她一個女孩子要擔起這麼大的責任，比兒子還強。」

吉桑聽出了春姨對薏心的維護心切：「春桃！妳不要再護著她了，她就是這樣被妳寵壞的。」吉桑放下筷子不想吃長壽麵。

薏心從餐桌旁邊拎出一只箱子，從箱內捧出一盆新的茶樹盆栽，陶盆造型很古樸，吉桑眼睛一亮，起身走到薏心餐桌旁，裝成一副沒什麼興趣的模樣：

「唉呦！我們新社長也玩起盆栽。」

「這株是八十年的小老茶樹！」

吉桑的身體很誠實，雙腳離不開盆栽，但嘴上還是一副不饒人的碎念：

「是交貨履約有問題嗎？打算用個盆栽打發我嗎？」

吉桑伸手整理小茶樹：「修剪的也不夠精緻！」
豆腐心刀子嘴的模樣讓薏心與春姨都笑了，薏心拿起餐桌上的文件，在父親面前搖啊搖：
「日光的霉運走了，交貨沒問題，支票也沒問題，協和還給我們一張新的兩百萬磅的綠茶訂單！」
吉桑一聽大喜：「真的假的？」
在客廳忙著算帳的林經理聽到新訂單，大吃一驚跑到餐桌旁問起：
「怎麼可能？協和驗貨的人，不老是挑剔說我們的茶參差不齊嗎？」
「是文貴送我們的茶平衡了我們的品質嗎？」吉桑有點不可思議。
「是穆老的鼎力協助，他告訴協和的麥可總經理，全臺灣只有日光有能耐接如此大量的訂單，沒得挑剔。」
薏心用眼神暗示林經理，林經理很識相地替薏心發問：
「社長！協和的新訂單要接嗎？」
吉桑瞪著薏心，但薏心卻哈哈大笑：「PAPA，再裝就不像了！」
掩飾不了喜悅的吉桑也跟著大笑：「哈哈哈！接！當然要接！為什麼不接！綠茶的機器買了，不接單放著賠錢嗎？『新社長』？我們以前是紅茶最大廠，現在是綠茶最大廠。」說完連飯也不吃，拿起剪刀修剪眼前新的盆栽起來。
「PAPA！你不吃，我可是餓死了，春姨！我還要一碗麵。」
吃完飯，吉桑提議：
「喝茶啦！把協和給的茶樣拿出來喝喝看！」
水開了後吉桑抓了一把珠茶要丟在泡茶瓷碗，薏心笑著阻止：

「PAPA，北非綠茶是用煮的！」說完後把茶葉放在滾燙的鐵壺內。

吉桑發出時不我予的感慨：「這茶燒滾滾，『泡茶』變『煮茶』，連對版都不用，加糯米也可以，綠茶跟紅茶確實是不同世界，追也追不上了。」

吉桑親自倒杯煮過的綠茶給薏心，這是父親第一次倒茶給她。

「PAPA！你忘了加糖。」薏心提醒。

吉桑點頭表示讚許：「不過，妳追得上，妳有這種能耐！」

吉桑滿意地看著新盆栽，林經理在旁撥算盤，薏心好奇地問：

「為什麼我們日光一直都是透過洋行或貿易商來做生意呢？」

林經理停下手邊動作喝了口茶：

「我們是大茶廠，人事成本高，要大單才能打平成本，不透過洋行或貿易商，找不到買家，我曾經向妳提過。」

薏心想起來：「林叔叔你曾經告訴我，臺茶出口除了洋行外，全部捏在茶郊十二個茶商手裡，我也查過，日光也經常賣茶給這些茶郊的茶商。」

吉桑看著躍躍欲試眼睛發亮的薏心，知女莫若父的他提醒薏心：

「妳千萬別動直接出口的念頭，他們茶郊的人脈組織與消息靈通，日光都沒有，我們還是老老實實地接訂單，至於我們的茶賣到哪裡，就不用去煩惱。」

點頭如搗蒜的林經理附和著：「自己找外國客人出口，就要扯到外匯買賣，扯到外匯，收款麻煩，價格波動太大，妳的師父穆老，當年就是栽在匯率這玩意上。」

「賣給洋行或茶郊那些貿易行，價格雖然比較低一點，但至少一手交錢一手交貨，簡單沒風險，出茶收錢、收到錢買茶菁買機器付薪水，日光幾十年就是這樣起家的。」林經理繼續說著。

「唷，新社長，妳千萬別動自己出口的腦筋，為了這批綠茶，我們之前賺的全賠了，好不容易又有新單子……」林經理也發覺薏心不服輸的眼神，再度警告。

「外匯市場不是妳所想的簡單，這潭水太深了，能攪和的人沒幾個！」吉桑終於喝下手上那杯綠茶：「這綠茶甜甜的，還不錯喝。」

薏心的心思被看穿：「是我太魯莽，沒想清楚，才會帶來這麼多麻煩。」

吉桑放下茶杯，用園藝小剪刀細心地修飾枝枒，嘆了口氣：「做了三十年的茶，我也沒想過，我會做茶做到坐牢，做摻粉的茶呢！」

薏心低著頭對父親表示懺悔。

「失敗並不丟臉，做生意的哪個人沒有跌倒過，丟臉的是，不會在跌倒後站起來。風險也不可怕，商人天天要面對的就是風險，可怕的是，冒了自己承擔不起的風險。坐牢，找點關係花點錢可以擺平，關係不好，想辦法去應酬陪笑，欠債，好好跟債權人商量，賠錢，再賺就有；但是，我警告妳，外匯與政治這玩意妳我都碰不得。」

薏心從來沒看過父親如此敬畏的表情，水滾了，薏心從鐵壺倒出茶湯，看見手中是「中美日光化肥廠」的開工紀念杯，轉頭看了ＫＫ辦公室方向，才驚覺懷特公司的東西已經清光了。

6

KK站在空蕩蕩的辦公室，不見昔日氣派與忙碌，只剩最後幾只皮箱，他取下掛在牆壁的美國國旗，薏心端了兩碗綠豆湯站在門外。

KK笑了笑：「算一算，我的一塊美金到底換了多少碗綠豆湯？應該有賺吧？」

薏心想問夏慕雪的事情：「那個，夏……」

開不了口的她改變心意：「化肥廠被國府收回去了，你怎麼辦？」

「懷特公司早有安排了，先回臺北當翻譯吧！」

「嗯！」薏心裝作不怎麼在乎。

「祝妳把茶賣到全世界去，牆上掛滿各國國旗！」

「美國那面旗，都是你的功勞。」回想起爭取美軍茶訂單的過程，兩人相視而笑。

「很高興有幫上忙，以後要是需要幫忙，可以來找我。」

「謝謝！」

KK看著捲在手中的地圖有感而發：「世界很大，大到可以讓兩個完全不相干的人相遇。」

薏心轉頭看掛在日光辦公室的地圖說：「世界也很小，小到每個人都不能自由地選擇想去的地方。」

說完後嘴角一抿回到自己的琴房。

在廚房的下人們好久沒聽到薏心彈鋼琴。

「小姐又彈哈巴嗎？」猴進好奇問著。

順妹白了他一眼小聲地說：「我不知道小姐彈的是蕭邦還是巴哈？但我聽得出來小姐彈的是失戀！」

7

坐在臺下的吉桑仰望著臺上懸掛的大紅布條，上頭寫著「恭賀臺灣肥料公司新竹化肥廠開幕典禮WELCOME」，紅布下方，是和上次開工典禮一模一樣的舞臺，但場面明顯較上次盛大許多，臺上正中間擺張主講桌，背後掛著美國跟中華民國國旗，日光化肥山字標誌的旗幟已經換成臺肥公司的圖樣，美方領事約翰跟國府袁副院長，兩人合拿著《肥料供應合約》，面向鎂光燈閃得不停的照相機微笑。

坐在臺上的貴賓除了吉桑換成伯公外，其他七人都是同一批人馬，伯公意氣風發地微笑著，迪克毫無喜悅，看了臺下的吉桑與ＫＫ幾眼，吉桑的位置被分配在第三排，ＫＫ連座位都沒有只能站著觀禮。

穿同一套中山裝的副院長對著臺下致詞：

「感謝懷特公司為我們規畫興建了臺灣省第一座化肥廠，肥料發了，農民就發了，為慶祝『國營新竹五廠』正式開幕，我們決定免費配發一千公斤的肥料，給北埔所有的茶農試用……」

吉桑跟ＫＫ心情複雜，看著手中的「開幕茶杯贈品」，上頭印著一面中華民國國旗，下面印著：「臺灣肥料公司新竹化肥廠開幕敬贈」紅字，ＫＫ先開口：

「歹勢，社長為化肥廠出錢出力，您投入的的土地原料跟資金，我已經跟懷特公司爭取了，美國為跟國民政府搞好關係，化肥廠被迫納入國營體制內，我們也沒辦法……」

「不要緊，事情有人做就好了！政府給我一堆不知道什麼股票，換走了化肥廠所有股分了，化肥大王沒做成，至少有留一個杯子！」吉桑玩著手中贈品茶杯。

致詞典禮完畢，伯公來吉桑身邊：「賢侄出錢又出力，才能成就這間新竹化肥廠，勞苦功高。」

吉桑望著伯公，收起笑容：「阿伯講笑了！我哪有做什麼，一切都是照伯公的意思來嘛！」

伯公乾笑了幾聲，轉身到處找高官寒暄拍照。

吉桑上下打量著ＫＫ自嘲：「認識你這麼久，竟然都看不出來你有家室，還向你提蕙心的事，真的是失禮。」

ＫＫ「啊」了一聲，正想開口解釋，袁副院長剛好派人來請吉桑一起拍照留念，留下滿臉尷尬的ＫＫ，他嘆了口氣仰望著廠房，了解到自己完全沒法改變什麼。

典禮結束後，各自帶了一包黑肥的吉桑與ＫＫ，不約而同來到烏面生前留下的枯萎茶園，先到的ＫＫ看著氣喘吁吁的吉桑，趕上前幫忙卸下黑肥。天色陰沉，茶園一片枯黃，ＫＫ從工寮內提兩桶水出來走進茶樹叢澆水讓土壤濕潤。

吉桑脫下西裝捲起衣袖用鋤頭翻動土壤，揀了條緊實的茶樹枝條，對烏子示範如何「插茶秧」：「插秧不能在晴天，土壤一定要潮濕，壓茶秧就是將枝條彎壓下來，把表皮割去埋在土裡，土要全蓋住，上面壓塊石頭或竹片，這樣過兩三個月，枝會生根，就會長出一株跟母株同樣的新茶苗。」

烏子用鐮刀削著枝皮認真學著，吉桑與烏子兩人乍看像一對父子。

「你爸爸的事情，我很歹勢，我答應讓這片茶園再綠起來……」

烏子不服輸地對吉桑保證：「社長阿伯，有了肥，我一定可以。」

吉桑看著烏子手拿著烏面伯臨終繪製的地圖，認真插茶秧，心中滿是不捨：「不！你還小，不用急，你要先去上學，學認字學算術學科學，不要像你爸爸只會種茶，時代不一樣了。」蹲在茶園的吉桑抬頭看了KK一眼。

「你跟我回張家，這片茶園還有你，我會照顧直到你長大念完書。」吉桑摸著烏子的頭。

KK把堆好肥的黑肥澆到這片茶園：「這是我和烏面叔生前的約定，這邊土質是好的，只是坡度太大，留不住水肥！」

吉桑隨手採下一片枯黃的茶葉感嘆：「現在，這個青心大冇不值錢了。」

忙著壓茶秧的烏子不服氣地反駁：「我爸說，這『青心大冇種』是最好的，可以做紅茶、做綠茶、做包種、做烏龍、做鐵觀音、做香片，尤其是做日光的『鋪面茶』全是最好的！」

KK摸摸烏子的頭點點頭：「對！茶與人一樣，只要種下去、澆了肥就有希望。」

「那麼，KK你的希望呢？」

KK抬頭看著遠方的烏雲想起月婷。

「你已經通過了北埔例，永遠都是北埔人，隨時可以回來。」吉桑拍拍KK的肩膀。

一陣涼風吹拂著茶園，吉桑看著天空：「北埔的風，最涼快！」

8

夏慕雪替KK接風洗塵，在KK臺北家中擺了一桌子的菜，有醃製蜆仔、花生米、嘴邊肉、牛肉餡餅、珍珠丸子、上海煨蝦、無錫排骨、涼菜等。

「歡迎回到現實的臺北！」夏慕雪舉杯。

看著自己設計的日光化肥紀念杯斟滿了茶，KK一飲而盡：

「忙了兩年的化肥廠，最後只帶回一個杯子……」

聽得出KK的失落，夏慕雪安慰：

「至少這杯子還有溫度，有滋味，還有……」

夏慕雪優雅地品一口茶鬆了口氣繼續說：

「還有遠離化肥廠的是是非非！」

KK不想爭辯，隨便找話題岔開：

「準備滿桌好菜，今天是什麼日子？」

「是你要改變的日子！」夏慕雪表情嚴肅起來。

「我變不變不打緊！但忙了兩年，什麼都沒辦法改變。」

「我奉勸你先休息一下吧！別再惹事生非。」夏慕雪拿起書桌上KK替《民主思潮》撰稿寫到一半的稿子，警告：「化肥廠只是小事，主導權交出去就沒事了，但你被盯上的是你的文章，你到底知不知道上次抓你的層級有多高？我賣了老臉才把你……」夏慕雪不想再說下去。

「但我有責任點出國營事業的缺點。」KK辯解著。

夏慕雪嘆了口氣：「算了，今天準備這桌菜，是要和你道別！」

「道別？妳要去哪裡？月婷怎麼辦？」

夏慕雪夾了口無錫排骨，毫無食欲地又把筷子放下：「月婷是你自己必須解決的問題，至於我要去哪裡，就別問下去了。」

ＫＫ看著夏慕雪許久，大口灌下一口茶後吞吞吐吐地問：「妳願不願意當月婷的娘，也就是……」

夏慕雪笑開了：「哈！太晚了！」

「太晚？妳答應嫁給誰了嗎？」ＫＫ不解。

「我們的父親是被迫合葬，你我之間，只是在黑暗中互相取暖，同病相憐，糾結下去永遠都沒辦法擺脫綁在我們身上的苦難。」

夏慕雪握住ＫＫ的手：「兩個活在黑暗的人，是無法一起走向光明，聽我的勸，日光張小姐才是你的光明，我不是。」說完頭也不回地轉身離去。

門口的夏慕雪回過頭看了一眼站在窗邊的ＫＫ後，坐進一部停在樓下許久的黑頭車。

「都想清楚了嗎？」車內的靳上將問著

「劉坤凱不會再惹事了！」夏慕雪別過頭看著車窗外

「我問的是妳？」靳上將掏出一只戒指。

「嗯！」看著越來越模糊的ＫＫ身影，伸出右手的夏慕雪立刻縮了回來：

「堂堂上將娶個戲子，會影響你的前途。」

第九章

1

沒有雛鳥能聽得進「天空很危險」的警告，不管翅膀長齊與否，牠的眼裡只有廣闊的天空。

一九五二年底，韓戰基本上已經進入對峙狀態，世界局勢形成以美蘇兩大強權的兩個集團，以美國為首的自由世界，為了避免亞洲的民主國家遭共產黨赤化，祭出了龐大的美援經濟建設，這項「乖乖的人有糖吃」的政策很快地穩定了遠東地區的政經形勢，國際貿易恢復生機，臺灣當局雖然維持著嚴格的外匯管制政策，訂出一美元兌換七塊新臺幣的匯率官價，另一方面卻對民間地下匯兌睜一眼閉一眼，實際的市場匯率是一美元兌十四塊新臺幣。進出口的廠商大多會以十四塊錢新臺幣的黑市匯率當作成本計算依據，來作為買賣報價依據。

不想再受制於洋行的薏心，不聽吉桑的勸告，決定把日光帶進茶郊組織。

茶郊組織的商號全部座落在迪化街，幾個主要成員經常會到永樂戲院聽戲，開場前的時間，就是他們彼此應酬、交換情報與談生意的場合。

到永樂戲院應酬談生意的不光只是茶郊組織，大稻埕其他行業的商號、政界人士等三教九流都齊聚在此。

開演前臺下熱鬧不已，各方人馬忙著寒暄問好打探鑽營，薏心盛裝站在穆老旁邊禮貌地陪笑著，穆老把薏心介紹給幾個茶郊組織的重要成員：

「這是『水陸茶行』吳老闆，專門做美國的茶葉貿易；『古春茶莊』陳老闆，他是出口到日本的最大茶商；『太古洋行』鄭經理，香港最大的茶葉貿易商；『天天茶行』李老闆，整個南洋都是他的地盤。」

吳老闆淫笑著：「穆老豔福不淺，每次身邊的女伴都不一樣，今晚這位最年輕漂亮。」

薏心覺得受辱，卻只能保持禮貌，穆老有點尷尬，立刻澄清：

「什麼女伴！這是日光公司的千金，張薏心張小姐！」

吳老闆這才想起來：「原來是做美軍六號茶，吉桑的女兒，幸會幸會，我的美國市場差點被妳打垮。」

「大家都認識日光吉桑，現在大敵當前，我們都得指望日光的幫忙了。」穆老打開天窗說亮話。

「穆老你們專攻北非，我做的是美國市場，不能混為一談！」吳老闆不以為然。

「國華這幾個月，手伸進我北非市場，下個月，說不定就要搶你的美國市場！」

「聽說，國華黨政軍關係特好，表面是黨營，背後卻有軍特勢力。」

「國華已經把手伸進木材出口，幾家做木材的為了生存亂搶單，把價格殺到底，貨出了，結果拿不到錢，有些是結不到匯，聽說好幾家木材商已經周轉不靈倒了。」

廣東腔特別重的鄭經理抱怨著：「這個政府的外匯結匯辦法一直在變，現在至少有九種結匯方式，搞得我都不知道如何出口報價了，再這樣下去大家都得收一收回去……」鄭經理突然不講話了，微笑地看著戲院入口。

原來戲院入口來了一批國府官員與全副武裝的軍人隨從，為首的是來看戲的靳上將，後面還跟著幾位國華公司的高層如黃董等，薏心看到走在最後面幫忙提公事包的文貴，兩人在這個場合見面莫不感到驚訝，擦身而過，眼神沒有太多的交集。

「說曹操曹操就到！」穆老笑著對著黃董點點頭，但對方一副目中無人的模樣，亦步亦趨地跟在靳上將後面。

幾個商人像哈巴狗似的跑到他們面前鞠躬哈腰遞名片。

「黃董，我的上等檜木就麻煩你們幫忙了！」

「將軍，下個月我有批藥材要出到香港，凡事拜託了！」

靳上將等人包下了前面六排的座位，薏心、穆老與茶郊幾位老闆只能坐在第七排，薏心看著文貴的背影，見他與旁邊權貴們有說有笑，偶爾會轉過頭來看後排的薏心。

穆老示意著前方對薏心說：「前兩批北非綠茶，我們協和靠著法國的關係拿到訂單，但現在北非在鬧獨立，法國人力量伸不進去，國華公司打算趁機插手北非綠茶，過兩天有批很大的綠茶訂單國際標要開出，聽說他們已經提出報價了，他們野心很大，打算用低價搶標，吃下整個北非市場。」

穆老話鋒一轉：「只要我們出價比國華低，我們有機會可以搶到單！」

薏心好奇反問：「穆老為什麼不自己去搶？」

穆老嘆了口氣：「國華那套玩法只有你們日光才玩得動。」

薏心不明白望著穆老。

「妳應該明白，茶這門生意從最上游的種茶、茶販運茶、茶廠製茶、洋行貿易商收茶賣到國外，我們協和只是貿易商，以往都是被動地等外國大客戶的購茶訂單，然後再來臺灣找像你們日光這種製茶大公司訂毛茶，要等你們日光報出製茶價格後才能回覆外國客人。」

「過去，整體茶市產製銷的分工合作一清二楚，上下游相安無事，但國華這種直接去搶單，直接養一些小毛茶廠的作法，我們洋行無法單打獨鬥，只有和日光這種上中游大公司合作，才能跟國華玩拚速度與拚產量的遊戲。」

薏心看著穆老，不明他為何要告知這個小道消息？

穆老讀出薏心心中的懷疑，說道：「國華打算繞過我們直接出口，踩到我們的線，妳有全臺最大的茶廠，我知道北非的客戶需求，有外匯調度管道、遠洋貨輪和足夠的國際訊息。」

薏心聽出穆老結盟的弦外之音。

「這張單可是張大單，直接敲開北非大門！」

「國華的報價是多少？」引起薏心興趣，穆老開懷地笑著。

「商場如戰場，這得靠妳自己去挖了。」

兩人有默契地對望一會兒。

臺下突然歡聲雷動，尤其是前幾排的高級外省官員，薏心望著戲臺上的夏慕雪、前排的文貴背影、旁邊的穆老以及各懷鬼胎的茶郊老闆們。

散場後永樂戲院門口停著好幾部黑頭車以及司機們，混在其中的阿榮看見文貴，連忙躲在柱子後打量他們。

黃董和文貴二人恭敬的站在一臺黑頭車門邊，黑頭車裡的上將把香菸丟向窗外。

「您放心，北非的大訂單我早辦好了！」黃董不敢直視上將。

看到將軍的黑頭車駛遠，詹祕書滿身是汗地跑到黃董身邊：

「黃董！您吩附的北非電報我已經拍出去了。」

詹祕書把電報交給黃董，躲在柱子後的阿榮全看到了。

黃董指著電報正本：「這次訂單一定要保密，拿回公司存查。」說完後把電報交給文貴，已經伸手準備要接文件的詹祕書，尷尬不已，斜眼瞪了文貴一眼。

黃董囑咐文貴：「這筆單非拿到不可，你趕緊去收茶菁、聯絡用我們機器的毛茶廠，這筆單要是成了，派你去趟法國出差，跟廠商見個面，男人總要見點世面！」

文貴拿著電報文本回過頭瞪了詹祕書一眼。

蕙心剛好經過文貴身邊，無法閃躲的文貴只好先開口問候：

「小姐！」

「范先生！你好！」

「上次的事情很歹勢！」

「沒關係，幸虧你最後借給我們幾千磅。」

聽到蕙心沒記恨，文貴放心地說：「太好了！」

不料，蕙心卻冷冷地回了一句：「欠的債早晚要還！」說完就鑽進座車，文貴站在原地看著蕙心的背影。

2

不想再見到文貴的薏心，命令阿榮趕快開車，車才剛發動開到旁邊的巷口，只見一個人影從戲院後巷衝出來擋住意座車。

「你是張薏心小姐嗎？夏老闆請妳到後頭，她想見妳！」攔車擋路的是戲院經理，原來夏慕雪已經認出臺下的薏心。

「很抱歉，我擅自做主把妳留下來，應該是我去找妳才是。」夏慕雪邊卸妝邊陪罪。

薏心詫異地看著夏慕雪，客氣地說：「哪裡哪裡！能在後臺單獨會見夏老闆，許多人求之不得呢！」

夏慕雪抽空泡了杯茶，端給薏心：

「我這裡都是粗茶，比不上妳們家，請多包涵。」

薏心看到夏慕雪的手指帶著戒指，心頭一酸，喝了口茶掩飾自己的情緒：

「別這麼說，這茶很好喝！」

夏慕雪愣了一下微微笑道：

「我倒給妳的只是白開水，張小姐，看起來妳心事重重！」

無法再繼續客套下去的薏心，站了起來打算轉身離去。

夏慕雪知道自己玩笑開大了，收起笑容：「張小姐，妳的誤會可大了。」

說完後舉起戴在手上的戒指說：「這戒指不是妳想像的那樣。」

「夏老闆！這不關我的事情，有什麼事情請趕快交代，今晚十二點有宵禁，別耽誤彼此的時間。」

「這戒指不是ＫＫ送的。」夏慕雪看著自己手指繼續說：「當然，情感上我很希望這是ＫＫ送的。」

已經走到化妝間門口的薏心停了下來疑惑地看著夏慕雪。

「有些話當面講才能講清楚，但是，見了面後才發現很難解釋。」

「我演過很多戲，戲碼清一色是因為誤會、爭執而分開，不管是貴妃醉酒，還是蘇三起解、霸王別姬，但是人們還是喜歡這些糾纏不清的戲，不管是主角對幸福的執著，還是犧牲自己成全心愛的人，悲歡離合喜怒哀樂糾纏不清，讓這些戲變成經典，而不是我唱得有多好。」

似懂非懂的薏心恍然大悟：「難怪這些戲最後都是悲劇收場！」

夏慕雪點點頭表示贊同：「戲如人生，人生如戲，唱久了，往往會分不清楚哪些是戲？哪些是真實的人生？」

薏心似乎聽出其中的暗示：「所以，夏老師和ＫＫ……」

夏慕雪看著戒指：「我和ＫＫ只是戲，一場結合著國仇家恨的大悲劇，臺上演悲劇或許好看，但真實人生，兩個悲劇角色若繼續糾纏不清，只會讓黑暗與悲痛淹沒彼此。」

「對不起，因為我的緣故，害得夏老師得花時間解釋……」

「哈哈！妳真善良，這又不是妳的錯，這是時代的錯！聽我的勸，錯過妳在乎的人，才是真正的悲劇。」

夏慕雪握著薏心的手給張紙條：「這是ＫＫ的地址，化肥廠給他的打擊很大，他的個性又偏激乖張，有空去看看他。」

薏心緊緊握住紙條點了點頭。

「小姐，穆老剛才來找過妳，要我轉告，北非綠茶國際標的投標最後時限是明天中午十二點。」薏心一回到車上，阿榮立刻轉達。

誤會與心中謎團雖然已經化解，薏心還是得面臨現實的問題，著急地在車上自言自語起來：「穆老也沒透漏國華投標的價格，沒頭沒腦的，要我怎麼去搶標啊？」

聽到薏心的煩惱，阿榮轉過頭來說著自己所偷聽到的內容，薏心一聽之下大喜：「所以，這個時候，國華的電報文應該已經放回他們公司了。」一個大膽的念頭隨即浮現腦海。

3

關掉車燈的綠色雪佛蘭汽車靜靜地停在臺北街頭一棟房子的後巷，「國華貿易公司」的招牌高掛在三樓，薏心和阿榮從車窗仰望，此時，宵禁蜂鳴聲響起，街上人車匆匆走避，沒多久，熱鬧的臺北宛如一座死城。

阿榮想沿著外牆水管爬攀上三樓，但水管位置太高，跳了好幾次都無法順利踩到水管，薏心見狀索性直接大搖大擺走過警衛室，警衛見到穿著得體且正式的薏心，回個禮就讓薏心進樓。

好不容易跳上水管攀爬到三樓窗臺，站在窗外窄小的露臺上，離地三層樓高的阿榮赫然發現窗戶全部鎖上，急得滿頭大汗，突然看見裡頭辦公室的燈亮起，嚇得差點摔下去，窗戶很快被打開，探頭出來的人竟然是薏心。

躡手躡腳爬進來的阿榮提醒：「大小姐，我們是來偷東西的！」隨手關上電燈，打開事先準備的手電筒。

國華公司辦公室很大，光桌椅就有四、五十張，櫃子多到擺滿兩邊的牆面，根本無從找起。正當一籌莫展時，阿榮聽到門外走道傳來腳步聲，趕緊關上手電筒拉著薏心的衣角，要她蹲低躲在會客沙發的後面。

開門進來的人是文貴，摸黑走了進來，他手中拿著已經拍出去的電報譯文，伸手要開燈前，他斜眼瞥見沙發椅的椅腳處露出一截白色裙襬，後面窗子的玻璃照映著薏心身影，他眉頭一皺，腦海中忽然閃過一個念頭，他把電報文本舉高後慢慢地放在離沙發最近的一個櫃子，知道薏心看清楚他的一舉一動後，不動聲色地離開辦公室，走之前還朝沙發方向看了一眼。

看見文貴把報價單放在櫃子，從文貴的腳步聲確定走下樓後，鬆了一口氣，阿榮彎低身子移動到那櫃子伸手取了文本。

「沒錯，這就是我剛才看到的。」阿榮稟告薏心。

兩人得手後馬上回到車上，一打開電報譯文後，見獵心喜的薏心整個人傻眼，上面一長串毫無邏輯且沒有意義的英文字母，此時宵禁的蜂鳴聲二度響起。

「再二十分鐘就要宵禁。」阿榮催促。

一籌莫展的薏心打開手提包想把文本放進去，看到夏慕雪給她的紙條，她靈機一動把紙條遞給阿榮：

「快！先到這裡再說！」

阿榮再把車燈關上，憑著月光仔細地看著路邊的門牌，慢慢地開到大稻埕深處的小巷口，一部軍車呼嘯而過，阿榮躲進駕駛座底下，已經下車的薏心嚇到趴在車邊草叢內，待軍車過去，確定街上沒有人車後，小跑步到巷子裡一間平房前，房子的門窗緊閉，沒有一絲光線透出外頭，敲了門後，她緊張地站在路邊，時間彷彿過去了一世紀，薏心心急地又敲了門。

「這麼晚，怎麼來了？」開門的ＫＫ看到薏心大吃一驚。

「我……」

「進來再說，外頭已經宵禁了。」

幾個月沒見的ＫＫ看起來喝了些酒，桌上擺滿稿紙以及一堆下酒的花生米。

「妳突然跑來，我沒有準備，餓了嗎？要不要吃點花生米？」

薏心搖搖頭，月婷坐在沙發上玩著竹蜻蜓，看見薏心喊了一聲：「老師！」就跑到薏心的旁邊坐下來，拿了另一隻竹蜻蜓要薏心陪她玩。

手裡拿著竹蜻蜓，打量著ＫＫ的家，發現滿地都是竹蜻蜓與製作竹蜻蜓的木片、膠水瓶與尼龍繩。

「打算做副業嗎？那麼多隻！」薏心笑著問

「老師！為什麼竹蜻蜓可以飛起來？」月婷問著

薏心、ＫＫ也跟著玩了起來，三隻竹蜻蜓在客廳飛來飛去。

「這麼晚來一定有什麼急事吧？」

「嗯！」薏心把電報文本交給ＫＫ，ＫＫ瞄了一眼立刻解開薏心的疑惑：

「這是摩斯密碼！」

看到薏心一臉疑惑，ＫＫ解釋著：

「摩斯密碼是美軍為了怕電文被敵軍破解所發明的，只是摩斯密碼有好幾套，我只會最簡單的那一種。」說完就開始翻譯起來：

「摩斯密碼就是『滴』（dit）跟『答』（dah）組成，滴就是短聲，答就是長聲：像這個『i』就是二聲『滴滴』。」

一頭霧水的薏心不想打擾KK，坐到月婷面前跟她玩起密碼遊戲：

「月婷，我的眼睛眨兩次就代表『i』（愛），這是我們之間的密碼。」

月婷也跟著眨了兩次眼睛。

「我們之間的密碼，別告訴別人。」薏心裝出神祕兮兮的樣子，拿起自己那隻竹蜻蜓，眨了兩次眼睛。

月婷則對電報單上有秩序的「點跟線」很感興趣：「阿爸！竹蜻蜓可以用這些點點來代替嗎？」

KK有點感動，這是月婷第一次主動開口問他問題，KK溫暖回應：

「可以，只是要先翻譯成英文。」

「那竹蜻蜓的英文怎麼講？」

「bamboo dragonfly」

「…幫浦…bamboo dragonfly…」月婷重複念著。

「阿爸，你能用點點與線線畫出bamboo dragonfly嗎？」

「可以啊！可是我得先幫老師畫出她那隻竹蜻蜓啊！」

「沒關係，我慢慢等！」

「慢慢等」三個字讓KK心疼起來，為了不讓眼淚流出來，KK低著頭繼續替薏心翻譯。

「都翻好了，幸好這電報用的是最簡單的摩斯密碼。」KK把自己的英文譯文寫在另外一張紙上：

薏心看著條子，念出上面的英文短句：「一千萬磅綠茶，每磅〇．三二塊美金，二年期」。

蕙心對數量的巨大及低價感到驚訝與失望！

外面的警車聲呼嘯而過，第三聲蜂鳴聲響起，已經開始宵禁。

「看起來，今晚沒辦法回家，要委屈妳在我家過一晚了。」ＫＫ邊講邊收拾著散落在客廳地板的竹蜻蜓。

「月婷！妳和老師一起睡房間。」ＫＫ指著客廳的沙發對蕙心說：「我睡沙發就好了！」

整晚心思都放在電報上的蕙心，此時才意會到孤男寡女共處一室的尷尬，滿臉歉意地說：「這怎麼好意思，沙發應該讓給我這個不速之客才對。」

「無所謂啦，戰俘營待了好幾年，哪都能睡，況且月婷從來也不肯跟我睡，我天天睡沙發習慣了！月婷！趕緊去洗手洗臉準備睡覺了。」ＫＫ喊著

月婷聽到可以跟老師睡在一起，高興地拉著蕙心的手，蕙心只好帶著月婷，仔細地幫她洗手洗臉後，一起鑽進被窩，月婷抱著蕙心的手臂，一臉滿足的模樣吵著說：「老師，我要聽妳說打針注射的故事。」

蕙心想起三年多年在育兒園搭救月婷的往事，輕輕柔柔地哄著：「以前老師五歲的時候……」才剛開口就發現月婷已經睡著了。

折騰了大半夜，疲倦不堪的蕙心忘了還在門口車上等她的阿榮，躲在車上的阿榮為了躲避到處巡邏的警察，到後車廂取出一堆空茶袋，把自己用茶袋裹起來，鑽進後行李廂躲了一整晚。

客廳的ＫＫ知道蕙心與月婷已經入睡，聽著外頭的警車呼嘯而過的警笛，坐在書桌前微笑著，拿起鋼筆一字一句地寫著稿。

清晨，解除宵禁的蜂鳴聲響起，整夜沒睡的KK打了個哈欠，強打著精神問候已經起床的薏心：「最近日光還好吧？」

「我一直想把日光的業績作起來，很多事情也打點好了，可是我PAPA總是不能理解。」薏心有感而發。

「時代不一樣了，社長以前做生意的環境，是在完全充滿信任感的日治時代，只要專心把品質做好就好；現在不同了，一樁生意裡頭，除了買賣本身，更多是利益拉扯與政治因素，現在做生意，求生存比品質重要，所以你們無法理解彼此。」

「難道我們永遠只能跟政治唱反調嗎？」薏心指著桌上KK寫了整晚的文稿。

KK嘆了口氣，還沒開口就傳來急促的敲門聲。

「大小姐！」阿榮在門口催促著。

回過神來的薏心，驚覺時間有限，一手抓住電報譯文，對KK點頭頭表示感謝便推開門口離去。

4

數量如此龐大價錢又是如此低廉，不敢擅自做主的薏心先回臺北辦公室打電話詢問父親。

吉桑穿著睡袍，揉著眼睛聽著話筒：「妳是去做什麼大生意，做到整夜沒回家？」

「我睡在圓仔家啦！」早就編好理由的薏心，趕快拉回正題：

「PAPA，有一張出口到北非的大訂單，但是價錢很低。」

「一磅○．三一美元？」聽到低到不可思議的價格，吉桑對著話筒複誦一遍。

吉桑旁邊的林經理馬上撥算盤：「現在黑市一美元可換十四塊新臺幣，○．三一美元差不多是四塊三毛錢新臺幣左右，現在種黃柑種的茶農很多，多到有點滯銷，收一磅茶菁差不多是一塊，扣掉步留耗損，扣掉水電人工，再扣掉遠洋貨運運費，可能會賠錢。」

「好不容易知道底價，結果會賠錢！」電話這頭的薏心難掩失望

「算了吧！等有了萬全準備，下次再來接！」薏心不得不對現實低頭，站在旁邊的湯經理更是點頭如搗蒜。

不料，吉桑卻不以為然：「準備好才能做生意？根本沒這回事！哪個生意人是百分之百準備好才來接單？這筆訂單可以照顧鄉親員工兩年，我們要接！」

想起之前率性接單的慘重教訓，薏心著急起來，心想父親的大頭症又發作了，她掏出口袋中的一塊錢美金，看著華盛頓頭像，勸阻著父親：

「先不去管會不會賺錢，一千萬磅的綠茶，我們日光根本做不出來。」薏心想到上次區區兩百萬磅的訂單就把機器操壞了好幾部，不免擔心起來。

吉桑老神在在：「利潤，不是用『算』的，是用『賺』的！『量』出不來就給別人幫我們做啊！量的事好講，我打算來組衛星工廠！」

「衛星工廠？」第一次聽到「衛星工廠」這名詞，薏心感到好奇。「就是叫別人替我們日光代工的意思！」薏心還是滿頭霧水。

吉桑用《三國演義》的故事來比喻：「妳讀過孔明的草船借箭吧？孔明自己沒有時間造箭，於是派出幾百艘船去引誘曹操對自己的草船放箭，一夜之間就借到了所需要的幾十萬支箭。」

「借箭？可是我們上哪裡去借箭呢？」薏心還是聽不太懂。

「找文貴啊！文貴的國華公司之前不是賣了一大堆綠茶機器給許多小茶販小茶廠嗎？如果國華沒搶到單，這些小茶廠恐怕得跟著喝西北風，要是單被我們接到手上，我們就可以把一部分的量轉出去給他們做，價格再低他們也得接，不然就會餓死，他們好比圍繞在日光旁邊的衛星，靠我們維生。」

薏心恍然大悟：「有道理！PAPA，你什麼時候變得開始跟上時代啦！」

「妳以為妳爸我真的是『紙糊』的？我茶虎呢！以前桃竹苗的茶全是我收的，這次我再把它全收下來！」吉桑得意滿滿。

「先搶下來再講！」話筒兩端的父女倆異口同聲地說出來。

「對了，妳怎麼會有國華的底價？」吉桑突然想起來。

「在路上撿到的！」

「奇怪，我每次到臺北，路上只有狗屎可撿，妳昨晚真的在圓仔家嗎？」吉桑起了疑心。

「我要趕緊打電報到法國報價，我們跟法國有七小時的時差，希望在他們回覆國華前能夠接到我們的電報！」薏心趕快叉開話題。

薏心與湯經理來到位於北門的電報局，一名軍官模樣的辦事員要求檢查電報內容，端詳許久確認沒有顛覆政府、毀謗元首與洩漏機密等字眼後才放行，櫃檯前亂烘烘擠成一團，湯經理好不容易才擠進排隊隊伍中，不願其煩地再度提醒薏心：

「我們真的不透過協和嗎？距離截標還有點時間，改電報還來得及！」

薏心點點頭：「日光要靠自己走出去！」

櫃臺發電報人員看著薏心的紙條好心建議：「太多字了，超過二十二個字，就要再加一倍的錢。」

電報費用讓湯經理大吃一驚：「拍個電報到法國，比我兩個月薪水還貴！」

薏心有禮貌地回答：「沒要緊啦！請照打！」

電報員敲打著電報鈕，摩斯密碼猶如薏心的心聲，一緊一馳地響著，薏心知道，日光的未來就在這幾聲單調的滴滴答答聲音裡。

「臺灣跟法國有七小時時差，希望在他們回覆國華前，能收到我們的電報。」薏心看著電報局上的時鐘。

法國時間早上九點，臺灣時間下午兩點。

文貴瞥了沙發旁的櫃子，發現電報單果然不見了，他不動聲色站在辦公室角落，遙望著志得意滿的黃董，黃董已經叫人在辦公室的中間疊起準備慶祝的香檳塔，國華公司洋溢著快樂的氣氛。得意忘形的黃董用力拍拍文貴的肩膀，心虛的文貴差一點握不著手中的酒瓶：

「我升你當特助，跟著我，保證你吃香喝辣！」

文貴笑著繼續在香檳杯塔上倒著香檳酒。

「倒快點！倒快點！我要看到滿滿的香檳流下來！」

相較於國華公司的愉悅，留在電報局等回電的薏心卻是坐立難安。

「法國那邊應該上班了吧？若有得標，應該要回電報才對！」湯經理看著時鐘不安地揣測起來。

「有電報來，就表示得標，沒有電報，就表示沒有得標？」薏心問著。

「通常是這樣！看對方誠意。」經常經手國際投標電報業務的電報員回答。

薏心焦慮地在電報局大廳走來走去，湯經理安慰著：

「沒接到，也不是什麼壞事，那個底價實在低的離譜！」

連阿榮也幫腔說：「對啦，接到反而壞事！」

「時間長，量又大，根本不可能做出來！」湯經理與阿榮宛如唱雙簧，薏心也心知肚明，接與不接都很為難。

一聲滴滴答答聲音從電報機傳過來，電報員撕下電報文本開始解密，解密後翻成中文寫在電報上，大聲喊叫：

「誰是日光公司？有電報！」

薏心緊張地快要喘不過氣來，打開電報譯本後雙手不由自主地發抖起來，對著旁邊比她更緊張的湯經理與阿榮大叫：

「我們得標了！」三個人興高采烈地在電報局大廳又蹦又跳。

一直坐在電報局角落的國華公司詹祕書，走到櫃檯詢問電報員幾句話後，鐵青著臉離開。

國華公司辦公室內煙霧裊裊，靳上將坐在椅子背對著眾人，戴著金戒指尾戒的手指，狠狠地彈著菸屁股。知道落標後，國華員工都躲得遠遠的，慶功宴淪為戰犯審訊，現場剩黃董和詹祕書，文貴站在門口等著看好戲。

黃董問詹祕書：「告訴我，這種價，還有誰可以吃得下來？」

「是日光！我們出〇．三二，他們出〇．三一。」詹祕書怯怯說明。

黃董刻意想擺脫責任，對著詹祕書開罵：「我們〇．三一，對方竟然出〇．三一，根本就是衝著我們來，日光一定事先知道我們的報價，我們公司一定有洩密的內賊。」黃董冷笑看著詹祕書。

詹祕書漲紅著臉不知如何回話，急著卸責的黃董對著詹祕書咆哮著：「你居然在背後搞我，你他媽的「知道我們出〇．三二的只有上將、我還有你。」

「知道我們出〇．三二的只有上將、我還有你。」你他媽的立刻給我滾，不用來上班了。」

「黃董，你聽我解釋……」

受不了黃董與詹祕書的互推責任，上將轉過身對著辦公桌抖抖菸灰，黃董彎著腰趕緊捧起菸灰缸接住。

上將瞪了一眼黃董，輕輕嘆了口氣：「你事事不讓我順心！」

「長官，請您再給我一次機會……」黃董乞求著

「再給你一次機會？你沒上過戰場，不知道每個軍人只能死一次！既然你不能為黨為國家賺取外匯，馬上給我滾！」

黃董捂著臉狼狽走出來，門外的文貴冷眼看著人事變化的這一幕。

氣呼呼的上將起身找香菸，看著黃董與詹祕書離去的文貴知道機會來了，他梳理著頭髮儀容與情緒，踏進門遞上香菸，在將軍面前直挺挺站著。

「報告長官！北非綠茶的訂單雖然失手，但是我有辦法扭轉這一切，讓日光公司幫我們國華賺錢。」

上將本來也想把文貴打發走，但他盯了眼前這位年輕人一會兒，發現文貴的眼神充滿了鬥志，坐了下

來：

「講來聽聽，我給你一根菸的時間。」

沒多久，上將的嘴角揚起笑容。

5

得標後的薏心與湯經理來到位於總統府旁的臺灣銀行總行，透過關係拜訪外匯部邱經理。

「開戶的證件、文件以及海外得標通知電文都帶齊了，請邱經理過目。」湯經理畢恭畢敬地站在邱經理面前。

邱經理旁邊兩個辦事員仔細地審核各種外匯開戶文件，第一次開外匯戶頭的薏心趁機順便請教整個結匯流程。

邱經理利用審查文件與蓋章的空檔告訴薏心：「通常外銷廠商出貨後，很快地就會接到外國客戶的款項，至於外國客戶會不會賴帳，這不關我們臺銀的事情，有時候能收到美元的匯款，屆時就直接撥到你們日光的外匯帳戶，但是……」邱經理面有難色。

薏心立刻送上幾罐茶葉，當然，罐子裡裝的不是茶葉。

邱經理這才露出笑容繼續說：「但大多數是會先收到一張信用狀。」

「信用狀？」薏心與湯經理都是第一次聽到。

「信用狀就是對方客戶叫外國銀行開立的文件，內容多半是某個外國銀行在一段期間後會承諾付款給你們日光公司。」

「怎麼這麼麻煩？」想到沒辦法一出貨就拿到美金現金，薏心又煩惱起來

「你們生意人也會開支票給別人，信用狀類似這種意思，而且開信用狀保證付款的是外國銀行，銀行的信用比公司個人來得強，比較沒有被倒帳的風險。好比如果你們日光是作進口的公司，收到國外來的貨物時，就可以請我們臺銀開立信用狀給海外客戶，海外客戶一看是臺灣銀行開的信用狀，通常也都會接受。」

已經有點概念的薏心接著再提出心中的疑問：

「信用狀等同支票，道理我懂了，可是什麼時候才能把信用狀換成現金。」日光收茶菁多半是用現金支付，或頂多欠茶販茶農一個月，以往透過洋行賣茶，洋行很快就會把賣茶款項付給日光，日光一拿到洋行的錢，很快便能支付茶販茶農欠款。

邱經理仔細端詳日光收到的得標電文後告訴薏心：「不管你們什麼時候拿到海外銀行發出來的信用狀，我想對方開信用狀的銀行的付款時間至少是一年以後，我還聽說有些信用狀的付款日是兩年後的呢！」

「兩年！」薏心與湯經理忍不住驚叫起來。

「兩年後才收到錢？」薏心臉色越來越難看，沒有茶販茶農與員工可以積欠兩年之久。

邱經理了解他們的困難，舉起茶葉罐笑著說：「看在你們送的厚禮的面子上，只要你們拿到海外銀行發的信用狀，可以來我們臺銀辦信用狀借款，信用狀上註明多少金額的美元，我們銀行就折算成多少新臺幣借給你們去周轉，等信用狀到期，海外的美金匯款匯進來，美金換成新臺幣，最後再拿來還錢，很省事，

當然要付一點利息就是。」

湯經理鬆了口氣，但他又產生另一個疑問，他指著外匯部大廳的美元買賣牌告價格說：

「請問你們信用狀貸款所依據的匯率是……一比七嗎？」

臺銀是唯一外匯買賣銀行，換匯結匯的牌告價格是依據政府的規定，官方的匯率是一比七．五，一塊美元換七．五塊錢新臺幣，但這是官方匯率，實際上新臺幣並沒那麼值錢，黑市與一般民間的匯率是一比十四左右浮動，做進出口生意的商人都是抓一比十四作為接單成本的依據。

簡單的說就是臺銀的官方匯率牌告只是樣板，收到美金的人根本不會傻傻地拿到臺銀去換新臺幣，而是透過民間管道如銀樓、貿易行、洋行甚至國民黨黨營事業去換。

邱經理笑了笑，壓低聲量對湯經理說：「國家的外匯牌告就像神主牌，只是用來拜拜，擺著好看而已，誰會認真？」

「當然，我們會用市價匯率的一比十四來作信用款貸款的計算依據，也就是說你們只要拿一塊錢美金的信用狀來抵押，我們銀行就借你們十四塊錢新臺幣。」邱經理的解釋讓薏心鬆了口氣

「都辦好了，祝你們日光公司生意興隆大賺錢。」邱經理把存摺與文件交給薏心。

6

薏心雀躍地拿著新存摺與得標電文，滿足地走出臺灣銀行大門，她支開了湯經理與阿榮，一個人來到

中美聯合大樓樓下，特意打扮過的薏心還在旁邊商店櫥窗前整理一番，她想找ＫＫ一起分享今天所發生的一切。

三樓的懷特公司辦公室正在開會。

「關於技術，我們懷特公司建議，利用臺碱公司生產過剩的氯氣來製造ＰＶＣ，這樣可以大幅降低製造成本，臺灣正要邁向工業化，需要大量的塑膠製品……」ＫＫ正在進行簡報。

ＫＫ取出兩片從美國寄過來的塑膠樣片，交給一位正在聆聽的中年人，那個人個頭不高耳朵卻很大：「王老闆，你可以先看看樣片。」

「劉先生，您解釋的很清楚，現在我終於懂什麼叫ＰＶＣ了。」

ＫＫ笑著說：「聽說王老闆老家是種茶的？」

王老闆嘆了口氣回答：「種茶做茶看天吃飯，辛苦大半年，一場大雨就毀掉整片山頭，做塑膠不必看老天爺臉色。」

「下個月你可以再來聽我們公司的進度。」ＫＫ說道

王老闆搖搖頭嚴肅地說：「我能不能每個禮拜來一趟，蓋工廠做生意搶的就是時間，時間時間時間，我從小受的日本教育，教的就是時間觀念。」

ＫＫ點點頭送王老闆離開對著旁邊的歐文說：「這個人不簡單，假以時日一定會成為臺灣塑膠大王，我們得好好幫他。」

歐文笑著說：「別管什麼塑膠大王了，你的茶葉大王來了。」歐文指著坐在會客室內的薏心。

KK先回辦公桌放下簡報會議的樣片文件，薏心看到桌上的名牌寫著：

「KK LIU 通譯」

KK對薏心笑著：「下次要來，先打聲招呼。」

想起昨晚意外地共處一室，薏心覺得很尷尬，辦公室人來人往，歐文與迪克對著KK露出不太正經的笑容，KK提議：「我們去頂樓吧！」

臺北的天空黃黃橙橙一片，夕陽餘暉鑲著金邊，給人一股溫暖浪漫的想像，初夏的風略有涼意，這一天下來，薏心接到大訂單，也釐清了KK與夏慕雪的關係，又見到想見的人，薏心開心地讓微風吹拂著頭髮，但看著夕陽的KK依然帶著一股莫名的憂鬱。

「我很少看你開懷大笑。」薏心問起

KK想了許久才辯解說：「去年化肥廠慶祝酒會，我被你們的北埔例灌酒那天，笑得很開心啊！」

薏心看著KK問著：「夕陽這麼美，為什麼你總說夕陽是Crimson，血腥呢？」

KK看向夕陽，用平靜的口吻訴說自己的往事。

「我父親是一名英文老師，小時候他教我夕陽的顏色是CRIMSON！」

「當我還是戰俘時，最不想見到的就是夕陽，因為一到黑夜，就得面臨死亡。」

「我媽媽和我太太是在夕陽時刻被空襲炸死，我的父親的屍體也是在夕陽過後被我挖到。」

經歷過一九四五年那場臺北大空襲的薏心，回想著警報響徹整座臺北城，轟炸機飛越天空，投下一顆又一顆炸彈。將一切過去的美好瞬間摧毀。遠方的教堂與民宅、眼前的總督府、下方的街道，都在煙塵裡燃燒著。

KK指著眼前的景物：「這裡是我長大的臺北城，現在已經沒有了顏色，以前有五彩繽紛的花朵，現在只剩下政治宣傳的紅布條與滿城軍人軍車的綠……這些顏色取走了我父親的性命。」

「我不該活著回來，他們已經幫我蓋了墳墓，每年清明，我去替自己掃墓。」ＫＫ雙手掩住臉孔。

「你還有女兒啊！別太絕望！」薏心安慰著

「大家都這樣安慰我，但是……這也是我唯一還能活下去的原因，但我真的不知道如何面對月婷，她失去了母親、祖母與祖父，突然冒出一個從遠方回來從沒見過面的阿爸。」

「月婷需要你！」

「應該要說我需要月婷吧！她給我一切我想要的，但我卻不知道能給她什麼？」ＫＫ仰望著天空。

「你真是笨蛋，月婷需要的只是一個安穩的家！」

ＫＫ點點頭：「我也是這麼想，好幾次我想把月婷送給我的好友王瑛川收養，月婷本來被他們收養過得好好的，突然被我闖進平靜的生活。」

薏心看著眼前這個頑固的男人，很想一巴掌打醒他。

ＫＫ看出薏心的想法，自嘲地說：「對不起，我回到臺北後，講話還是那麼無趣無聊。」

「至少你可以每天下班回家陪女兒。」

「還可以準時上下班！」ＫＫ附議著。

薏心靈機一動有了個想法：

「如果你喜歡準時上下班，你要不要來幫我工作？」

ＫＫ看著薏心，有點驚愕，想起拘留所那晚吉桑也提過同樣的建議。

「妳要我入贅？」

沒想到ＫＫ會問這個問題，薏心羞到整張臉漲得通紅，為了掩飾自己的害羞，別過臉假裝生氣罵著：

「誰要你入贅啊？我的意思是，我已經開始接海外的茶葉訂單，直接出口需要一個英語流利又可靠的幫手，反正你在這裡只是一個小小通譯。」

KK低著頭：「我，還沒想到那麼遠！」

「我可以你付高薪！」薏心打趣地說

二人再度相視而笑，薏心以為他答應了。

但KK話鋒一轉：「謝謝妳的好意，但是我暫時沒辦法幫妳工作。」KK用暫時兩個字以免潑薏心的冷水。

「我手邊還有塑膠廠的業務，再怎麼說也得把承諾別人的事情做到一個段落。」

看著眼前失望的薏心，KK笑著說：

「我對妳的投資依然有效呢！一定還會再喝妳的綠豆湯啦，如果妳有任何需要，我一定全力幫忙，包括偷別人業務機密電報之類的。」

薏心和KK想起昨晚，同時開懷大笑起來望著夕陽，夕陽照映下的總統府看起來彷彿越來越渺小。

7

穿著派頭十足的文貴，盯著那張原本是黃董的黑色皮製辦公椅子好一陣子，小心翼翼地坐了上去，他也戴了只寬版黃金尾戒，模仿著上將特殊的方式彈著菸屁股，面前是由幾十只香檳杯所擺成的香檳塔，金黃色的氣泡液體由上往下流，好幾十位桃園地區的小製茶工廠的老闆，以球仔和小楊為首，舉杯祝賀文貴升任國華公司茶葉部副總。

「來！敬各位！合作愉快！」文貴坐在椅上捨不得起來，越坐越感到氣定神閒。

范頭家也被詹祕書帶進文貴的辦公室，看到自己兒子這等派頭的辦公室以及眾星拱月般的風光，驚訝地不敢置信，文貴起身為父親倒杯香檳酒，對著眾人宣布：「這位是我父親，寶山富記的范頭家，俗話說打仗親兄弟，上陣父子兵，從今天開始，各位就是我的兄弟，收的茶菁、做好的毛茶，無條件統統由富記茶行收購，富記就是國華，國華就是富記。」

范頭家很滿意文貴的提議，父子倆乾杯和解：「敬阿爸！從今天開始，富記不用再看日光的臉色了！」

文貴抬頭看著黑板上業績表上寫著九十萬美金，站起來拿著粉筆把九十圈起來，如果每個月想從日光公司榨出九十萬美金，他還必須打通電話。

「邱經理嗎？我是國華公司范文貴，相信上將已經交代過了，我奉上將的指示……」文貴的嘴角不由自主地上揚。

日光沉浸在拿到臺灣史上最大筆茶葉訂單的喜悅中，對於國華公司毫無戒心，不知道自己已經陷入天羅地網的絕境，吉桑還喜孜孜地誇口他的衛星工廠計畫與草船借箭。

吉桑興沖沖地來到桃園龍潭地區的茶廠，和當地小茶廠老闆泡著功夫茶博感情閒聊天話當年。

「前幾年茶市實在好，夭壽，日本三井的單子一來，怎麼做，就怎麼賺，沒日沒夜，乒乒乓乓！」一位年約六十好幾的老茶販回憶著過去茶金時代的榮景。

吉桑興致勃勃地講著：「一家獨大，不如萬箭齊發！我們大家再聯手起來，把這個市場做起來！你的機器能做多少茶？我一口氣包兩年。」

那茶販遲疑一會後喝了口茶：「唉！吉桑你不早點來，昨天我才才答應富記，兩年一百萬磅的製茶量，我的工廠已經沒辦法再幫你做了！」

吉桑的豪情僵在臉上，這回尷尬了。

「富記？」

「寶山姓范的啊，以前是你的茶販子，記得嗎？」

吉桑故作鎮定：「記得！怎麼不記得！范有義那家嗎！」

「桃園這邊，吉桑你不用問了，就我知道的，大大小小的茶廠全都和富記簽約了！連深山的小茶寮都包了。」端著茶杯望著丘陵茶園的吉桑不知所措。

「范頭家做那麼多茶要賣給誰啊？」吉桑納悶著。

「誰知曉？他是抱著現金來，我只認得孫中山。」遠方天空悶雷響個不停，那老茶農看著天嘆口氣：

「落雨囉！」

吉桑為了日光的訂單，只好頂著陰雨綿綿忍辱到寶山找范頭家，

「下雨天，稀客！來喝我做的珠茶。」范頭家笑嘻嘻泡著珠茶招待吉桑。

「你這個珠茶漂亮哦，小粒又緊固！」吉桑不動聲色用手指壓扁一顆渾圓珠茶，搓搓茶葉。

「放心啦，我這沒摻粉啦！」范頭家故意捉弄吉桑。

吉桑不甘示弱地頂回去：「北非綠茶是用煮的，不是用泡的，還要加方糖跟薄荷，喝起來才對味！」

范頭家對吉桑的諷刺不以為意，聳聳肩說：

「沒差啦！反正是做給非洲人喝的。」

兩人默默地喝著沒滋沒味的珠茶好一會，直到吉桑打破沉默：

「范頭家你收這麼多茶，自己賣嗎？」

「我是為國華公司收茶。」范頭家不怕吉桑知道

「文貴？」

「我家文貴現在事業做得哦，在阿山仔的公司做大官呢！」

沒兒沒婿的吉桑苦笑著：「當初我就是看文貴有前途，寶山第一個大學生呢！頭腦轉得快，真的做得，做得哦！」瞧著范頭家一副有子萬事足的得意模樣，吉桑心中不勝稀噓。

8

春雷乍響，今年的梅雨季節提前來臨，小蝸牛在安靜伏在濕潤的茶株葉片上，葉片微顫，茶農們眼見又早又急的春梅，不得不提前早摘。

日光北埔廠二樓紅茶萎凋區改成倉庫，一籮籮的茶菁搬進搬出，山妹領著幾十個茶師茶工操作著半月型揉捻機，茶菁經過揉捻、靜置、包裝、秤重，裝箱、封箱，一只只木箱上面刷著「摩洛哥」英文字樣後搬上卡車。

薏心在自己桌位上核對報關倉單，計算茶菁進貨量、毛茶庫存量，林經理滿臉擔憂地對著帳簿撥打算盤，揉著額頭，數字似乎怎麼都對不上。

「怎麼會？大部分茶農都已經改種黃柑種茶樹，光是我們北埔的茶菁應該就能支應第一季出貨才對。」薏心來到林經理旁邊打起算盤來。

「今年春梅來得太早，茶農茶販運過來的茶菁量不太足夠。」

「PAPA不是去找了桃園的小毛廠，加上他們幫我們代工的量，應該就……」薏心信心滿滿。

林經理拔下眼鏡看著薏心：「吉桑還沒告訴妳嗎？」他轉述富記搶單的事。

薏心愁眉苦臉地想著辦法。

「先讓廠裡的人加班趕製，也跟配合的茶農茶販講，茶菁有多少我們都收，……我去一趟臺北。」

9

傍晚的永樂戲院距離開唱還有兩個鐘頭，但已經聚集了大稻埕一帶的茶商。

「聽說日光那小女生，搶到北非綠茶大訂單？」水陸茶行吳老闆好奇著。

「不只是搶，根本就是攔胡，報價硬是比國華低一毛美金，國華的黃董因此下臺。」自己的生意被國華打得苦不堪言的古春茶莊陳老闆有點幸災樂禍。

「國華家大業大，少做一筆單不痛不癢，最糗的是協和的穆老，他原本想聯合日光去搶單，不料那個細妹仔竟然拋下穆老，自己去搶。」最愛聊人是非的太古洋行鄭經理說得繪聲繪影。

「嘿嘿嘿！走著瞧吧！」天天茶行李老闆冷笑著。

「別說了，穆老在後面。」

穆老鐵青著臉裝做閱讀今晚劇目表掩飾自己的尷尬，旁邊傳來問候聲：

「穆老，您好！」薏心風塵僕僕地從北埔來到戲院，找到固定的第七排，見穆老身邊有著一位女伴。

「坐吧！」

薏心對穆老帶來的女伴點頭示意，還沒開口，穆老就先說話：

「碰到困難了吧？是數量還是外匯？」穆老好像未卜先知，薏心相當訝異，但仔細想一想，臺灣茶市就這麼點大，消息傳來傳去並不奇怪。

「我們需要協和幫忙，『借』點『量』出來。」薏心硬著頭皮開口求助。

「嘿嘿！上次摻粉的事件已經幫過妳一次，妳還敢再來開口！」穆老暗諷薏心臉皮很厚。

「是您要我搶單的！」薏心也不顧不了面子。

「妳破壞行規，我的意思是由我去搶標，交給你們去做。」穆老責備著。

「打壞行情，這種價也出，洋行的唐山仔做白工，小細妹仔真有本事，臺灣國際茶市都被這張單搞臭了。」前排幾位茶商故意冷言冷語。

穆老和薏心都聽見了，二人難堪地對望。

「這回，妳真的當家了，自己搞出口，日光也算是洋行了，綠茶的茶菁與機器都在妳的手上，找我又有什麼用。」

「出口事多，需要穆老多多指教。」薏心還是不死心。

「指教不敢！其實，我也只是洋行的打工仔，愛莫能助。」穆老婉拒。

「想當年，我在上海也想聯合徽州茶廠、上海銀行家，以為自己可以吃下整個市場，最後弄得一敗塗地！時局啊！政治啊！匯率啊！我們玩不贏這些。」穆老操著徽州口音語重心長地勸告薏心。

「是您邀我們做綠茶，是您教我如何去投標，是您仲介賣機器給我，穆老您就這樣撇清了？」薏心很不甘心。

「生意人有道看不見的天險！妳自求多福吧！」穆老指著坐在第一排的上將以及坐在第二排新任國華公司副總經理范文貴與一群隨從。

燈暗，鑼鼓點起。穆老準備看戲，不再搭理薏心。

薏心有點傻了，這時前排文貴回望了薏心，他再看看前排的上將，他盤算接下來要如何登上國華的舞臺。

夏慕雪出場亮相，上將大聲叫好。

散場後的夏慕雪坐在後臺卸妝，身後的門被敲響，沒回頭的夏慕雪只是回了一句：「再等我一會。」

門被打開，上將坐在旁邊，看著擺著化妝桌上的戒指，笑著問：

「與人有約嗎？」

夏慕雪沒回話，手頓了一下，若無其事地繼續卸妝。

「我提的事情妳想清楚了嗎？」上將拿起戒指問著。

夏慕雪轉過身看著上將：「我只是戲子，只配陪你玩玩，若要明媒正娶，光明正大地把我迎進門，你不怕擔心自己的前途嗎？」夏慕雪依然用老藉口搪塞。

「我幫國家打仗打了一輩子，現在還拚死拚活地幫他們賺外匯，我找個喜歡的女人在一起，誰敢說話？誰敢？」上將激動地說著。

「留在大陸老家的嫂子呢？」

「唉！我們都已經來臺灣這座小島四五年了，回不去啦！」上將垮著臉道出內心話。

夏慕雪手上的粉撲掉在地上：「真的回不去嗎？就算回去又如何啊？」

上將比著軍裝上的星星說：「其實，卸下肩膀這些星星，我也只是個平凡男人，妳卸妝下了舞臺，也只是個平凡女人。」

夏幕雪看著上將溫柔地說：「再給我一段時間，我會給你好消息。」

上將彎下腰撿著粉撲遞在夏慕雪的手上：「你還是忘不了那個姓劉的傢伙吧！」

10

細雨綿綿，山妹等人穿著蓑衣戴著斗笠，在工廠門口不停地翻攪著一簍又一簍的茶菁，茶農面有難色地等著驗茶。

「怎麼這麼多都是落水茶？」嗶嗶哥抱怨著。

「老天爺不賞飯，春梅下了快一個月，採收的茶菁都泡水變成水菜，茶菁泡水就開始發酵，偏偏綠茶又不能發酵……」莫打搖搖頭。

「很難！綠茶是不能發酵的，新鮮茶菁本身水分量就達七十到八十趴仙，水菜裡的水分就更高了，可以說是一摘下來就開始發酵了！」山妹解釋著。

茶農們引頸期盼，等著吉桑宣布今天收購價，吉桑看了看竹簍成堆如山，眉頭不免又皺了起來：

「以前水菜勉強還能做紅茶，但現在我們是做綠茶……」

「吉桑，您就隨便開個價，別讓我們血本無歸啊！」

吉桑比著倉庫後面的水溝，堆滿一簍簍劃著「×」的茶袋說：

「前幾天勉強收進來的，全部都發酵發爛，只能倒水溝餵魚當飼料，你們要我怎麼收？」連最阿莎力的吉桑都愛莫能助，失望的茶農們，還是不死心地賴在茶廠門口，想等等看會不會發生什麼奇蹟。

「社長，下了整個月的雨，如果連日光都不收，我們……」

吉桑滿臉不捨地說：「下雨天，還送茶來，大家都很辛苦了！」

「是啊，一下雨，茶就長得特別快，採下來變水菜，不採只能眼睜睜看茶樹開花，靠天吃飯，實在沒法度，這樣下去，下學期小孩註冊錢……」

「使不得啊，茶樹開了花以後就不會再長新芽。」吉桑嘮叨著。

吉桑在落水茶菁堆中來回踱步，一副欲言又止的模樣，薏心知道耳根軟的父親開始動搖。

「買了又丟掉，不如不要買。」薏心擔心吉桑心一軟又亂開價。

「你們以為我在做功德是吧？下雨天，我們收茶是很辛苦，但種茶的人更辛苦！」

薏心示意旁邊的林經理把父親拉進辦公室。

「PAPA，我們同情他們，誰來同情我們……」薏心突然止住不說，因為一個快八十歲，半邊臉有胎記、腰已經彎到挺不直，走路還一拐一拐的老茶農烈伯，剛好推著板車載著好幾袋泡過水的水菜來到倉庫前。

吉桑三十年前開始做茶時，所有的北埔茶農都對吉桑沒信心，寧可把茶菁賣給日本官營茶廠，而烈伯是當年第一個願意賣茶菁給吉桑的茶農。

吉桑看見烈伯，內心最後一道理智線立刻崩潰，豪氣地對門口的所有人說：

「下雨天送茶來的北埔鄉親，一斤兩毛錢，有多少就收多少！」

推著板車的烈伯對著吉桑感激地說：「社長，歹勢，茶泡水，要不是我家……」

吉桑打斷烈伯：「免說那多啦！一斤才兩毛，是我歹勢啦！」

薏心聽見了超低的收價，意識到吉桑還是沒被感情沖昏頭，但一想花錢買那麼多垃圾還是嘆了口氣。

正在檢查茶菁的山妹聽見了吉桑的話有點感動，因為她就是辛苦人家出身，但同時也能理解薏心的立場。

雖然低價，茶農茶販們還是很開心地在倉庫前排好隊等待秤重驗貨。

負責驗貨秤重的嗶嗶哥連看都不看一眼，直接在茶袋上畫「X」：「做功德啊！」

「只能丟了，真浪費。」莫打搖搖頭。

山妹看著成堆的滿地落水茶自言自語：

「控制在五％以下的發酵程度，也不是不可能做成綠茶！」

嗶嗶哥驚訝地回答：「做不得啦，落水茶步留低又難飲，從前還可以做紅茶，現在做綠茶太勉強了吧？」

嗶嗶哥想起山妹剛來日光的第一天和石頭師門茶的往事：「你該不會——那是純手工啊！現在每季要交兩百萬磅綠茶，除非把全省一半的茶師茶工找來才做得完。」

「試試看吧，現在毛茶量也不夠，能多做一點就是一點。」山妹好像想到什麼似的。

「莫打哥！去把我們以前的老紅茶機器打開！」

隆隆的馬達聲運轉著很吵，熱氣逼人，要大聲講話否則聽不見。

嗶嗶哥大喊：「山妹，妳要做紅茶嗎？怎麼把水菜丟到紅茶機器裡？」

山妹一邊翻攪一邊跟大家解釋：「是，我是要用萎凋槽的熱風把水菜烘乾，阻止水菜繼續發酵。」說完後把萎凋機的溫度調到三十度左右。

「我想試試看用低溫低速把水菜先烘乾，溫度不要太高的話也許可以讓茶菁發酵慢一些。」

最信任山妹的薏心點點頭指揮所有茶師茶工一起下來翻攪，嗶嗶哥和莫打雖然不以為然，但看到留下來陪大家一起熬夜的薏心，也勉強同意一試。

「這批還做得，快烘乾！」

「這批不能再烘了，快包起來！」

「這批可以了，快殺菁。」大家頂著機器酷熱忙著將一批批茶菁搬到另一側去殺菁。

順妹、團魚、猴進搬來宵夜，一碗碗綠豆湯盛出來，薏心端了一碗給山妹。

另一邊的工人拿著一袋袋的泡水茶菁給山妹檢查，山妹除了下手幫忙烘茶，還得負責檢查每一批茶菁是否值得一試，工作量是平常的好幾倍。

「這批已經受潮過度發酵，做不了，扔了。」山妹沒空喝綠豆湯，工人應聲搬去丟棄，一堆的後面還有一堆又一堆，無止盡的工作。

山妹翻起下面的剛殺菁的毛茶，捉起一把聞著，薏心有樣學樣，也拿起一把用力一聞，一股酸臭味撲鼻。

「唉！發酵了，還是救不回來！」山妹挺失望的。

嗶嗶哥跟莫打二人一副無語問蒼天的表情，倒掉這批烘乾的水菜。

山妹則把萎凋槽的溫度再調高，準備下一批實驗。

勉強做出幾批成型的珠茶，薏心跟山妹站在審茶桌前，桌面上一堆茶堆，以及一些沖泡過的審茶杯，滿身大汗的山妹忙著泡起四杯不同茶樣。

薏心打開一杯審茶杯，皺著眉看著茶底，是可怕的深紫色：

「這茶可以喝嗎？」

薏心喝到一股酸味，要吐不是，要吞下也不是，她偷偷吐回審茶杯裡。

「味道淡薄且有酸味，變酸了。」山妹看著杯底。

山妹打開第二個審茶杯細細審茶，薏心也喝了一口，滿嘴苦味的她皺著眉頭看著山妹：

「這茶根本泡不開。」

山妹端起最後一只審茶杯聞了又聞，面有難色的含著茶湯，薏心一口喝下感覺還蠻順口的，但山妹還是把茶葉倒在裝垃圾的竹簍：「這杯已經被烤成紅茶了！」

薏心苦惱地用手撐著桌面，看著竹簍裡堆滿了深淺不同的失敗茶底茶葉。

「看樣子，水菜是不可能做成綠茶。」薏心懊惱不已。

忽然，薏心髮絲飛起，身後傳來一陣清風，原來山妹替她搧風加油，山妹笑著笑指著桌子說：

「沒試到最後，別說有沒有用，這是石頭師教我的。」

審查桌只剩下最後一杯。

「這一杯是烈伯種的茶。」薏心認出來。

第二天天才剛亮，審查桌前又多了林經理，薏心拿著山妹用水菜做的綠茶，為林經理泡了一杯茶，林經理知道準沒好事，小心喝了一口。

「喝起來什麼感覺？」薏心笑嘻嘻地問著

「提神清心、清熱解暑、消食化痰、解毒醒酒、降火明目。」

薏心收起笑容：「拜託講實話！」

「普通！」林經理面有難色

「請再喝一口？」

「還是普通，味道不濃不淡，沒什麼特色。」林經理實話實說。

薏心笑了，林經理不知道薏心葫蘆裡賣的是什麼藥，他不死心地再喝個幾口。

「林經理，我要賣這個非常非常普通的茶！」

林經理聞言，滿嘴茶水不小心噴了出來，還來不及掏出手帕擦拭先連忙阻止：

「新社長！這個茶，真的非常非常普通！」

此時山妹拿出薄荷葉、砂糖放進鐵壺重新煮了一壺綠茶，水開後倒了一杯給林經理，林經理喝了一口後滿臉狐疑：

「這真的是北非綠茶！和北非茶糖局給的茶樣的味道差不多啊！」

「山妹，妳是在變魔術吧！」湊過來審茶的嗶嗶哥跟莫打喝完之後也露出和林經理一樣，不可思議地看著相視而笑的薏心與山妹。

「昨天收了十幾批茶菁！不管我們怎麼救，就是救不回來，但只有烈伯送來的茶菁，可以救得回來。」山妹解釋著。

「為什麼？難道烈伯的茶有摻仙丹嗎？」嗶嗶哥好奇地問著。

「祕密在於水菜的運送時間！」山妹又喝了口茶確認。

薏心揭開謎底：「才不是變魔術，是因為烈伯的茶園就在我們茶廠後面，茶菁摘下來後很快就可以送過來，被大雨淋濕的程度比較低。」

所有人都是製茶老手，一聽就知道箇中原因。

林經理提出疑問：「可是，就算把茶廠附近茶園茶菁都收過來，數量還是很少啊！」

「綠茶講究的就是鮮度，茶廠就在茶園旁邊是最適合的，除了我們九座廠外，只要我們發包出去的量夠大、價格夠穩，就一定會有小茶廠接單，我們日光只做一部分，茶販與茶農可以就近把茶菁送到茶園附近的茶廠，扣掉水電、運費、人事、代工費、出貨損壞量，甚至連天災意外損害都算進來，我們還是可以順利出貨而且還會有賺頭。」薏心滔滔不絕地說著她和山妹想了一整晚的做法。

聽到成本利潤等字眼的林經理立刻拿出算盤撥弄起來，但他還是不敢太樂觀：「話是這樣講沒錯，但許多小製茶廠都已經和國華簽約，他們為什麼要幫我們做茶？」

「他們國華雖然有錢有關係，甚至擁有一大堆小毛茶廠，但他們卻沒有技術，他們忽略了整個茶產業最關鍵的……茶師，沒有好的茶師，除了無法做出品質好的茶，更沒有辦法處理泡水茶，老天爺雖無情但很公平，我們收到的是爛水茶，他們也一樣。」薏心解釋著。

「山妹會到那些小茶廠去傳授，如何把水菜做成綠茶。」

嗶嗶哥等其他資深茶師茶工也異口同聲說：「我們也可以去教！」

林經理恍然大悟：「各地摘出來的水菜，收購後就近運到其他小茶廠，我們連水電加班費都可以省下不少錢。」

薏心點點頭，表示正有此意。

薏心繼續說明自己的想法：「北非這批大訂單長達兩年，不可能天天風調雨順，國華公司不可能每季都能收到合格的茶菁，而且他們所簽下的合作毛茶廠，技術參差不齊，大部分都是茶販子轉業，他們能搶一次但不可能每次都得逞，我相信沒多久，缺乏技術的國華，會乖乖上門找我們合作。」

林經理越聽越覺得有道理，眼前這位新社長越來越像年輕時的吉桑。

果然如薏心所料，國華不敢收泡過雨水的水菜，而他旗下那些下游小毛廠因為沒單可接，只好硬著頭皮用很便宜的價錢幫日光代工，而日光只需派出茶師茶工去指導，以及付出每磅幾毛錢的製茶費用，一個月下來，北非綠茶第一季的幾百萬磅的量順利達標，而國華卻連半磅的毛茶都搶不到。

林經理點收著清單與帳冊大喜：「第一季的『電報標單』終於順利出貨了。」

忙了大半個月，山妹也鬆了口氣：「還好，有趕上就好。」

「哎！這季過關了，可是下季的出貨的量是兩倍，這怎麼來得及呦！」林經理的臉又糾結起來。

「再努力吧！」山妹有氣無力地回答。

山妹到門口查看卡車裝貨，走沒幾步，臉色蒼白的她吐了一口氣，頓時感到一陣天旋地轉，整個人昏倒在出貨給摩洛哥的茶箱前。

「山妹……」附近的薏心、林經理大叫起來。

山妹立刻被緊急送到鎮上的濟陽醫院，薏心、吉桑跟林經理憂心看著臉色慘白躺在病床的山妹。

「老社長！新社長！你們能不能放山妹幾天假啊！操勞過度，少睡少吃營養不良，日光總茶師累成這樣子，傳出去你們公司很丟臉啊！」不捨山妹如此操勞的張醫師對著吉桑父女說了重話。

「山妹，妳好好在這裡養病，沒有我同意，天塌下來都不能出院，知道嗎？」張醫師的話聽起來很嚴厲，但聽在山妹耳裡卻格外甜蜜。

「妳要吃什麼，我去幫妳買！」

父女看山妹沒有什麼大礙，便識趣地離開病房，在走廊上輕聲談論。

「做到茶師都病倒了，我們日光已經走了兩個，現在又病了一個，日光還有多少茶師可以損失？天公仔！」吉桑很無奈。

薏心也體會到做生意不能老是靠著壓榨茶師員工：「我們得多找幾位茶師才行！」

「妳以為茶師像學校教學生，發幾張考試卷，會寫的人就算及格那麼簡單嗎？好的茶師需要天分又吃得了苦，很難找啊！」吉桑搖搖頭。

薏心自責地看著病房裡的山妹，知道自己做錯了事。

「張小姐，妳好！」站在病房外來探病的竟然是懷特公司的歐文，用彆腳的中文向薏心問候。

「你怎麼也來了！」薏心的英文已經流利地可以和美國人交談。

「探病啊，我來看我心愛的山妹！」毫不掩飾自己情感的歐文回答地很直接，病房內還有張醫師，薏心一時慌了手腳不知道該怎麼幫忙遮掩，只好作罷，心想山妹有這麼多男人關心照顧，身體一定很快就會痊癒。

11

薏心睡在ＫＫ所留下來的行軍床上，她看起來是陪大家奮戰到天亮的樣子，連衣服也沒換。

「她在茶廠陪大夥一起熬夜到天亮，才剛睡，要不要叫醒她？」林經理問著來訪的ＫＫ。

「不用了，就是順道出差回來看看，沒什麼事。看你們都累的，讓她休息吧！」ＫＫ憐惜地看了眼熟睡的薏心。

「農會還有事，先走了，你也保重。」ＫＫ下樓離開了。

歐文為了山妹自動請纓回北埔的臺肥化肥廠當高級工程師，然而化學肥料對於農民來說依然是陌生的新產品，中毒、使用不當與溝通不良的事件層出不窮，歐文只好邀請ＫＫ回北埔開化肥講習班。

歐文祭出「聽課就送一包肥料」的誘因，果然，農會教室內擠滿了引頸期盼等待上課的農民。

「劉經理上課從不遲到，怎麼這麼久還沒到？」

「我看是不來了！去臺北發達了，誰會想來鄉下瞎攪和！」

「我還有好多問題想請教劉經理！關於那個配肥，怎麼看都看不懂……」老茶農烈伯彎著腰期盼著。

ＫＫ終於出現，還帶著許多用心自製的海報教材，說明配肥混合方式，ＫＫ把握時間趕緊布置黑板。

「抱歉讓各位久等！剛才被行政手續耽擱了，我們來上課！」

坐在講臺旁邊的陳專員酸言酸語：「唉喲，ＫＫ你現在不做化肥廠經理，怎麼還是勤跑農會啊？」

「就是農會沒做好售後服務，才造成農民對化肥還有很多疑問。」ＫＫ不留情面地頂了回去。

「劉經理！你終於回來了！」

「我等你等到茶園都快枯了！」大半年不見，北埔鄉親依然很敬重KK。

KK看著臺下有點感動，講課前先別上金屬名牌「中國農村復興聯合委員會教育推廣專員劉坤凱」：

「我不是經理，現在請叫我劉老師，不懂的盡量問！我會盡我所能回答大家！」

臺下開心喊著「劉老師」，踴躍提出化肥使用問題，KK充滿熱情，耐心解釋著，現場氣氛熱絡。

課堂尾聲，陳專員對來聽課的農民發放肥料以及一張張換肥規範宣導傳單，KK在一旁收拾教材，農民們看著傳單表情不悅。

「方法寫在上面了！還有什麼問題嗎？」陳專員很不耐煩

「又是文件，又是公告！老是給我們這些沒用的紙！」

「我上回要買肥，又搞出什麼以穀換肥，農會是不是不想賣！」農民七嘴八舌抱怨著。

化肥廠自從納入國營事業體系改成臺肥公司新竹廠後，由於人謀不臧，經營者不懂專業，國府又安插了一堆退伍軍官冗員，除了導致產量銳減外，有不肖官員勾結臺肥高層偷盜賣化肥，而農民只有在一年三節才能根據配給買到化肥，自然是怨聲載道。

「別亂講！是你不按規矩來拿！農會出肥、換肥一切按主管機關之規定！」陳專員說著。

「我們的茶園，過年前就得施肥，農會偏偏捱到清明過了才發，你到底懂不懂務農？」性格比較火爆的烈伯不甘示弱地罵了回去。

烈伯繼續抱怨：「我申請的是種茶的肥，你發種稻的肥給我，一點都沒用處，害得我們大家還得去黑市交換！」

聽到黑市兩字，心虛的陳專員拉高聲量罵了起來：

「黑市是違法的，你還敢講啊！別怪我報警把你們統統抓起來，你們有意見就去跟上頭反應，跟我講也沒用！」

陳專員說完就收拾文件準備離去，農民小彭見狀上前追問：

「農會到底是不是幫農民做事？我們都是繳錢入會的會員吶！」

烈伯與小彭的話讓農民群情激憤，大家圍著陳專員七嘴八舌表達不滿，此時裡頭有人帶頭喊著：

「農會不給肥！」

「農會不照顧農民！」

陳專員跟農民們吵得很大聲，帶頭的人趁機對陳專員動手動腳，陳專員很配合地演出摔個四腳朝天、滿地打滾的動作。

ＫＫ認得帶頭喊口號的是就是上次那位來路不明的小范，見狀趕緊站回講臺伸出雙手安撫大家：「大家有話好說，不如我把問題匯集起來，再替各位一併反應！」

好說歹說才平息這場意外的紛爭，從地上爬起來的陳專員對著教室門口露出微笑。

三天後，ＫＫ敲敲門熟悉地走進老闆迪克的辦公室，迪克給了一份文件夾給ＫＫ：「美援會剛核准的ＰＶＣ技術移轉案，你看一下。」

ＫＫ打開文件看了一會兒說：「跟我們公司所提的意見一致，沒問題的話我立刻翻譯成英文。」

「你還記得自己的工作是翻譯啊！」迪克話中有話，ＫＫ愣了一下。

迪克丟了幾張照片在桌上：「有人檢舉你帶頭滋事。」

ＫＫ皺眉看照片，但被拍的完全不像活動現場那般，明明是調停紛爭，但是照片的角度卻像是帶頭滋事抗議。

「先生！我只是在幫農民向農會反映意見。」ＫＫ把當天的情況解釋給迪克聽，

「ＫＫ！我相信你，但是，真相的解釋權永遠是掌握在有權力者的手中。」迪克站了起來。

「ＫＫ，烏面那件事情，我好不容易才搞定，別再給我惹麻煩了，現在化肥廠已經是國府的財產！」

「就是因為這樣，所以我要幫助農民。」ＫＫ不死心講著生產效率低落、農會功能不彰的問題。

「該死的，ＫＫ！您應該很清楚化肥的利益很複雜，尤其是在臺灣！」

「是的！先生！但是，農民總要有人教啊！」

看著ＫＫ的直拗，迪克火氣也上來了：「你以為沒有你，農民就學不會嗎？你沒有你想像中的偉大！」

「先生！」ＫＫ一臉驚愕，他所有的付出都被長官否定。

迪克打斷ＫＫ的辯解：「我以軍官的身分命令你，不准你再插手任何化肥的事！從今天開始，做好你他媽的翻譯的工作就好了！」

心有不甘的ＫＫ拿著ＰＶＣ文件，低著頭要離開，推開門前，迪克叫住了他：

「ＫＫ！我很遺憾，你這麼辛苦建起來的化肥廠就這樣被偷走了……」迪克態度有點軟化。

ＫＫ回過身看著長官迪克。

「你應該知道，臺灣要是被共產黨『解放』，美國在亞洲的利益將全部喪失，所以我們只好對國府睜一隻眼閉一隻眼。」

ＫＫ很清楚美國人永遠都是站在自己國家利益上考慮事情，嘆了口氣：「你要我假裝這一切都沒有

發生過？」

「是的！我以朋友的身分告訴你，放手吧！」迪克堅定地回答。

ＫＫ聽懂迪克的警告，捏著手中的文件夾，輕輕帶上門，看著老闆辦公室的門，聽著公司內一堆洋人老外的談話說笑聲，彷彿一切都與自己無關，但他卻不知何去何從。

12

等了一個多月，但誠如臺銀經理所料，北非綠茶第一季合約雖然順利出貨，卻只盼來幾疊文件。

林經理一臉期待，吉桑則是假裝把玩著茶樹盆栽，其實都在偷看專注查著英文字典，並對照著文件的薏心。

「信用狀上寫些什麼？」

「這是第一批綠茶的付款信用狀，由摩洛哥銀行發過來的，摩洛哥的國家銀行保證付款，付款日是一年後。」

「什麼？付款日是一年以後？」林經理望著信用狀一臉愕然。

「對方是國家銀行不會賴帳的。」薏心倒是氣定神閒。

「機器的尾款、茶菁欠款、工錢……可沒辦法等上一年！」林經理憂心忡忡。

修剪著小盆栽的吉桑冷言冷語：「現在妳是打算拿那張紙去付茶菁錢嗎？」

薏心整理好信用狀，信心滿滿地回答：「這些信用狀可以拿到臺銀去借錢，前一陣子臺銀邱經理已經答應了。」

吉桑聳聳肩嘲諷著薏心：「現在妳了解做生意就是得借錢的苦衷了吧？」

「又要借錢？老社長換新社長！紅茶換綠茶！好像沒多大改變！」林經理嘆息著。

臺灣銀行國外部的氣氛很僵，薏心把一疊信用狀用力地推到邱經理面前：

「請你再看清楚一點，這可是貨真價實由國外銀行保證付款的信用狀，為什麼不能貸款？」

邱經理語氣雖然和緩，但態度頗為強硬：「張小姐，我說了十幾遍了，這些信用狀有瑕疵，本行不接受這些信用狀為借款的擔保品。」

「法國巴黎銀行開的信用狀有瑕疵？」

「法國巴黎銀行是法國國營銀行，沒有問題，但擔保付款的是她的摩洛哥分行，摩洛哥最近要脫離法國殖民，外匯極度缺乏……」

薏心對邱經理冷笑：「這幾句話已經講了好幾遍了！我們日光去年就賣過綠茶給摩洛哥，收款從來沒發生問題。」

「那是透過洋行，日光公司只是一間茶廠，不論是規模、信用還是實力，都比不上國外洋行，抱歉，張小姐，本行愛莫能助，妳另請高明。」邱經理感到不耐煩，講話頻頻看表。

「另請高明？全臺灣，只有你們一家臺灣銀行辦理國外信用狀借款，我還有其他家銀行可以去嗎？」

薏心激動地質疑對方。

「政府要我們去開拓北非綠茶市場，換匯結匯與貸款又不給我們方便，這不是擺明刁難我們商人嗎？」

邱經理還是一副愛莫能助的模樣。

「所以，邱經理您是要告訴我，我這張幾十萬美金的信用狀，一年內都是廢紙嗎？」薏心方寸大亂。

操著濃厚江浙口音的邱經理還是一副官腔：

「你可以等對方一年後把美金匯過來啊！」邱經理說完又把一疊信用狀推回到薏心面前，起身從文件櫃抽出幾卷卷宗說：

「辦法有是有，就得看看大家的努力！信用不夠可以找有信用的合作夥伴啊！如果貴公司的茶葉生意能找間大公司或大商社合作，信用狀貸款一切都好談。」

聽出對方話中有話，薏心試探性地發問：「大公司大商社？譬如……」

邱經理輕描淡寫地說著：「譬如國華公司……」

頓時，薏心全明白了，自己被文貴設計了。

六神無主的她走出臺灣銀行，抬頭望向中美聯合辦公大樓，KK竟然站在頂樓抽菸，薏心上樓找KK，滿腔的委屈、憤怒、受傷、哀怨與不甘一股腦地化為眼淚流了下來。

「先不要講話！讓我自己一個人靜一靜。」薏心不想讓KK看到自己的軟弱，轉過頭閉上眼強忍眼淚。

「張開眼看看竹蜻蜓！它能飛到哪邊去？」KK溫柔地說著。

聽到竹蜻蜓，薏心好奇地張開眼睛，見KK放飛了一隻竹蜻蜓，飛在臺北城內如血般的夕陽街道上，一陣陣的強風讓它躲過車水馬龍，平安地飛抵對街。

「竹蜻蜓很脆弱，但如果懂得利用順風，它的柔弱反而是它的優點！」

薏心似乎明白ＫＫ要告訴她的道理。

「如果是逆風呢？」

「就躲起來吧，像躲空襲警報。」

「你知道嗎？我其實還蠻喜歡躲空襲警報的。」

ＫＫ不解。

「打仗那時候我在臺北讀高等女學校，每次空襲警報響了，躲進防空洞，時間就好像靜止了……我們什麼都不能做，但外面一切的吵鬧，也都和我沒有關係，我只要，好好地躲著就好了。」

ＫＫ想起自己耗了好幾年所投入的化肥廠說：「躲起來就會知道，這世界沒有了我們，其實也還是正常轉動的。」說完後，連ＫＫ自己也感到比較釋懷。

「有時候，你會不會覺得，不管你再努力，到頭來都是徒勞無功……」薏心娓娓道來在臺銀吃閉門羹的始末。

「國華公司很有辦法，日光如果是竹蜻蜓，國華就是風，順著風才能飛得更高更遠更安穩。」ＫＫ建議著

「我知道！」薏心淡淡地回答

「看來妳已經有了選擇！」

「只是我討厭這種沒有選擇的選擇。」

ＫＫ笑著說：「沒得選擇也是一種選擇！」

「當年，你問過我，誰跟誰掉到水底，要救誰的問題？你勸我自己學會游泳，但我只有一個救生圈，游也游不遠。生意這條路上天天狂風暴雨的，游到今天，我好累。」想著想著，薏心又哭了起來。

「可是妳做得很好！那時候，妳一個人就改變了茶廠的士氣，每一個人都激動對妳喊著『新社長』……我永遠記得妳那天的笑容！」KK遙想當時。

KK看著哭喪的臉的薏心：「以後我也會記得妳今天這張哭了又哭的臉！」

「不准你記住……很醜啊！」薏心慌張地用手擦眼淚。

KK體貼地掏出手帕幫薏心擦眼淚：「妳改變了日光的命運，這很了不起！很多人在壓力之下毀滅，但壓力卻變成妳的助力，很令人欣賞！」

薏心靠在KK的肩膀上眺望著夕陽。

第十章

1

在夕陽餘暉下，「國華貿易公司」招牌顯得格外刺眼，薏心深呼吸了好幾回，做好足夠的心理準備，往旁邊的樓梯爬上去。

薏心被招待坐在上回偷電報時所藏身的沙發上，面前放著茶杯，帶著客套的笑容看著穿著體面的文貴問道：

「邱經理拒絕核貸給日光，是你指使的吧？」

文貴盯著薏心剛哭過的雙眼，不打算說謊：

「是！這樣子我們就扯平了！下次別在半夜來我的公司！」文貴站起來故意拿著一份文件放在沙發旁的櫃子，指著櫃子神祕地笑著。

「日光的事，就是我的事嘛！大小姐只要開口，我一定幫忙！臺銀那邊，我會去向邱經理打聲招呼讓你們的貸款順利過關。」

偷電報事情當場被掀開的薏心，笑容僵在臉上，直接問道：「說吧，你國華有什麼條件？」

文貴從櫃子取出合約說：「我要妳把標到的北非綠茶一半的量，交給我們國華公司旗下的茶廠代工，我除了幫妳搞定貸款，也不再和妳搶買茶菁。」

「多少錢？」

「每磅製茶代工費用兩毛錢！願意的話今天就可以簽約。」

「兩毛錢？」薏心聽不太懂。

「嗯！美金兩毛錢！」

如此一來，這張好不容易才搶到的長期綠茶訂單幾乎沒有利潤，薏心沒有立刻回答。

「桃園苗栗許多種黃柑種的茶園，都和我簽下茶菁契作，可以平衡一下妳們新竹茶菁的品質！不是每次都有便宜量大的水茶可收。」日光的一切都被文貴掌握得一清二楚。

「我查過了！你們日光沒多少現金周轉，你們，很需要錢。」文貴攤開新合約

薏心聽了默不作聲，覺得自己好像被人脫光一般。

看著緊閉雙唇一副倔強模樣的薏心，文貴頓時有些心軟，但抬頭看到公司黑板上的預算業績表，也只好撇開私情：「我不強人所難，大小姐妳回去和吉桑好好商量，過兩天我親自去北埔拜訪！」

「最近小姐整天往臺北跑，回家時間越來越晚，惹得吉桑很不高興！」正在廚房趕製粢粑的團魚小聲問著。

「生意越做越大囉！」賣力用杵搗粢粑的團魚回應著。

「虧你們眼睛長這麼大，小姐去臺北絕對是找心上人！」一臉精明的順妹吐吐舌頭。

「別老是在廚房內亂講話，今晚不知道發生什麼事情，父女兩人，整桌的飯菜，一口都沒吃！」春姨擔心地看著餐廳的吉桑與薏心。

「這種條件我們很吃虧，借錢風險是我們日光在擔，那個文貴憑白無故就賺走全部利潤。」坐在餐桌

旁的吉桑不接受國華開出的條件。

「合作也是個方法。」薏心試著說服，但吉桑態度還是很堅決。

「PAPA，雖然沒賺錢，但可以照顧北埔鄉親啊！」

吉桑露出奇怪的表情說：「什麼時候這些話輪到妳講了！」

薏心勉強吃了一口粢粑苦笑。

「這種條件……沒想到，日光也淪為賺取微薄利潤的茶猴仔公司。」吉桑看著最愛吃的粢粑也沒有胃口。

薏心起身走到客廳的世界地圖前面盤算了許久，緩緩地說出自己的想法：

「PAPA，絕對不是茶猴仔，而是您講的衛星工廠成形了！」

吉桑不明白。

「綠茶的世界拚的是產量，我們日光不可能像過去一樣，不斷地花錢買機器蓋工廠，讓茶師茶工沒日沒夜的拚命。」

想起燒死的阿土、累死的石頭以及病倒的山妹，吉桑頗有同感的點了點頭。

「我們在新竹有九家大工廠，國華在桃園苗栗有上百間小工廠，現在全臺灣四百多家茶廠，國華與日光二家就占了一半以上。」薏心分析著。

吉桑搖搖頭不認同：「沒利潤，一百趴仙也沒用，本來以為，做茶的毛利在出口這邊，好不容易日光能自己出口了，結果，活生生被人扒掉一層皮，還要擔一堆風險。」

薏心笑著反譏吉桑：「PAPA，什麼時候輪到你把利潤掛在嘴邊了。」

薏心拿根圖釘釘在地圖上的臺灣，問著吉桑：「PAPA，以前茶金時代，日光的紅茶能夠賺大錢的祕密在哪裡？」

吉桑毫不思索地回答：「是我們的品質、信用與堅持……」

薏心哈哈大笑：「PAPA，那是講給外面人聽的場面話，我還記得你講過，茶金時代能賺錢的祕密在於茶葉價格不斷上漲，所以你當年才敢借那麼多錢，以前我錯怪你，以為PAPA是花錢不手軟的阿舍，但是我現在總算慢慢認同你的做法。」

被女兒誇了半天的吉桑總算有了胃口，連吃了好幾口飯菜。

知道吉桑慢慢心動，薏心繼續說下去：「其實日光這批兩年期的摩洛哥綠茶，到現在為止並沒有輸，反而是國華，他們花了那麼多心血與金錢，卻在技術上輸給我們，文貴比我們更急。」

吉桑又吃了幾口麻糬：「說下去！」

「除了摩洛哥外，我從外面與穆老那邊打聽到，接下來還有利比亞的綠茶訂單。利比亞的訂單比摩洛哥更大，只要我們與國華不要再拚低價搶單，全臺灣沒有人可以吞下去。」

「我們去把新的綠茶訂單標下來，然後每磅兩毛錢叫國華那些小廠代工，現在看起來好像很不划算，但我就是要賭綠茶會跟紅茶一樣，慢慢漲價，到時候換文貴淪為幫我們辛苦賺錢的茶販仔！」薏心眼神越來越亮。

果然不出薏心所料，文貴的確比較著急，第二天晚上，不請自來的文貴帶著伴手禮出現在日光。

吉桑假裝吃驚的樣子，親切地泡著茶招待文貴。

「社長，突然跑來真的很抱歉。」

「別客氣，聽說你現在當上國華貿易公司的副總經理了！」

文貴起身對吉桑鞠躬：「先前為了綠茶的訂單和你們日光有點不愉快，實在抱歉。」

吉桑笑了笑：「生意場就是這樣，沒有永遠的朋友，也沒有永遠的敵人，而且你也只是拿人錢財，幫人做事，不知道你今天來是……」吉桑看著伴手禮明知故問。

文貴說明著來意，吉桑抽著菸斗不置可否，但旁邊不曉得吉桑與薏心已經達成協議的林經理卻提出質疑著：

「每磅兩毛美金也就是新臺幣三塊錢的製茶費用！文貴你應該也知道，我們這批摩洛哥綠茶的標價只有美金三毛多一點，你會不會太坑人了！」

在旁邊的薏心也裝出生氣的模樣，把桌上伴手禮推回文貴面前：「你根本就是趁火打劫，我不相信除了臺銀以外，我們日光都借不到錢。」

吉桑也忍不住皺起眉頭說：「文貴！你這條件不是很好。」

文貴再把放在自己桌前的伴手禮往前一推，推到吉桑面前，嘆了口氣說：

「我知道你們不信任我，但是社長……」

文貴吞了吞口水說道：「但是，我們這樣一直拚下去，只會兩敗俱傷。」文貴態度也放軟了不少，他自己面臨國華公司的業績目標，以及與他合作的眾多小茶廠沒茶可做的雙重壓力。

「社長！你有北埔鄉親要照顧，我也有一堆小茶廠要照顧，其實我們都身不由己啊！」文貴在吉桑面前吐露心聲。

此時，薏心收下了文貴的伴手禮：「好啊！文貴，我們就開誠布公地談談吧！首先，今天不是日光求國華幫忙外匯信用狀貸款，也不是國華來求日光分一點訂單，沒有誰欠誰，只有合作。」

吉桑也加入幫腔：「文貴你有資金有關係，我們日光有產能有技術，臺茶不應該再這樣亂殺價一通，紅茶已經被短視的茶商搞死了，綠茶別再重蹈覆轍。」

薏心伸出手，與文貴握手成交，這是二人第一次肢體上接觸，除了感受手心傳來的溫度與觸感外，兩人心中各自有不同盤算。

還在狀況外的林經理，看著眼前的幾個人，傻呼呼地不知道發生什麼事。

送走了文貴，薏心站在世界地圖面前斬釘截鐵地說：

「這口氣我一定會要回來，PAPA！我們日光再也不是茶工廠也不是茶販子，而是貿易商了，有了資金供應，有了茶菁貨源，有了代工廠商，我要讓日光成為臺灣最大的茶葉出口商，讓日光把臺灣的茶賣到全世界，不光是北非，還要做到南洋、美國，我們不要再依賴洋行商社。」

吉桑與薏心賭的是綠茶的未來，文貴賭的是綠茶的現在。

2

斬上將戴著尾戒，坐在國華公司辦公室內狠狠地盯著文貴：「我提拔你，是為了搶回黃董搞丟的生意，你為什麼反過來要幫日光製茶？」

文貴畢恭畢敬地站著回話：「敢問將軍！兩軍交戰，誰能得利？」

以為文貴會扯一堆推託之詞，上將一時也愣住，順著文貴的問題回答：

「戰爭沒有人能得利。」

「撇開生靈塗炭流離失所，戰爭最大也是唯一受益者是軍火商。」在上將面前夸夸其談，文貴膽子不算小。

上將掏出菸絲點燃，文貴知道這表示將軍想繼續聽下去。

「不管北非有多少訂單，我們不妨都讓日光去接，他們吃不了的量，就交給我們下游那些中小茶廠，訂單越大，茶廠需要的機器就越多，臺灣人喜歡當頭家，我們就賣機器給他們，外匯與買茶菁的風險由日光去承擔，做茶的辛苦薄利讓小茶廠去賺，我們只賣機器，賺得多又不用負擔責任與風險，更不用花錢養一堆米蟲。」文貴不忘再狠狠批評已經離職的黃董。

「軍火商？太有意思了！」靳上將點點頭表示欣賞，從公事包中取出一份公文交代文貴：

「這是利比亞緊急採購綠茶的標案，事關外交、外匯與公司，就依你的方法去辦！別搞砸了，黃董的下場你應該看得很清楚吧！」

文貴接過公文打開一看大吃一驚：「這麼大的採購量！」

「有問題嗎？」

「我擔心茶郊其他貿易商會進來亂搶！」文貴不敢誇下海口。

「你的確比胡亂吹噓的黃董可靠，我會去跟副院長打聲招呼。」

幾天後，薏心與文貴被叫到副院長辦公室，除了袁副院長外，還有靳上將、經濟部次長與國貿局長。

薏心在高官面前各沖煮了三杯綠茶，恭敬地把三杯茶杯遞在他們的桌前，副院長不明白薏心在玩什麼把戲。

「將軍、副院長、次長、局長，請喝茶！」四位高官一一品嘗了三杯茶。

「各位長官，您覺得哪一杯最差？」薏心微笑地問著。

高官面面相覷，第一次聽聞挑最難喝的品茶會。

靳上將不客氣的指出第三杯，副院長與次長、局長的答案也是第三杯。

答案好像在薏心意料之中：「大家覺得最差的第三杯是臺灣綠茶，另外兩杯分別是日本與中國大陸，這樣的綠茶要如何和別人競爭？」高官們好奇地看著薏心。

「當然，身為茶商之女應該要努力提升品質，只是品質的提升必須花上好幾年的時間，臺灣現在急著靠綠茶出口賺外匯，所以只剩一條路。」

文貴接下去說：「低價！」

「但是低價搶標，不能毫無底線地亂殺價，臺灣茶商如果不團結，除了便宜了國外買家，也賺不到最寶貴的外匯。」文貴點出市場的亂象。

「沒有底價訂定的規則，副院長您手中那杯『臺灣綠茶』將會更難喝！」

「如果不設聯合出口，臺灣的茶商將無法應付北非國家級的龐大訂單。」

「為了讓政府管理更方便，臺灣需要『綠茶聯合小組』，防止削價搶標，共同爭取訂單賺取外匯。」

薏心和文貴二人為了共同利益，很有默契地聯手唱雙簧。

其中只有經濟部次長是靠財經專業底子起家，但他不置可否，只是看著上將與副院長。

「利比亞是產油大國，關係越密切越好！」副院長拍定。

長長的走道裡，已經說服政府的薏心和文貴二人快步離開行政院副院長室，在長長的走道越走越快，二人並肩走著，忍住不笑出聲來：

「是誰說政治人物難搞？」

「我們做到了！」二人十分激動，文貴忍住想要擁抱薏心的衝動，右手拿著剛出爐的公文，唸給薏心聽：

「責成，日光公司與國華公司，組成『臺灣綠茶出口聯合小組』。」

「妳知道這是什麼意思嗎？妳知道嗎？」

「我知道！我知道！」薏心露出閃閃發亮的眼神。

打了美好一仗的二人相視而笑，表示他們可以壟斷臺茶出口，決定綠茶出口的底價，薏心笑得很開懷，也感受到文貴超出喜悅的渴望與動心的眼神，但她裝做沒有看見。

3

永樂戲院今晚的劇目是《牡丹亭》，夏慕雪已經很久沒擔綱「杜麗娘」這個角色，可說是未演先轟動，戲票早在幾個月前便銷售一空，而且還得是有頭有臉的資深票友與戲迷才買得到。

「聽說今晚最後一排的位置，票價一張要賣兩百元。」在門口拉黃包人力車的司機與客人閒聊著。

「真討債！兩百元可以讓我吃上一個月的飯！」

「看戲的不是大官虎，就是做外銷茶的大頭家，幾百塊錢，沒差啦！」

坐在第七排的茶商大老們，看著已經坐在第三排的文貴跟薏心，感到很不是滋味，在二人背後竊竊私語：

「再這樣下去，那個細妹的日光公司和國華公司，就變成臺灣為最大的茶葉貿易商了。」太古洋行鄭經理說。

「日光與國華已經壟斷了臺灣綠茶出口的三分之二，但也不得不佩服，綠茶市場被他們一攪和，現在綠茶出口已經超過紅茶了。」一只專心做烏龍茶外銷的天天茶行李老闆一副事不關己模樣。

「尤其是那個『綠茶小組』，名義上是大家有底價可循，實際上是沒他們同意，你就不能報價，你的底價事先都被他們摸的一清二楚，還玩什麼國際標？說穿了，就由他們壟斷了北非市場。」有利益衝突的水陸茶行吳老闆咬牙切齒地罵著。

「比黨政關係，在座哪一個人會輸給日光？」鄭經理問起

幾位大老搖搖頭。

「既然大家的關係與後臺都很硬，憑什麼他們可以坐在第三排？日光有好幾個大精製茶廠，又是茶業公會理事長，國華後面有黨政軍，現在政府又放給他們去搞聯合外銷，從茶園茶菁、技術機器、茶販、大小毛茶廠、資金調度到壟斷出口，人家是從上包到下，我們這幾個老傢伙就只會每天在這看戲。」鄭經理點出茶郊組織成員各自為政的弱點。

「難道你有什麼妙招可以改變這一切嗎？」

鄭經理點點頭：「我們不必排擠日光，甚至把我們手頭上的客戶與訂單都轉給日光，大家單純當日光的代工廠或下游茶葉商。」鄭經理的建議引來訕笑。

「鄭經理！難道你認輸了？服老了？想退出市場啊？」

鄭經理笑笑地說：「退出也不是壞事，英國怡和洋行聽說過完年就要正式退出臺灣了。」

此時戲院的燈已經熄滅，臺上已經傳來開場的鑼鼓聲，鄭經理趨前走到幾個人面前，叫大家低下頭：「外匯政策一變再變，上頭的意思是……一年後美元的匯率會釘死在一美元換七塊錢新臺幣的官價上。」

「現在的匯率官價不也是七塊錢啊！但有誰會傻到拿美金去銀行用官方匯率結匯啊？」吳老闆說。

鄭經理把聲音壓得更低，要大家靠得更近的說：「沒錯，現在大家拿到美金可以去衡陽路銀樓與迪化街錢莊換一比十四，但是最慢一年後，上頭就會開始掃蕩那些換外匯的地下錢莊。」

「你的上頭是……？」

鄭經理抬起下巴朝著掛在牆壁上的蔣介石照片。

陳老闆臉色大變：「你的意思是，現在搞出口，一年後拿到的美金，只能用官價去結匯換七塊錢，那我們豈不傾家蕩產！」

鄭經理點點頭：「所以我才會乾脆建議把手上的訂單都轉給日光，乖乖地賺代工以及製茶那部分的錢就好，等風頭過了再做打算。」

吳老闆納悶著問起：「陳老闆，你我會算，難道日光不會算嗎？」

陳老闆噗哧笑了一聲：「日光從前有老阿舍，現在又多了個小的女阿舍！」

對聽戲始終提不起興趣的薏心，瞥見一個人坐在二樓角落小包廂的穆老，找個空檔來他的身邊打招呼：

「穆老，好久不見。」

穆老專心聽著戲，薏心誤以為穆老還在生日光搶走協和洋行生意的氣。

「對不起！」薏心鞠躬道歉。

「看場戲要道什麼歉？」

「我們日光搶下北非茶葉出口市場，都沒有來跟穆老打聲招呼……」

穆老雍容大度地笑了笑：「生意就是這樣，比的是誰的關係好後臺硬，聽說日光出口公司的茶，不用驗就可以直接出口了。」

「茶，一定是要驗的，只是，我們會先知道海關要驗第幾櫃第幾箱。」

薏心一開始學習綠茶，絕對想不到自己最後會埋葬了恩師穆老的人生最後機會：「穆老你以前在中國做生意，不也是因為洋行的壟斷才導致破產？請你聽我解釋，我認為臺灣的茶葉前途，不能再由洋行壟斷整個出口，才籌組了日光貿易公司。」

穆老表情嚴肅起來：「小妹子，我只是洋行的打工仔，少幾筆生意算不了什麼，記得當年妳來上課時，我最後告訴妳，生意人有道看不見的天險，小心囉！政治可以給妳一切，也可以毀掉一切，我已經沒有東西可以再教妳了！妳自己看著辦。」

臺上的夏慕雪飾演杜麗娘唱著《牡丹亭・驚夢》：

遍青山啼紅了杜鵑，茶靡外煙絲醉軟，春香啊！牡丹雖好，他春歸怎占的先……

穆老轉過頭繼續陶醉在臺上杜麗娘的驚夢中，不再理會薏心，此時的穆老只是個沉溺於戲劇與昔日榮光的遲暮老頭。

4

日光的綠茶外銷漸漸地上了軌道，臺銀提供的信用狀貸款資金源源不絕流入，不再有其他茶廠或茶商低價搶買茶菁，薏心儼然躍居為茶郊組織的靈魂人物，加上吉桑的茶業公會理事長的身分，日光公司在短短半年內成為臺灣茶業的龍頭，山妹製茶的技術越來越純熟，嗶嗶哥也被提升到總茶師。

過年前，日光與張家所有員工加薪百分之五十，上上下下洋溢著歡愉的氣氛，過起年來特別有勁。

正當大夥忙著不可開交之際，張家迎來幾位客人，范頭家與文貴由邱議員陪同下，帶了整整十六份伴手禮來到張家。

日光與文貴已經合作快半年，張家上下早已將文貴視為自家人，只是今天的陣仗與穿著讓人感到十分突兀，不像尋常親友的拜年，更不像生意應酬的往來。

吉桑、薏心跟范頭家、文貴，二家人一左一右坐著，如同當年悔婚座位，文貴依然穿著當年為婚禮訂做的海軍藍西裝禮服，看著禮服與成堆的禮盒，薏心有股不祥預感。

文貴示意父親開口，范頭家的身分地位早已不是當年那個依附在日光底下的小茶販，但范頭家還是渾身扭捏，講起話來吞吞吐吐。

拗不過兒子的催促，只好堆起客氣的笑容勉強開口：

「今天過來，有件事想跟您商量。」

吉桑跟薏心聽著聽著卻等不到下文，大家面面相覷，不明白是什麼事，沒臉開口的范頭家直接推給文貴：

「是文貴啦！文貴有事要跟你們商量！」

「這種事情哪有我自己開口的道理！」文貴白了父親一眼。

文貴只好起身，一鼓作氣地當著吉桑的面說出來：

「這次過年前來拜訪，是希望您同意我跟大小姐交往！」

心裡有數的薏心冷冷地看著文貴，倒是吉桑被突如其來的提親嚇了一跳，尷尬地笑著：

「嗯，怎麼這麼突然囉！」吉桑瞪了邱議員一眼，責備他為什麼不事先通知。

文貴摸著西服縫線，滿臉真誠地說：「當初大小姐帶我去做這件衣服的時候，我跟大小姐說的話，我到現在都沒忘記。」

薏心不怎麼高興，覺得文貴根本是在設計自己，故意選在過年前的歡樂氣氛，製造出讓自己騎虎難下的尷尬場面。

「現在我事業小有成就，也會盡我能力幫助日光做的更大，打開全球的市場……」文貴不理薏心的冷眼繼續說下去。

吉桑發現二人互動有點奇怪，知女莫若父的吉桑，一眼就了解薏心的心思，揮揮手示意文貴不用再講了。

「文貴啊，你有這種心我很感心，不過我不嫁女兒，我要招贅的……」吉桑提議招贅是想讓文貴知難而退，畢竟現在文貴的身分地位已經今非昔比。

不料文貴笑著回答吉桑：「我願意入贅！」

這句話讓客廳所有人鴉雀無聲，連廚房內的人都停下工作豎起耳朵。

騎虎難下的換成吉桑，范頭家閉上眼睛假裝沒聽到，薏心發現所有人的目光都集中在自己身上。

文貴注視著薏心：「這次綠茶合作，大家合作愉快，如果大家真的是『一家人』，未來合作一定會更順利的！」

薏心微笑回應，不同於十九歲時的靦腆羞澀：

「范總經理！合作以『信任』為基礎，只要你我彼此信任，大家本來就是好朋友。」既然提到生意，索性順著生意的話題繼續裝傻下去。

吉桑也幫著說：「感謝文貴這麼有心，不過做生意，我看還是公歸公、私歸私比較好，以後還要麻煩范頭家和文貴牽成！」

被拒絕的文貴有點失落，而范頭家更是吞不下這口氣，自己兒子早已非吳下阿蒙，身為大貿易公司的總經理，上門來提親的大家閨秀早已是絡繹不絕，就偏偏文貴死腦筋非薏心不娶，也願意委身入贅張家，竟然還碰了個軟釘子：

「吉桑這話反了吧？我們才要請大小姐『牽成』，張小姐在外面八面玲瓏，不但獲穆先生賞識，跟懷特公司的劉先生往來愉快，張小姐在同業、美軍都如魚得水，不過，說也奇怪了，張小姐才貌兼備，怎就麼沒人上門提親？」

吉桑一聽氣得拍桌大罵：

「范有義你什麼意思？你是說我女兒怎麼樣嗎？」

范頭家也不甘示弱反譏回去：「好好管好女兒，有些話在外面傳得很難聽。」

文貴眼見好好一場提親卻變成兩家老人對罵，急著緩和局面的他瞪了范頭家一眼，范頭家見自己兒子生氣，馬上閉嘴。

「阿爸，這話你講錯了！怎麼沒人提親，我們不就來了兩次嗎？」文貴語帶責備地糾正自己父親，很顯然文貴在范家的地位遠在父親之上。

文貴試著緩頰，對吉桑解釋：「社長，我爸的意思是說，大小姐一個女孩子為了日光，四處奔波實在辛苦……」

薏心不相信這些場面話，她認為文貴只想透過結婚吞下日光，藉此來成就他事業上的企圖心而已。

文貴轉身對著薏心說：

「雖說『公歸公，私歸私』，不過，我第一眼見到妳，就一直是我中意的人，為了能匹配妳的身分地位與家世，我一直很努力，我是真心誠意想跟妳成為一家人一起打拚，希望妳能明白我的心意！突然來提親的確很冒昧失禮，但我希望妳不要立刻拒絕我，希望妳能夠好好考慮，我可以等。」

動了真情的文貴眼眶含著淚水：「多久我都可以等下去！」

薏心的心思開始動搖，第一次聽到男人對她說出如此真誠的表白，她有點不知所措。

感受到文貴對薏心的真情，吉桑也不再生氣，他心平氣和地告訴文貴：「婚姻是大事，我們可以再商量。」

被再度婉拒的文貴恭敬地坐下，斜眼瞄著范頭家一眼，四個人尷尬地喝著茶，被邀來當媒人的邱議員只好出面圓場：

「都是我不好，沒有事先傳話，反正現在時代不一樣了，現在講究的是自由戀愛，薏心與文貴早就是事業的夥伴也是好朋友，我們幾個老人也不必太急，事情順其自然就好。」

聽到「順其自然」四個字，薏心的心情開始翻攪起來。

目送文貴范頭家離去，吉桑看著年紀不小的女兒說著：

「妳會大，我會老，我不可能一輩子跟妳做茶，文貴對你很有心，會做生意，又願入贅，現在想想，是一個理想的女婿……」

薏心無奈地回答：「PAPA！你說過婚事可以隨我自己的意思。」

「薏心……」吉桑抽起菸斗本想多嘮叨幾句，就發現薏心眉宇憂愁瞬間消散轉為喜悅，順著女兒的視線望過去，只見到KK帶著一包文件，急忙走進張家。

吉桑看了KK一眼轉頭對著薏心說：「他不適合日光，更不適合妳！」

吉桑的話好像耳邊風，薏心連聽都沒聽，飛奔過去迎接KK。

一幕接著一幕，廚房內的所有人都看呆了。

「今天是怎樣？所有人都是不請自來！」連春姨都搞糊塗了。

順妹比著走進張家的KK笑著說：「這個看起來才像是我們未來的姑爺。」

這次春姨不再反駁，點了點頭。

5

「剛才在門口看到文貴……」急著從公事包掏出文件的KK，這才看到現場成堆的大小禮品，他好奇地看了薏心一眼，薏心收起笑意，臉上頗為尷尬。

吉桑不太高興地說：

「今天是什麼日子？客廳變市場了，大家都來走一趟？」吉桑雙手在胸前環抱著，擺出不歡迎對方的模樣。

KK只好視而不見，因為他有更重要的事情：

「社長，您買回大坪山時，有弄清楚土地的抵押權嗎？」

「抵押？發生什麼事了？」薏心不解地問著。

KK先拿出幾天前的報紙，指著其中一條小新聞的標題：「聚源貿易行老闆——萬頭家過世。」

「萬頭家過世？關我什麼事情？」吉桑一頭霧水。

「我前幾天幫公司翻譯文件，指示我們公司過完年後必須幫美軍採購木材，相中的合作對象是社長您名下的大坪山，所以我就去調查大坪山的產權。」

聽到生意上門的吉桑笑嘻嘻地說：「這麼好啊！美軍要買我的木材。」

KK一臉嚴肅打斷吉桑的喜悅：「產權的確已經從萬頭家轉給社長您，但我卻意外發現，萬頭家在過戶前曾經把大坪山抵押設定出去。」

「抵押設定？」薏心問起，但旁邊的林經理已經臉色大變。

「萬頭家曾經用大坪山為抵押品向別人借錢，債權人與萬頭家已經在地政事務所辦理設定，但不知道為什麼，萬頭家把大坪山賣還給你們時，社長並沒有去把抵押設定權塗銷掉，就直接辦理過戶……社長！是不是有向人借錢呢？」

KK還沒講完，臉色蒼白的林經理突然跪下，泣不成聲。

「社長，都是我疏忽……」吉桑已經氣得滿臉通紅。

薏心疑惑地問著KK：「這到底是怎麼一回事？」

KK耐著性子解釋：「凡是土地房子都可以當作抵押品去借錢，在法律上稱為抵押權，當妳拿著土地向別人借錢時，債權人就會要求妳將土地的抵押權設定給他，當妳還錢時，雙方必須去地政事務所辦理抵押權的塗銷，如果沒有辦理塗銷，法律上是不承認還錢。」

「所以當妳們從萬頭家手上買回大坪山時，所有權的確是辦過移轉，但卻沒有注意到這筆山林地還有抵押權，照道理，買土地時必須把抵押權塗銷掉，這樣產權才會清楚，如果沒有去辦理塗銷……」

KK看著跪地不起的林經理，嘆了口氣說：「現在，在法律上，就變成社長向別人借錢了，除非還錢或放棄大坪山的產權，否則……」

吉桑等不及KK說完，一把拿起KK從地政事務所調出來的土地謄本，上面寫著：

設定抵押權人：張清文設定抵押金額：兩百萬

一看到張清文三個字，吉桑氣得把文貴送來的禮盒踩個稀巴爛。

KK湊到薏心耳朵旁邊低聲說明：「現在等於妳父親平白無故欠別人兩百萬元，這件事情已經快兩年，為什麼都沒人發現呢？」KK用懷疑的眼光看著跪在地上的林經理。

「明明就沒有欠錢這件事情，怎麼會這樣？」聽懂整件事情來龍去脈後，薏心也慌了，畢竟兩百萬並非小數目。

「對不起，新社長、社長！是我當初急著要買回來，沒去查清楚產權，原來萬頭家早就向伯公借了一筆錢，並且將大坪山抵押給伯公，而我當時卻疏忽沒去要求萬頭家把債權塗銷掉，我當了一輩子的帳房會計，竟然犯下這種失誤！我對不起您，我真該死！真該死！」薏心看著林經理，她選擇信任，所以也跟著承擔下來：「是我的錯，我當時為了趕快拿回大坪山當做 PAPA 的生日禮物，辦過戶太匆促，沒想到萬頭家會欺騙我們。」

KK補充說：「報紙上寫著萬頭家的病已經拖了好幾年，很顯然這是萬頭家有意設下的圈套。」

哭成淚人般的林經理抬起頭哽咽地說：「萬頭家幾天前死掉，伯公立刻去法院申請債權，今天早上法院才把通知書寄過來，我一直不敢……」

KK聽了來龍去脈做出結論：「那就是死無對證了！大坪山被法院假扣押是既成事實，社長！你們得趕緊找伯公解決債權問題。」

吉桑藏不住脾氣又拍了桌子，正要起身離去，全身穿著白衣白褲的伯公帶著管家踏進張家客廳。

廚房內的順妹嘴巴停不住地叨念：

「怎麼回事，今天不請自來的客人還真多！」

為了怕不相干的員工與下人聽到，吉桑請伯公到辦公室泡茶聊天，兩人故意寒暄拜年有說有笑，一個抽著菸斗，一個叼著洋菸。

「下個月我長孫要娶孫媳婦，你們一定要來喝喜酒，我留了三桌給日光茶廠……」伯公拿出喜帖交給吉桑。

「張醫師要結婚啊？不知道對方是哪家閨秀？」薏心吃了一驚，以為山妹故意瞞著喜事。

「對方是古老闆的女兒，吉桑應該還記得被你退婚的古家吧？」伯公的話刺激了吉桑，吉桑反譏回去：

「反正我家不要，你們要娶就娶要嫁就嫁，就先恭喜啦！」

這番話把伯公氣得把菸蒂扔在地上，指著吉桑的臉大罵：

「你是這樣對待張家長輩嗎？」

說完後又從懷裡拿出一份公文，對著吉桑繼續罵下去：

「當初是你連祖產大坪山都不要，怪不得別人。」

吉桑吐了一口菸說：「今日若不是KK跟我講，恐怕我永遠不會知道我的大坪山抵押給阿伯了？」

「福吉啊，阿伯雖老了，不過這大坪山怎麼算也不是你的喲，這座山是我們張家的開宗祖山！哈哈哈！」伯公笑了起來。

吉桑冷冷地回答：「所有權狀登記的名字寫得一清二楚是我張福吉，是薏心向萬頭家買回來，準備給她當嫁妝。」

「我們家族的祖山，你居然要當女兒嫁妝，既然這麼疼女兒，算你四百萬，分四年讓你慢慢償還，債權就一筆勾銷。」伯公獅子大開口。

林經理氣得咬牙切齒：「四百萬？伯公你會不會太坑人了！設定債權金額只有兩百萬啊。」

伯公笑著看一眼林經理，對吉桑說：「我還以為你們日光人才濟濟啊！還不如我的管家，至少他不會被人坑騙！」

林經理一開口就後悔，羞得無地自容，只能低著頭站到旁邊。

「欠你債的是萬頭家，關我什麼事情？」吉桑不想在言語上和伯公糾纏下去。

「萬頭家人都死了，死無對證，如果你不還錢，你休想動用大坪山的一草一木，我已經向法院申請對大坪山的假扣押了，相信你已經收到法院的信了吧？」伯公在法律上絕對站得住腳。

知道法律與道理都不是站在自己這一邊的吉桑，牙一咬回了價錢：「要不然這樣，兩百五十萬，一年償還！」

伯公笑了笑，吉桑也跟著笑了笑，二人在笑中達成共識。

吉桑豪氣地下令：「林經理，開一百張支票給阿伯！」

林經理顫抖開著每張二萬五千元的支票，一張又一張，整整開了一百張支票，排滿桌面。

6

阿榮開著車，薏心和ＫＫ二人坐在後座，隨車身左右晃動，薏心送ＫＫ去新竹火車站。

「謝謝你特別趕過來，告訴我們大坪山的事。」薏心想著大坪山的事發愁。

「對不起，三個月沒見，一見面就給妳一個壞消息，但這事一定要講。」ＫＫ關心著。

「希望下次我帶來的是好消息，妳現在這張愁眉苦臉，我也會記得的。」ＫＫ看著薏心。

薏心被這句話逗笑了，但一想到文貴提親又皺起眉頭。

ＫＫ見薏心欲言又止：「有什麼事情？說出來會比較好！」

薏心嘆了一口氣：「早上，文貴來我家提親。」

ＫＫ淡淡地回著：「我看到了！」

「PAPA 認為文貴是不錯的對象，從小我就知道，有一天，我父親會找個男人進來經營日光。」

ＫＫ默默地看著薏心。

「我以為我能撐起日光，沒想到，在外人眼裡，我只是個拋頭露面讓父親顏面盡失的女兒……」薏心感到很無助。

「不用管別人怎麼看！重要的是我們自己怎麼看！」KK鼓勵著。

受到KK的鼓勵，薏心勇敢地問起：「好！你覺得『我們』該怎麼做呢？」

車子已經來到火車站，沉思很久的KK不得不回答：

「文貴……是不錯的選擇！」

薏心不敢相信自己耳朵，詫異地看著KK。

KK故意灑脫地說著：「文貴能給你未來，他能爬到外省人公司的高層，受到賞識，一定是有能力的人，為了證明自己，默默打拚後再來提親，一個男人能跟同一個女人提了二次親，一定是很喜歡！」

既痛心又失望的薏心問起：「這是你真心的建議嗎？」

KK露出溫暖的笑容點點頭再說一次：「是的！文貴適合妳！」

KK的話像沉重無比的空氣，薏心胸口悶悶地有些喘不過氣來，想要勉強露出笑容卻很難。

「把我難看的哭臉忘掉吧，記得笑臉就好！還有你的投資，拿回去吧，投資失敗了！」薏心拿出一直帶在身上的一塊美金「華盛頓」。

KK看著薏心笑得很苦楚，但他知這是最好的結局，接過美金，轉頭到售票口買了張到臺北的火車票。

「夏老闆適合你嗎？」好不容易讓情緒平靜一些的薏心接著又問起。

「夏慕雪？」KK愣了一下才回答：

「夏慕雪和上將，就是你認識的那位靳上將，才會有未來！」KK看著火車票用力吐了口菸。

火車已經快要發車，汽笛聲聲催促著月臺的旅客，薏心再也不管矜持而放聲大哭：「你口口聲聲說要改變農民的命運，但你連自己的幸福都不敢爭取，連你自己都不敢改變，你最可悲的地方不在於怕輸，而是沒有想贏的衝動！」說完，薏心轉身頭也不回地離去。

KK看著薏心離去的背影，四周都是上下車的人潮，薏心的背影被人海淹沒，KK一直站在火車門邊，很想不顧一切跳下車，但他沒有，只讓火車載著他離去。

走出火車站的薏心回過頭張望，抱著一線渺小的希望，希望看到跳下車的KK，終究薏心只看到刺眼的夕陽。

7

KK一回到臺北就立刻到王瑛川的家裡接月婷。

「這麼快就回來，我還以為你會在北埔留一晚呢？」王瑛川的太太問候KK。

「我答應過月婷，每天一定要回家陪她，月婷，洗個手洗把臉準備回家囉！」

只見一隻竹蜻蜓飛過面前，月婷在後面追跑著。

「北埔的老師姊姊沒有跟你回來嗎？」月婷看著KK的背後。

「我改天再帶你去北埔找她玩！」KK的回答很敷衍，連八歲女兒都聽得出來。

「KK，對自己女兒可是不能隨便敷衍！」王太太警告著。

「對了，主編有指示，過完年後的下一期《民主思潮》，要特別製作「祝壽暢言專刊」，藉向當局祝壽的名義讓作者暢所欲言。」王瑛川告訴KK。

「祝壽？暢所欲言？」

「有消息傳出來，當局希望聽到各方面的真話！這可是難得的機會，主編已經邀請各領域的名家共襄盛舉，你一定要替我們寫篇文章！」

「但我只寫我想寫的題目。」

KK爽快的回答，讓王瑛川很疑惑：「怎麼今天這麼好說話？」

「不吐不快吧！」想到自己辛苦完成的化肥廠，KK越想越激動，帶著月婷一回家，便迫不及待地拿起鋼筆寫出文章標題：「一隻看得見的髒手——人謀不臧的國營事業」，下筆如神文思泉湧，一個晚上就完成了三千多字的稿件。

8

剛過完年，日光又迎來一位貴客，吉桑的老戰友大衛從英國回臺灣就直奔北埔的日光公司，大衛送上兩箱XO以及從英國帶來的頂級紅茶。

「我去年就離開怡和洋行，打算自己出去闖個幾年再退休。」

「大衛叔叔還沒六十歲，年輕得很啊！」薏心打開大衛送來的茶葉。

「紅茶已經是印度的天下，綠茶又被你們日光壟斷，歐洲人也不喝烏龍茶。」

薏心笑了笑倒了三杯茶。

吉桑眼睛一亮：「老朋友還是喜歡紅茶啊！」

「我想要找一批茶去參加四年才舉辦一次的『英國倫敦茶藝博覽會』，那裡聚集了全世界最頂尖的茶，希望自己在退休前能留下點光榮。」

吉桑喝口大衛帶來的茶，不客氣地評論：「你這杯茶好喝是好喝，但距離光榮恐怕還遠得很。」

大衛笑笑著說：「當然，這只是自己在倫敦開店賣的尋常紅茶，我來找你，是想委託您幫我做今年的『參展茶』！」

吉桑聽到參展茶豪情大發：「那有什麼問題！很久沒做紅茶了！一定給你很有面子！來審茶室喝日光新茶師做的茶！」

二樓審茶室的五分鐘計時沙漏漏完，吉桑親自奉茶給大衛：

「來，嚐嚐我們年輕總茶師做的茶。」吉桑手指著山妹。

大衛品著茶，吸得簌簌叫，看著山妹讚嘆著：

「溫順香醇！保有新鮮，味道內斂節制！」

大衛又品了一口看看吉桑：

「我的老朋友，日光的本事絕對不只是這樣，有更好的茶嗎？」

大衛見山妹有點失落，面帶笑容地安慰：「妳的茶已經比九〇%的紅茶還要好，但很抱歉，恐怕還上不了博覽會的檯面。」

吉桑沉思了一會，對山妹說：「把石頭生前做的三井『日本總理冠軍茶』拿出來。」

大夥看著沙漏一點一點地漏完，五分鐘一到，山妹奉上石頭生前做的冠軍茶給大衛。

「太棒了！我可以感到茶在我舌頭上跳舞！這杯茶絕對有資格參加比賽，但是距離拿獎還差得很遠啊！吉桑，你還有沒有更好的茶？我相信以日光的能耐，絕對還有。」大衛相當挑剔但也對日光充滿信心。

薏心見這樣喝下去沒完沒了，直接問起：「大衛叔叔想找什麼茶？」

大衛看著吉桑露出一種嚮往的神情：「合作這麼多年，我總覺得日光茶有股特別的味道，那個味道阿土師做的尤其好，阿土師生前曾經替日本天皇做過一批茶，不知道可不可以嘗嘗？」兜了半天，大衛才講出來意。

吉桑聽了臉色大變，山妹、嗶嗶哥跟莫打驚訝地叫了出來：

「師祖的天皇茶！」薏心想起當年在大坪山時曾聽父親介紹過。

大衛渴望地看著吉桑。

「想都別想！」吉桑憤怒地一口回絕，說完就轉身離開。

薏心替父親的失態感到抱歉，大衛卻一點都不介意笑笑說：

「這樣才是我熟識的老朋友吉桑啊！」

大衛伸手拍拍薏心的頭嘉許著：

「妳做的很好，把我們洋行統統打敗，商場上就是如此，退休前我打算要自立門戶，『英國倫敦茶藝博覽會』是一個很好的起點，所以我來要茶，日光是我最信任的茶廠……」

薏心表示感謝，但實在無能為力，大衛試著說服薏心：

「還記得我離開臺灣時告訴妳的話嗎？臺茶在全球只占一％的量，就算增產一倍，也只是二％而己！」

幾年下來，薏心更能體會。

「但是，假如你以一%的量，打入全球一%的高端市場，那就是另一個傳奇故事！」

薏心露出嚮往的眼神，從小看她長大的大衛知道已經打動了薏心。

「茶能不能被『被看見』是很重要的！我有通路，妳有茶，博覽會是絕佳難得的機會！」薏心被大衛說服，她知道是一個好機會，她也想挑戰，對「參展茶」有點起心動念了。

大衛交給薏心一小罐包裝精美的紅茶說：「這是四年前倫敦博覽會的首獎茶，妳可以試試看。」

剛送走大衛，就看到文貴親自押了幾部貨車送茶葉過來日光，當著吉桑與薏心的面指揮倉庫的茶工：

「後天要抽驗的茶箱全都在這裡，只要這一百五十箱的茶對上版就可以。」

「這是要抽驗的茶箱號？連公證行都搞得定？文貴好厲害！」

「范總幫我們搞定所有出口的事！」幾個茶工吹捧著文貴。

文貴洋洋得意地說著：「幾個號碼，小事而已，前二天，有家茶廠，上千箱茶被海關刁難，我一通電話去就放行了！」文貴吹噓自己如何幫同業解決問題。

「你說被刁難的是龍潭的李理事嗎？前幾天他才透過公會要我幫忙，我一忙竟然忘記了，幸虧你幫我處理。」吉桑越看文貴越是滿意。

見地上有二箱XO，文貴問吉桑：「大衛叔叔又送來二箱XO？」

聽到大衛名字，吉桑滿臉不開心。

文貴知道大衛來意後憤慨地說：「阿土師的天皇茶？絕對不行！喝掉就沒了！」

吉桑十分同意文貴說法，但薏心卻有不同意見：「如果我們參與倫敦的博覽會，之後才有機會打進歐洲市場！」

文貴不以為然：「打進去有什麼用？就算是天皇茶，歐洲人也不一定懂得喝！」

薏心知道文貴此番話是為了討吉桑歡心，故意營造自己是獨一無二的完美準女婿。

「是啊，我們臺灣人喝茶，講究的是原味回甘，歐洲人習慣加糖加奶，口味差太多了！連水菜做出來的茶也喝得下去，他們根本不懂茶的本質。」吉桑越說越氣。

「主要是，不懂阿土師的茶啊！拿去牛飲，多可惜啊！」文貴有意拍吉桑馬屁。

「對！」吉桑太中意了。

「再說，全世界有幾百款茶葉會去倫敦參展，而且白種人骨子裡就是歧視黃種人，我們很難脫穎而出，要是沒得獎，阿土師的茶就白白浪費掉了！」

薏心看著兩個男人一搭一唱的，很不是滋味，反駁著：

「PAPA，我們要讓全世界看見臺灣茶！」

文貴笑了笑，叫著正在上菜的順妹問起：

「順妹！請問一下，家裡的茶放在哪裡？」

順妹毫不思索：「茶？放灶下啊！」

同樣問題又問了猴進。

猴進答：「我老家的茶也是放在廚房啊！」

文貴很滿意這些回答，轉過身問薏心：「漢文講的是柴米油鹽醬醋茶，茶是放在最後一位，如果茶真的那麼珍貴？為什麼它不是被供奉在客廳明顯的酒櫃上，而是放在廚房裡呢？」

吉桑雖然聽得很不是滋味，但也認為文貴講得太有道理。講不贏文貴的薏心乾脆閉上嘴巴，她遲早要證明自己是對的，她要被看見，她不想自己終老一生只為了當個腦滿腸肥的商人。

夜半十二點，張家與日光辦公室一片靜寂，穿著睡袍的薏心躡手躡腳地取下天皇比賽茶的水滴型茶樣，想要從茶樣內取一些出來研究，不料，茶樣是兩層玻璃，真空密封，找不到洞口。

「你在做什麼？」早已識破薏心伎倆的吉桑悄悄跟在後面。

嚇了一大跳的薏心老實回答：「我想做『參展茶』。」

吉桑生氣地拿回茶樣，擦乾淨後擺了回去。

吉桑說出往事：「你以為我沒試過？阿土師做『天皇茶』時，我就試過了，想要打敗立頓，做世界難巴萬，結果茶全送光了，就剩下這罐而已，現在的時局更難，我們不了解市場、對手、國際動向，得獎不是這麼容易的事。」

薏心辯解著：「綠茶大訂單是很誘人，不過全是幾分幾角在賺，真正賺錢的是品牌，臺灣還沒有自己的品牌！」

「做品牌沒花上十年，根本做不起來的！」吉桑嘆了口氣。

「十年後我才三十五歲！」薏心不加思索地回答，這句話觸動到吉桑的內心深處，也看出了薏心的決心。

「難道日光要永遠幫人做代工？我不要日光只當個小妾。」

吉桑不太高興：「做個茶而已，什麼小妾不小妾的！」

「阿土師就是你的妾！」薏心毫不留情地點出來。

吉桑不解地看著女兒。

「做天皇茶的人，你把他關在瓶子，不給人聞，不給人看，不是很可憐嗎？供在神壇上，世界上的人再也喝不到他的茶，這是阿土師跟PAPA一起打下日光江山的初衷嗎？」

吉桑有點動搖，但還是不願打破茶樣：

「臺灣茶在量只占全球一%而已，做不出品牌的！」

「英國連一片茶葉也沒生產，卻做出立頓、FM、唐寧這些百年大牌，您又怎麼說呢？」薏心取出大衛送她的上一屆的博覽會冠軍茶。

父女之間的爭執把所有人都吵醒，林經理、山妹、莫打、嗶嗶哥、春姨、順妹、阿榮……等圍繞在吉桑薏心身邊想要勸阻。

「山妹！你把大衛叔叔送的茶，沖出來給大家喝喝看！」薏心見大家都到齊。

「這是CTC，現在流行碎型茶。」薏心說給大家聽。

吉桑抓起茶粉查看：「真的假的？泡茶粉喝？可憐。」

「大家喝喝看！」薏心要所有人都喝上幾口。

「其實還不錯啦！」

「這是配堆出來的，但配的很完美！」

「滋味回甘，還可以！」

薏心聽了大家七嘴八舌的半夜審茶會的心得後，替大家做個結論：

「這是四年前倫敦得獎的品牌，我的想法和大家一樣，這是好茶，但絕對稱不上什麼不出世的名茶。」

山妹林經理等人點點頭表示贊同。

薏心接著問大家：「猜猜看，這款茶在倫敦，一斤賣多少錢？」

大家面面相覷，不曉得薏心葫蘆裡賣什麼藥，愛賭的嗶嗶哥率先猜：

「五十！」

莫打哥接著篤定地猜：「三十！」

山妹又再仔細喝了兩口，看看茶底後猜：「三百！」

薏心對山妹投了個「不愧是內行茶師」的微笑。

林經理看到薏心的微笑，知道這茶不便宜，也跟著猜：「五百！」

「那有可能？土匪也不會賣一斤五百！五百是我好幾個月的薪水！」順妹笑林經理胡亂瞎猜。

薏心翻開茶葉罐底部，簡單地把美金換臺幣，磅換算成臺斤後宣布：

「一斤賣六千塊新臺幣！大家都猜錯了！」

嗶嗶哥難以置信，又審了好幾口：「六千塊一斤？六千塊一斤！」

順妹雖然不是茶師，但在張家工作好幾年下來多少也懂點茶：

「夭壽哦，北埔街上一斤五塊的茶骨仔也不會輸它，鉤鼻仔喜歡的口味怎麼這麼奇怪？日光自己的茶還比較好喝呢！」再審一口茶，吸得簌簌叫。

林經理嘆了口氣：「我們做茶都是幾塊幾毛在賺，這罐茶卻是幾千塊在賺！」

嗶嗶哥拿起茶罐，看著上面完全看不懂的英文品牌貼紙說：「貼個名，就可以賣這麼貴，沒天理！」

薏心讀著罐上的廣告詞：「Direct from tea garden to the tea pot」

「什麼意思？」

「茶園直送茶壺！」

「所以，我們要讓阿土師活過來！」薏心站在神明桌前燒了一炷香。

吉桑不發一語地抽著菸斗，看著神明桌上的天皇茶茶樣玻璃瓶，薏心見父親這種模樣，知道自己的話已經被聽進心裡了。

「明天去把大衛載來，我要請他喝茶！」吉桑淡淡地吩咐司機阿榮。

第二天中午，日光審茶室旁，吉桑猶豫著看著茶樣，不知道自己的決定是對是錯？一旁大衛倒是十分激動，盯著水滴型茶樣，終於盼到垂涎十多年的天皇茶，薏心遞給大衛一炷香：

「大衛叔叔！您有一柱香的時間考慮，條件是『參展茶』必須用『日光茶』的商標。」

林經理、山妹、嗶嗶哥、莫打、阿榮等十多人，你看我，我看你，第一次聽到「日光茶」商標。

「好！」這雖然大衛的原意不一樣，大衛倒是爽快答應。

薏心望著吉桑，吉桑凝視著茶樣，他又想留下阿土最後做的茶，也想讓茶自由。

吉桑想到昨晚薏心的那句「十年後我才三十五歲！」這才下定決心拿起小鐵錘敲破茶樣外層玻璃，「鏘」地一聲，代表日光告別過去。

「太神奇了！沖了十泡還這麼有味！」大衛滿臉洋溢著愉悅與滿足。

「這是我此生喝過最難忘的茶，我徹徹底底被它征服，什麼圓潤醇厚回甘的字眼都是多餘的，塵封十五年居然還有新鮮蜜香，這杯茶絕對可以感動歐洲人的舌頭，只要參展的『日光茶』是這種等級的茶湯和味道，百分百會得到第一名！」

吉桑只是靜靜地品著，沒有大衛的感動也沒有薏心的雀躍，對吉桑而言，這口茶更像是多年不見的老朋友。

山妹用心品著阿土師遺留下來的一心二葉，仔細記錄著從第一泡到第十泡的味道、湯色與茶底變化。

薏心取出了自己從小到大的報紙剪貼本，翻開其中一頁泛黃的剪報給大家欣賞，一九三九年《臺灣日日新》報導著父親與阿土師榮獲天皇「獻上茶」特賞的新聞，旁邊刊登了一則日光茶的廣告：「日光天皇獻上茶，年節送禮最高級」，還有個「日光 HOPPO 茶」的商標。

「早在十五年前，這款茶就已經命名了！」薏心對著大衛露出俏皮的笑臉。

松山機場，吉桑與薏心送大衛搭飛機回英國，大衛擁抱著薏心，滿懷希望地說著：「博覽會半年後在倫敦舉辦，請妳在秋天之前，把做出來的茶樣寄給我。」

「大衛叔叔！我一定不會讓你失望！」

大衛看著長期合作的老夥伴吉桑，拍拍肩笑著說：「日光有最好的繼承人，這是我最羨慕的。」

飛機逐漸消失在天際線，夕陽的遠方突然出現一大片烏雲，遮蔽了臺北的天空。

9

國府某辦公室，袁副院長、方經濟部長和靳上將等官員正召開祕密會議。

「上頭的意思是必須取締匯兌的黑市，讓外匯市場回歸國家完全監控。」袁副院長傳達著。

「匯率呢？」

「上將！你看呢？」從不表示自己意見的方部長把問題丟回去。

同時肩負黨營事業外銷業務的靳上將冷笑了一聲：

「也差不多該升一升了，三年來民間出口商幫政府賺了幾十億美金的外匯，現在該是好好照顧進口商了。」

「此話怎講？」袁副院長問。

「臺幣升值，買進口武器的成本就會便宜，上頭急著要反攻大陸……」靳上將傳達著最新的政策。聽到「反攻大陸」四個字，所有官員若有所思低頭不語。

擁有數十年金融財經經驗的方部長提醒：「如果把民間匯兌管道打掉，強制執行官方匯率的話，搞外銷的生意會全垮掉。」

靳上將彈了彈手上的菸蒂，臉帶凶光地說著：「那些被臺灣人壟斷的生意，趁機會把他們都搞倒，順勢收歸國有，簡單又省事。」說完話鋒一轉，責備起袁副院長：

「不像你啊！只不過小小一間化肥廠收歸國有，卻弄得你焦頭爛額，哼！」

第十一章

1

《民主思潮》「祝壽專號」出刊後三天，臺灣省議會臨時會內有股山雨欲來風滿樓的氣氛，議員人手一本雜誌，其中幾位翻著ＫＫ那篇文章，磨刀霍霍準備質詢等一下要上臺的官員。

「臺肥公司與糧食局花了那麼多民脂民膏蓋了化肥廠，居然九成全部拿去外銷，完全不顧臺灣農民的生計。」

農林廳長臉色難看地辯解：「還有幾十萬噸的化肥用在島內的農民身上啦！」

以敢言聞名的幾位省議員砲轟連連：「政府還是幾年來一成不變的以穀換肥，完全不照顧其他茶農蔗農菜農就算了，以肥換穀的比率低到連種稻的農民也負擔不起。」

其中一位省議員指著ＫＫ文中的內容砲轟官員：

「據聞有上百萬噸的化肥流到黑市，這裡頭到底有沒有管理不當？根據雜誌的報導，本席認為其中必定有官員上下其手，嚴廳長，你怎麼解釋？」

「外面的傳言不可盡信，但為了杜絕悠悠之口，本席建議取消以肥換穀，回歸市場正常買賣機制，嚴查傳言中的化肥黑市。」連擔任國民黨黨鞭的議員立場都動搖。

臺肥公司新竹北埔廠門口聚集了兩三百位抗議農民，大家拿著《民主思潮》敲著工廠鐵門，群情激動，鼓噪高喊：「廢除！廢除！」，要求糧食局廢除「以肥換穀」這條惡法，其中烈伯翻開ＫＫ的文章對著農會陳專員與伯公叫罵著：

「大字我不認得幾個，不過，『全世界最昂貴的肥在臺灣』這幾個字，我認識！大家還記得烏面叔嗎？為了一包肥，要了半年要不到！」

茶農小彭也罵著：「劉經理不寫，我們都不知道，小小一間化肥廠，總預算竟然比省政府還高，花了那麼多錢，農民還拿不到肥料。」

群情越來越激憤，有人帶頭喊了：「今天不發肥料，我們就圍廠！」

和北埔類似的抗議衝突，全臺灣從頭到尾已經是遍地開花。

2

永樂戲院外的書報攤聚集了十幾個議論紛紛的人。

「老闆，這期的《民主思潮》還有嗎？」

「你真幸運，昨天才賣完幾百本，剛才又進了一批！」

「這本雜誌幾乎人手一本！」

「社論有什麼好看？」

「尤其是祝壽專刊裡面那篇罵國營事業的，看了真痛快。」

「只要是真話，當然好看，政府居然帶頭囤積化肥。」

「那我也來一本……」

帶著月婷來附近逛市集的ＫＫ也走到書報攤前：

「我也買一本！」

ＫＫ翻到自己寫的文章給月婷看，大字還不認得幾個的月婷好奇地翻著。

「這篇是阿爸寫的！」ＫＫ驕傲極了！

有人在對街偷拍照，買雜誌賣雜誌的人都一一被拍下，ＫＫ看著月婷的慈父眼神也被拍下來。

打算去吃飯的ＫＫ經過附近的波麗路西餐廳，恰好撞見了《民主思潮》徐主編。

「劉老師，我找了你兩三天，沒想到在這裡碰上。」

「清明節放假，帶我女兒去掃墓，歹勢啦！」

「選日不如撞日，我約了好幾位老師與作者要在餐廳慶功，不如你就一起來吧！」徐主編熱情邀約。

ＫＫ有點為難：「我帶著女兒不太適合吃應酬飯。」

「好說啦！王瑛川夫妻也在裡頭。」

徐主編彎下腰對月婷說：「叔叔請你吃美國牛排好不好？」

陣陣牛排香氣從餐廳內飄出來，不會說謊的月婷，肚子發出咕咕叫聲，ＫＫ與徐主編哈哈大笑。

「劉老師，我來向你介紹其他投稿的老師，這是毛老師，那位是王教授、蔣老師、陳醫師、夏老師……當然，其他幾位大牌名家如胡老師、陶公就不方便出席了。」王瑛川一一介紹一起撰寫祝壽專刊的其他作家。

「劉老師，你那篇文章太轟動了，逼得糧食局長下臺、以肥換穀的苛政被迫取消、好幾個靠盜賣化肥的官員被逮捕，可見，文章是可以促成改革的，我們真的可以靠一枝筆造福臺灣！」徐主編舉杯恭賀《民主思潮》創下十刷的新紀錄。

王瑛川開心地用西餐廳的鋼琴彈著輕快的閩南語歌曲「四季紅」，大夥沉醉在四季紅優美的旋律，卻沒人注意站在吧檯的服務生正拿著照相機偷拍著他們的一舉一動。

吃著牛排的月婷望著窗戶外面，看到一個熟悉的身影從面前經過。

「阿爸！你看！是老師姊姊！」月婷用刀叉指著窗外的車子。

與客戶剛開完會的薏心正要上車，就看到從餐廳衝了出來的KK，喜出望外地對KK說：「兩個月不見，這麼巧！」

都捨不得離開的兩個人站在騎樓看著彼此。

「恭喜你，你的文章造成很大的轟動。」

「多虧了妳的鼓勵，那天在車站，妳說得很對，我應該勇敢地去追求自己想要的。」KK心情愉悅說著。

薏心聽出話中有話，若有所思的看著KK。

「我總算找回自己的信心，知道自己其實沒那麼渺小！」

薏心笑了：「你啊！在我心目中始終是個巨大無比的人，偏偏心理的坎就是過不去，整天嘴巴掛著喪氣話。」

KK看著薏心的笑容，想著薏心的話，餐廳門口傳出「四季紅」的結尾旋律，他希望這一剎那的美好可以永遠維持，他不想再壓抑自己，為了自己與月婷，鼓起勇氣：

「薏心，我覺得我配得起妳了！」

聽到盼望已久的表白，薏心笑得更開懷，但此時旁邊傳來文貴的聲音：

「薏心，時間不早了，我們趕快回家吧！下午有記者要來採訪！」

文貴搖下車窗從日光的雪佛蘭轎車的車窗探出頭來，ＫＫ聽到「我們回家」四個字從文貴口中說出，胸口好像遭到重重一擊，悶到喘不過氣來。

ＫＫ露出尷尬又苦澀的表情，故作瀟灑地說聲「打擾了！」推開西餐廳的門消失在薏心的視線外。

「阿爸！你怎麼哭了？是不是被老師姊姊罵啊？」

「阿爸沒哭，是香菸薰到眼睛啦！」

3

鎂光燈此起彼落，《中央日報》與《新生報》兩大報紙的記者來日光公司聯合採訪。

「綠茶已經躍居臺灣農業出口的第一名，但有些業者認為你們兩家公司造成壟斷。」記著的問題很尖銳，第一次受訪的文貴有點語塞，薏心從容不迫地幫忙回答：

「與其說壟斷，應該說是大團結，臺灣茶一共外銷四十二個國家，其中北非綠茶市場占了臺灣茶出口的二分之一，就是因為量夠大，才能打敗大陸與日本，如果臺灣業界不團結，綠茶外銷的榮景恐怕會步入當年紅茶市場萎縮的後塵。」薏心的回答落落大方，絲毫不畏懼記者的尖銳問題。

文貴接下去補充：「以上一季為例，所有綠茶廠商共同合作創下最高外銷的紀錄，光是出口到摩洛哥就有一萬二千六百公噸，這是所有同業齊心努力拚出來的，有了合作，我們才能接到這筆大訂單，當然，這也歸功於政府茶業政策的明確規範和輔導，才能讓外銷茶展現靈活的一面。」

「有茶葉同業傳出怨言，指控綠茶出口小組管太多，扼殺其他業著的生機？」記者的問題越來越難招架。

「管控乃必要之惡，外銷茶代表政府的顏面，不能容忍劣質茶破壞臺灣茶與政府的信譽，除了依照法律規定檢驗外，業者之間的自律也是品質把關的最重要防線。」文貴看著薏心，她還真的是臉不紅氣不喘，能把壟斷說成優勢。

「聽說日光想做臺灣第一家茶品牌？」

薏心當然不放過宣傳機會，對著記者侃侃而談：

「日光茶的品牌，不是從我開始，我父親那個年代就已經開始做了，臺茶潛力十足，我們不應該只滿足在農產品加工業上，應該讓世界更多人看到臺灣茶亮眼的成績。」

「日光是想做世界第一嗎？」記者好奇。

薏心謙虛一笑：「我們從沒想過要做世界第一，我們只想做世界的唯一！」

文貴不想讓薏心搶走自己的風采：

「臺茶只占全球一％而已，撼動不了市場，也很難建立起品牌！茶最大的問題在於，它不像酒有標準可循，每個人泡茶的時間長短跟量都不一樣，你很難保證每杯茶喝起來都一樣，當你不能夠提供相同質量的產品時，這就是致命傷。」

「做品牌沒有標準答案，我們可以從其他國家知名品牌中得到一些靈感。」

記者好奇看著二位不太對盤的受訪人一來一往的辯論。

「我同意終究要走向品牌，但不是現在！現階段臺灣茶最大的挑戰在於品質與數量的提升，幫國家賺更多外匯。」文貴這番話很顯然不是說給報紙讀者聽的。

文貴所言也是事實，薏心笑笑不想再爭辯下去。

「我們做茶的人，為世人們提供一杯好茶是職責所在。」文貴奉上兩罐茶葉餽贈給來訪記者，當然，茶葉罐內裝的絕對不是茶葉。

雨勢從過年後，三個多月不曾停歇，廚房裡，阿榮和順妹、團魚正在看報紙閒聊。

眾人傳閱著報紙上標題：

日光茶不做世界第一，要做世界唯一

阿榮唸：「日光茶不做世界第一，要做世界唯一。」

順妹：「第一」和「唯一」有什麼分別？

團魚：「社長都沒本事弄品牌，小姐有法子？」

「現在是好機會，阿土師的茶當年可是得到天皇賞。」阿榮替薏心講話。

「天皇茶就剩下最後幾斤，連茶樣都湊不齊，怎麼去參展？」

「茶的季節性很強，茶師手路也不一樣，就怕山妹做不出阿土師的味道！」

「可是，那個鉤鼻仔大衛只要那個味道！」

「現在是搬石頭砸自己的腳，雨下這麼大，端午之前能夠做得出來嗎？」

幾個人抬起頭看著天空發愁。

發愁的還有吉桑，辦公桌上擺著剛看過的報紙，神明桌上原本供奉天皇茶的櫃子已經空蕩蕩，吉桑換了石頭師生前得獎的日本總理大賞茶，抽起菸斗想起十幾年前的往事。

那是個滿天星斗的夜晚，吉桑和阿土師都只有三十多歲，兩人在大坪廠不眠不休，阿土師忙著製茶，吉桑忙著畫日光茶的商標 LOGO。

「土生啊，我打算要搭天皇茶，做『日光茶』的品牌，日光茶要賣到日本、歐洲，打敗立頓，變成世界的『難巴萬』」吉桑告訴阿土師自己的雄心壯志。

阿土師看著吉桑畫的圖皺起眉：「畫的這麼醜，真的是『難巴萬』了！」

吉桑不甘示弱說：「那你來畫！」

阿土師把吉桑畫的 LOGO 倒過來在上面塗塗畫畫，邊講著：

「傻子才做世界的『難巴萬』，『第一名』一堆人在爭，是沒盡頭的，我絕對讓你的『日光茶』做到世界的唯一，這樣，才不會被人取代！」

說完後把圖紙攤開，兩人看著光芒四射的 LOGO 哈哈大笑。

回到現實的吉桑，摸著報紙上「日光茶不做世界第一，要做世界唯一」的標題。

吉桑望著窗外擔心夜宿好幾天的薏心，對著送消夜來的春姨叨唸：

「薏心不好好待在家裡，每天亂跑！」

春姨也叨唸回去：「她去臺北你擔心，去茶廠你也煩惱，你到底要薏心怎樣？」

「趕快嫁人我就放心！」

春姨笑了笑：「快了快了！」

4

薏心與文貴的專訪上報後，對日光只是多一項茶餘飯後可以說嘴的事情，但是對文貴來說，能受到《中央日報》大篇幅的「佳評」，意味著在國華公司甚至背後的黨政關係中站著更加穩固。

文貴的辦公室堆滿了「恭賀范文貴榮升國華公司董事長」的祝賀花籃，從上將、國府高層、臺銀高層、桃竹苗地方政要……一排又一排的花籃占據半個國華公司的辦公室走道。

日光送的花籃只能被堆放在角落，文貴看到薏心也專程來臺北道賀，撥出空檔趨前致謝。

「恭喜范董事長！上回採訪完，你就升官了。」薏心有意諷刺。

「所以，誠如大小姐妳說的，『被看見』是很重要的！」文貴不以為意。

眼尖的薏心看到面前一只不起眼的花籃，上頭寫著：

恭賀　范文貴榮升國華公司董事長暨中華綠茶公司董事長　雙喜臨門

「雙喜臨門！您不僅升了董事長，還組了一家中華綠茶出口公司，想一腳踢開我們合作的綠茶小組！」

文貴有點尷尬：「總要讓其他業者有一起做生意的機會，別讓人說我們兩家聯合壟斷。」

薏心忍住怒氣，喝著香檳酒。

文貴岔開話題問著：「還在想妳的品牌？」

「臺灣茶必須做出自己的特色，才能真正走入國際。」
「自己的特色？」文貴不解。
「烏龍茶！」薏心信心滿滿。
文貴搖著手中香檳氣泡笑著反駁：
「全球八〇％是紅茶市場，妳做不到。十五％是綠茶市場，妳做到的卻要嫌棄。然後妳現在要打一個不到二％的烏龍茶市場！」
薏心解釋著：「烏龍茶或者是北埔的膨風茶，才是真正屬於臺灣的茶，要是我們願意試試看改變，就不用低價搶單，現在摩洛哥滿街都是臺灣綠茶，但我們的茶卻被當地人說像狗屎一樣，第一泡人家是不喝的。」
文貴笑了笑：「妳回去問一問吉桑吧！如果不追求量大薄利多銷，臺灣的茶農茶販茶廠各個都要喝西北風，量夠大才能賺取更多外滙幫助國家，而不是往什麼特色茶走，那是理想，理想不能當飯吃，不是每個人都像妳一生出就是大小姐的命。」文貴講起話來也不客氣了。
「那你呢！茶猴的兒子，就算給你這麼好的舞臺可以發揮，你想的只是做更大的茶猴，永遠做個牽猴中人。」明知道文貴的話也有幾分道理，但薏心就是氣不過。
「妳必須承認，我是對的！」文貴越來越有霸氣，已經不是當年那個來自鄉下，差點要燒過斷頭香入贅張家的文貴了。

5

文貴的冷言冷語澆不熄薏心的熊熊企圖。

山妹與薏心等人來到當年石頭師做出三井總理大臣賞茶的那片茶園，滿山的小綠葉蟬在茶樹上飛舞，叮咬著剛冒出來的枝葉，新芽微微抖動。

在一片蟬鳴中，山妹看著太陽的方向下令：「正午兩點，開始收！」

林經理看著天色對薏心說：「小綠葉蟬跟妳不一樣，妳天不怕地不怕，浮塵子，怕南風，怕北風，怕肥，怕農藥，怕飛鳥，什麼都怕。」

山妹同意：「滿山著蜒，其實最令茶農害怕，本來可以收兩百多斤的茶園，著蜒過可能只剩下十幾斤茶而已。」

薏心端詳手中只採一心二葉的茶菁，看起來細小，好奇地問著：

「那為什麼不早點摘下來？要等到快要端午才摘？」

「太早摘，著蜒不足，味道就不香了，膨風茶是『質與量』的取捨。」

「就是因為難，才能成就獨一無二的膨風茶！」林經理對自家茶菁很驕傲。

摘芽的手沒停過的山妹看著天色，臉上起了擔憂：「雲轉東，不是水就是風，雨一下，風一吹，什麼都沒有了。」

聽到山妹的擔憂，連忙加入採收行列的薏心喊著：「大家手腳俐落些，趕緊！」

「大家細心摘啊！這批是要送到英國比賽的茶！」

聽到遠方傳來陣陣悶雷，在另一片茶園收茶的嗶嗶哥看了天色：「起風了！快點！」

著蜒茶細小、採收時間短、怕風怕雨，採收起來跟時間賽跑，可說是全世界最難收的茶。

幾撥人分頭在不同茶園收了茶菁，傍晚後陸續送回茶廠，外頭下起大雨。

山妹與嗶嗶哥等資深茶師，認真小心地做茶，山妹聞茶葉菁味，開始「浪茶」，她的做法和石頭師截然不同，放茶菁的竹篦一甩再甩，讓茶菁一下子集中一下子又散開，然後用手的溫度讓茶緩緩均勻發酵後才去炒熱，每個人都很專注，因為這批茶不能有任何閃失。

山妹夜宿茶廠做茶，薏心作陪，坐在椅凳上。

山妹把剛炒好的熱茶菁，用濕布包起來，用力揉著茶說：「膨風茶最特別就是要『悶』！」

「怎麼知道悶好了？」

山妹摸摸葉緣對薏心說：「石頭哥教的，葉緣變軟就可以了。」

嬌嫩的茶菁在經過萎凋、揉捻、攪拌、行水後，包在濕布包內靜靜地置放在在茶架上，薏心與山妹徹夜守候著這批嬌嫩的茶。

山妹臉上掛著憂心，又不方便說破，薏心看出山妹的猶豫。

「大雨一來，著蜒茶全落了，今年的膨風茶可能只有這批而已！」山妹看著靜置架無奈地說。

「只是奇怪，就算下大雨，今年的著蜒茶菁也太少了？好幾處茶園才採收到這一點點。」薏心疑惑著。

「聽烈伯說，前一陣子好多茶農拿到化肥，都開始堆肥施肥，會不會是這樣，所以小綠葉蟬也少了？」

山妹懷疑著。

「嗯！我曾經聽ＫＫ說過，化肥是肥料也是農藥，化肥到底對茶農是好還是不好？」

山妹苦笑：「有化肥，北埔茶農一年可以收到好百萬斤的茶菁，少了幾百斤的著蜂茶，算不了什麼！」

這句話讓薏心陷入長考，如果一味地追求最完美的茶，勢必會犧牲茶菁產量，多種幾百萬斤的普通茶葉可以讓茶農員工好好過上一年，而幾百斤的頂級著蜂茶，就算能到倫敦賣上一斤幾千塊錢，得到的或許只是虛名。

也許文貴的想法是對的，薏心的內心慢慢動搖。

外面大雨稀哩嘩啦下著，山妹搓著雙手，感受著空氣中濕度，身上到處是黏答答的。

「怎麼了？」

「這種天氣不是做膨風茶的好時機。」

「我們有選擇嗎？摘下，就要做了！」薏心無奈地說。

「以前我爸跟阿土師也常這樣夜宿茶廠，阿土師在的時候，我爸常常一進茶廠就沒有回去睡覺，跟我們現在一樣。」

「茶師和茶菁一樣，收進來後就不能停下來。」

山妹打開濕布包一進行「解塊」動作，把結塊的茶葉鬆開，此時可見「白毫」及香氣四溢。

「蜜的香味出來了！」

「據說全世界只有大吉嶺跟北埔膨風茶才有這種天然的蜜香味。」薏心開心地深呼吸。

兩個女人笑了，山妹將鬆開的茶葉又裝入包布，放在地上用內力揉著。

薏心看著山妹認真的樣子，從口袋拿出一只紅包給山妹：

「這是你託我送堂哥張醫生的結婚紅包，我沒幫妳送去！」

山妹不語。

「他娶別的女人，妳這個笨細妹，還包什麼紅包啊！」

「話不能這樣講，張醫師救了我阿爸一命啊！」

「妳真善良！」

「這算是讚美嗎？」山妹停下手邊揉捻的動作。

「妳要做一輩子茶嗎？」薏心問起

山妹毫不遲疑的回答：

「我也不會別的，這輩子，我就做茶了。」

山妹收回紅包反問：「妳要管一輩子茶廠嗎？」

薏心反而是遲疑了許久：「我爸也許另有打算，你也看到了，文貴最近……很常來。」

「妳喜歡他嗎？」山妹問得直接，但薏心沒法直接回答。

「那妳喜歡我堂哥嗎？」

山妹不想正面回答：「他可是大醫院的醫師，也結婚了，我不去想這些。」

山妹的豁達讓薏心想起歐文：「那個化肥廠的鉤鼻仔呢？」

祕密被拆穿，山妹的臉漲紅得跟豬肝一樣，轉過身去沖了兩杯茶。

想捉弄到底的薏心追問：「到底妳喜歡不歡歐文啊？」

山妹被逼到只好回答：「只是……我們是不可能的啊，鄉下細妹和外國人。」

薏心鄭重地舉起茶杯一字一句地說著：「沒有什麼不可能，山妹！妳一個年輕細妹當上日光總茶師，妳能夠把快爛掉的水茶做給非洲人喝，別再告訴我，妳有什麼不可能。」

捧起茶杯喝了口自己做的茶，撲鼻的甜香、入口的回甘，山妹笑了。

「找一個人，喝一輩子茶，看似容易，其實很難！遇到了就不要輕易放過，有緣分的人，最後終究會在一起的。」薏心其實是說給自己聽，說完後抬頭望著昔日懷特公司辦公室的方向。

兩人四手使勁地揉著布包，默默地工作到天亮。

山妹打開茶罐，將製作好的膨風茶倒出三公克放入品茶杯，沖入熱水，一遍又一遍，反覆沖泡了十杯準備審茶。

吉桑看著山妹的動作，滿心期待的薏心則是看著吉桑的反應，林經理、嗶嗶、莫打和茶廠眾茶師茶工在旁屏息以待。

「請社長品茶。」山妹把十碗茶湯放在審茶臺上。

吉桑拿起品茶的湯匙，自第一杯起，逐一品茶，表情看不出其喜好，喝到第八杯後停下來，檢查茶底，搖了搖頭嘆了一口氣問：

「山妹，這就是做了一個晚上最好的茶？」

有自知之明的山妹並沒有特別失望，只是露出「果然如此」的無奈神情。

「知道問題在哪？」

「著蝝不足、潮濕、自然光的萎凋不夠……」山妹沒有卸責。

好像早就預知結果的吉桑點了點頭表示同意，但跟著做了一整晚的茶的薏心不以為然：

「確定不行嗎？真的是淡而無味嗎？」

「沒有人可以做出阿土師的『天皇茶』！連阿土師自己也做不到！」吉桑的話讓眾人一頭霧水。

「茶是看天吃飯的，天時地利人和，才能做出那種茶來，採天皇茶茶菁那天，茶園滿山滿谷紅紅一片，像著火樣，我這輩子只看過一次那樣的景象。」

「山妹，妳很有天分，能把著蜍不足的茶菁做到這種程度，妳的茶如果只是在臺灣比賽，如果拿第二名，沒人敢得第一，但這不是大衛要的『天皇茶』，更不能拿去英國參展。」

「早知天皇茶不能複製，PAPA又為何願意打破茶樣呢？」

吉桑看著薏心：「因為你是我女兒啊！」

「妳想做跟別人不一樣的事業，不要講一罐茶，做阿爸的我連整座廠整座山都可以放心交給妳。」

薏心聽了頓時心中又酸又激動，她始終以為父親並不支持自己攬下日光的事業，才會處處跟自己唱反調。

「而且，阿土師如果還在世，一定會罵我說，茶是拿來喝的，不是拿來看的，土生生前一直告訴我，下一代有下一代的茶，每一代喝的茶都會和上一代不一樣。」吉桑很欣慰地看著滿桌的審茶杯。

吉桑拍拍薏心的肩膀：「做茶的頭家，不能只是懂得在生意場上應酬，也不能只懂打算盤計算輸贏，最重要的是能和茶師茶工一起徹夜守著茶，能彎下來腰和茶農一起採菁，妳做到了。」

接著吉桑又對著山妹與眾人說：

「能夠看到大家一起努力，一起為同一個目標打拚，這才是我打破阿土師做了十幾年的天皇茶的目的。」

吉桑要大家拿起茶杯一飲而盡。

「這回做失敗，但我不想認輸，這次不行，我們就再做一次！再不行，再重來！我們一定能做出泡十次還可以回甘的茶湯，那才是我們的日光膨風茶！」感到父親深深期許的薏心，擦乾眼淚說著。

「新社長！下回換我來做膨風茶！」嗶嗶哥也被薏心深深打動。

莫打笑他：「你的三腳貓技術，排後面啦！」

「誰說的！你看今天的日頭已經不一樣，我就不相信整個北埔找不出一整片著蜒的茶園？」

山妹手中一直緊握著第八泡茶，為什麼她的茶泡到第八次就已經完全沒味道？為什麼天皇茶的蜜香可以延續到第十泡？

吉桑欣慰地看著朝氣蓬勃的日光茶師們，滿意地叼著菸斗，沒聽到辦公室傳來聲聲催促的電話聲，接了電話的林經理臉色大變：

「事情不好了！」

6

阿榮開著車，用最快的速度從北埔開往臺北。

「到底怎麼回事？湯經理電話怎麼說？文貴那邊有什麼消息？」吉桑劈哩啪啦如連珠炮般地問了一串問題，坐在旁邊的薏心從來沒看過如此方寸大亂的父親。

「昨天傍晚起，所有銀樓、錢莊、金主、報關行全部都拉下鐵門，所有老闆都去避風頭。」林經理的話顛三倒四。

「講清楚點！」

「是這樣的，昨天有張摩洛哥的信用狀到期，對方也如數匯了十萬美金進來我們公司在臺銀的外匯帳戶。」林經理整理一下紊亂的思緒，繼續報告：

「湯經理如往常去臺銀領了十萬美金出來，打算到大稻埕幾家我們平常往來的銀樓換新臺幣，誰知昨天政府臨時公布最新的金融管制辦法，規定除了銀行以外，所有公民營企業與個人不得私下兌換美金，如果兌換或私下持有美金超過一百元……」

「會怎樣？」薏心也感覺出整件事情已經不對勁了。

林經理擦了一下汗水，吞了吞口水結巴地說下去：

「聽說兌換或私下持有超過一百美金，最高可處死刑。」

連開車的阿榮都忍不住大叫起來，方向盤差一點握不住。

薏心這才想起：「啊！我們公司今天有一筆欠臺銀的信用狀借款到期要還，就是用這筆信用狀當擔保啊！」

林經理驚魂未定地說：「湯經理從昨天晚上奔走到今天早上，沒有一家銀樓或一個金主敢拿新臺幣換我們公司收到的那十萬元美金，臺銀那邊，早上就一直向我們追討。」

薏心恍然大悟：「難怪湯經理千交代萬交代，先把公司的現金帶過去度過今天。」

坐在車上只能乾著急的吉桑想到：「不是還有結匯證[18]嗎？」

「臺銀那邊堅決不發結匯證。」吉桑跟薏心震驚地看著彼此。

18 在一九五〇年代，由於外匯短缺與管制，收到國外美金匯款的外銷廠商可以向臺銀申請結匯證，結匯證視同美金現金，所以很多拿到結匯證的外銷公司，會到銀樓等地下管道用比市價略低一些的匯率賣掉結匯證取得新臺幣。

「阿榮開快點，趕緊到臺銀總行，否則會跳票的！」吉桑已經催促很多遍。

「跳票？」薏心看著手表。

車子快速疾馳過街道，太陽也慢慢西下，阿榮的車總算在下午三點鐘趕到臺銀總行門口，焦急的薏心與吉桑一下車就飛奔進臺銀大門，林經理與阿榮扛著好幾個皮箱在後面跟著，心焦如焚的湯經理早在大廳等候多時。

邱經理拿著算盤撥弄，旁邊的辦事員點收著吉桑帶來的鈔票，吉桑、薏心、林經理盯著邱經理一舉一動，氣氛凝滯。

臺銀邱經理比著桌上的日光公司的存摺說：「昨天摩洛哥那邊已經把欠你們公司的十萬美金匯進來了。」說完後叫辦事員在存摺上登錄一筆十萬美金的存款。

「但是你們公司今天必須還給我們銀行一百四十萬，契約借據清清楚楚。」邱經理取出當時薏心所簽的借款契約。

邱經理比了美金兌換新臺幣的牌告：「一比七」後說：「你們的十萬美金只能換七十萬新臺幣，但你們公司今天要償還一百四十萬，所以還得補差額七十萬，我這樣說明夠清楚吧！」

「可是在昨天以前，一塊美金還可以換十四塊錢新臺幣啊，怎麼會？」林經理據理力爭。

臺銀邱經理很不耐煩的說著：「我們臺灣銀行的匯率，掛在這裡已經好幾年，天天都是一比七，你是哪隻眼睛看過一比十四的？」

邱經理並沒說謊。

薏心認定這與騙局無誤：「當初你們銀行也是認定一美金有十四塊新臺幣的價值，所以才讓我們拿信用狀借錢，每一塊美金的信用狀向你們借了十四塊錢新臺幣，你們銀行怎麼出爾反爾！」

邱經理冷笑指著借款契約：「張小姐，妳年幼無知，我不跟妳計較，我問妳，當初，一年前我們銀行是不是借了一百四十萬新臺幣給妳們公司？」

薏心無法反駁點了點頭。

「一年時間過了，先別去算利息，妳們是不是該還一百四十萬的本金給我們？」

「可是，我們做生意、對外國報價都是用一比十四去衡量計算，你們銀行現在……這樣一來我們光匯率就賠掉一半啊。」薏心完全知道事情的嚴重性了。

林經理打圓場商量著：「邱經理，反正臺灣現在到處缺美金，不然就讓我們跟以前一樣拿『結匯證』去衡陽路的銀樓用一美元兌十四塊的市價換成新臺幣，然後再把換到的新臺幣還你們銀行信用狀借款，這樣就不會跳票吧？」

「到昨天為止，你們的確能這麼做，但今天開始，財政部與中央銀行規定，銀行不能再發結匯證，我們關係很好，才偷偷透露給你們知道，政府這次玩真的，昨晚開始掃蕩銀樓、錢莊與地下金主，一個早上就已經抓了幾百家了，外面根本沒人敢收結匯證與美金。」

吉桑癱坐在銀行櫃檯前的椅子上：「幾百家！」

「要不是昨晚消息走漏，讓有些銀樓老闆連夜躲起來，否則會更多！」臺銀的邱經理一副喜孜孜的模樣。

「政府又來這一套，以前是四萬換一塊洗劫人民一次，現在搞管制再來洗劫民間外匯一次，這不是要我們做出口的人去死嗎？」吉桑由失望轉為憤怒。

臺銀邱經理亮出一張公文給薏心看，語帶威脅眼露凶光的警告：

「擾亂金融是唯一死罪！現在亂講話也是有罪的！」

旁邊的辦事員點清楚吉桑從北埔帶來的鈔票後報告：

「經理，收到日光現金七十萬元，結清今日到期欠款……」

邱經理緩緩地說：「至少今天你們過關了，但接下來還有三十多筆欠款，擔保品是一千萬美金的信用狀，一共要還我們銀行超過一點五億新臺幣，但別說我沒提醒你們，這一千萬美金的信用狀，就算統統順利收到，也只值七千萬新臺幣，差額有七千萬臺幣，你們自己看著辦，好自為之吧！」

林經理哭了出來：「我們要賣多少茶才能賺七千萬？」

「你們跟我吵也沒用，政策也不是我訂的！」

薏心這時候突然想到一年前，對方跟自己提過的話，問起：

「邱經理，當初你暗示我們去找國華公司，之後才能順利借到錢，是不是，這次也可以請國華公司出面一起協商債務的延期。」說完之後示意林經理端出兩罐茶葉罐遞給對方，當然，罐子裡裝的不是茶葉。

拿人手軟的臺銀邱經理態度變得比較和緩，但他顯然也沒太多把握：「辦法只要是人訂的，自然就有繞過去的路可走，只是，國華公司不太可能為了救你們日光而去蹚這趟渾水。」

「你們還是快點回去周轉，半個月後貴公司還有一百多萬的支票到期！」

「三點半了，銀行要關門！」對方下了逐客令。

林經理對著夕陽掩面，後方是抽著菸斗的吉桑與沉默的薏心。

「價值十五塊臺幣的美金，現在只能換七塊半，今天的票勉強過關了，但是每半個月就有一張票到期，天公伯啊！」林經理情緒已經崩潰。

「我張福吉做茶三十年，做人做事最重信用，沒想到走到今天，竟然會栽在白紙黑字的『信用』狀上。」坐上車的吉桑自言自語。

蕙心想起了幾個月前穆老講過的那段話：「做茶葉外銷的有道跨不過的天險。」

不想認輸的蕙心支開了吉桑和林經理等人，一個人慢慢走到國華公司。

「你和吉桑跑去哪裡？我打電話找你們一整天了！」見到蕙心，文貴焦急地問著。

「你都知道了？」

文貴點點頭：「到底日光欠臺銀的缺口有多大？」

聽到新臺幣七千多萬的數字，文貴也癱坐在辦公椅上。

「這個洞，神仙也難救！」

「政府這個做法會逼死出口商啊，化肥、茶葉、農作物，這些都是幫政府賺外匯，為什麼一覺醒來都變成犧牲品。」蕙心喪氣地說著。

「現在，你們公司只能先撐一陣子，看看匯率政策會不會又有什麼變化！」身居黨營事業的文貴，也知道這些都只是安慰話而已。

「以你們國華公司與日光的合作關係，如果日光倒了，你們也跟著遭殃啊！」蕙心提醒著。

「抱歉，我愛莫能助！」文貴一時之間也想不出什麼辦法能幫日光度過難關。

「國華雖然不是銀行，但你們進出口都做，你的工作是左手給右手，出口賠錢，但進口的部分肯定大賺錢，你能不能幫日光過了眼前這一關？」蕙心不想放棄。

「我只是吃人頭路，國華公司又不是我私人開的，就算是『左手到右手』，也沒妳想像中這麼容易，現在一紙公文『擾亂金融外匯』，就是唯一死刑。。」

現在二人氣氛有點僵。

「我能幫妳的一定會幫，收茶菁與代工製茶的錢，就讓你們欠著，等難關過了再還，桃竹苗的菁心大冇種「著蜒茶」今年的量少得可憐，全被大雨打掉了。」

「你還惦記這些小事？」

「日光的事情對我都不是小事！」文貴說得很誠懇，薏心有點吃驚。

「如果……如果……」薏心低著頭把在路上想的事情又思考了一遍，鼓起勇氣說：

「如過你能幫日光度過這次危機，我就嫁給你。」

文貴難以置信地站了起來，他多年的夢想終於成真了，但情況卻又如此為難，讓他的心情十分複雜。

「妳當真？」

薏心喝著熱茶，避開眼神，一臉默認。

「文貴，我知道要你出面處理日光的信用狀貸款，不只為難，甚至會影響到你的前途，但如果我們是一家人……」薏心的話說得很明白。

「這真的是妳的選擇？男婚女嫁要歡喜甘願，我不想趁人之危。」文貴很溫柔地問著。

薏心點頭：「是的，幾年來我也累了，這次日光如果可以度過危機，我真想在家單純當個相夫教子的妻子母親，日光交給你，我PAPA一定也很放心。」

文貴看著薏心許久，終於鬆口：「這，很難處理，但離下一筆信用狀貸款到期還有半個月，我會想盡辦法去試試看。」

兩天後，薏心說到做到，拿著印好的喜帖恭敬地站在吉桑面前。

7

「這是？」被債務搞個焦頭爛額的吉桑，被女兒突如其來的舉動嚇一大跳。

「妳根本不喜歡文貴，這真的是妳的選擇嗎？」幾年來一直想把女兒嫁掉的吉桑，此刻卻完全高興不起來。

「PAPA，我選擇的是日光。」薏心的微笑沒有喜悅，說完便返回練琴室，她彈的曲目是柴可夫斯基的《悲愴》，幾年沒有練琴，聽起來荒腔走板。

聽到琴聲，吉桑內疚地看著手中喜帖，心中萌生的念頭隨著琴聲越來越清楚也越堅定。

「林經理！日光與張家的所有帳冊都拿過來算一遍！」吉桑大聲地叫著。

林經理打著算盤，算著信用狀借款差額、民間貨款、茶菁欠款、員工薪水……林林總總全加起來：「社長，我們一共負債九千多萬，其中七千百萬是信用狀的匯率損失的負債。」

「現金呢？」

「一百萬，過幾天又一筆信用狀要還，還了就沒了。」

「資產呢？」

「這棟洋樓、八間工廠、十幾座山頭茶園還有一批不值錢的股票。」林經理幾天來已經前前後後算了幾十遍了。

「賣出全部資產還夠不夠還？」吉桑問著。

林經理很為難地回答：「工廠、山林與茶園，沒一兩年時間是處理不完，而且，要是公司的危機傳了出去，就更難賣到好價錢。」

吉桑也拿起算盤撥弄著：「也就是說，按照這種滙率下去，我們日光每半個月就要賠一棟臺北的房子，賠個三棟五棟，我們還撐得過去，但是接下來連續一整年都得這樣賠下去。」吉桑算得比林經理還要清楚，但此時他心裡頭正在撥弄另一套算盤。

林經理抱著帳冊與算盤，盯著吉桑：「除非去借錢或找文貴出面幫忙，不然，我們還不出錢。」吉桑吸了一口氣，笑了：「沒有我吉桑還不起的債！」

林經理望著吉桑，希望老闆能說出什麼自己沒想到的辦法。

「就算勉強渡過難關，但是現在的匯率，我們怎麼去拚出口啊？國際綠茶行情一磅五角美金，就算回去做一磅兩塊的紅茶，換成新臺幣連收茶菁付水電都不夠。」吉桑道出所有做外銷的生意人的苦衷。

「可以做內銷啊！」薏心從房間走出來，對著吉桑與林經理說。

「內銷？要是有美金，現在的匯率，去外國買毛茶運到臺灣來賣，還比自己製茶便宜。」林經理搖搖頭。

「所以……」吉桑比著盆栽對著林經理說：

「你說這盆栽要活，是因為有水還是有土啊？」

「啊？到這份上了，你怎麼還有心情講盆栽？」

「日光要是沒有水，沒土，沒根，沒肥，沒太陽，日光這顆種子不會發芽、茁壯，事到如今，我們必須宣布破產！沒辦法再做下去了！」

「社長！」林經理看起來不是那麼吃驚。

聽到「破產」兩字，吉桑面無表情，薏心卻是無比著急：

「文貴那邊還在想辦法，PAPA！我們別這麼快放棄，好不好？」

吉桑摸著心愛的盆栽低聲地交代：

「暫時先不要把破產的事情講出去，這一兩個禮拜，公司還是正常運作，只是在宣布破產前，還有兩件事情得先處理。」吉桑壓低聲量交代林經理：

「這是第一件事情！記著，不要讓任何人知道。」

交代完之後吉桑走到電話旁邊，對著薏心說：「第二件事情我自己處理。」說完撥了電話。

「文貴！我是吉桑啦！」

在國電話那頭的文貴聽到吉桑親自打電話，以為是要談結婚的事情，喜孜孜地回答：「社長！關於信用狀貸款的事情，我已經找到門路與關係，再等我幾天……」

「文貴！辛苦了，不過歹勢……」

「我吉桑賣了一輩子的茶，現在有難關，我吉桑可以賣工廠、賣房子、賣祖產，什麼都可以拿出去賣，謝謝你的幫忙與奔走，但是……」

抱著電話筒的吉桑轉過頭來看著薏心，繼續說下去：

「但是，我不賣女兒！」

吉桑掛上電話，把手上喜帖撕個粉碎，朝窗外丟出去，紅色的碎紙滿天飛舞著。

8

陪王老闆檢視第一批PVC機器的KK，被老闆迪克好幾通緊急電話召回公司。

「急著找我喝慶功酒啊？塑膠廠才剛裝機！」自從接下塑膠廠的案子，KK經常是以廠為家。

「你再晚個幾天不出面，就會沒命。」從沒看過如此驚嚇的迪克，KK收起輕浮玩笑話。

迪克拿著一本護照、剛出爐的美國簽證與單程機票：「你只剩下兩天的時間，證件我都幫你處理好了，往紐約的飛機是後天的早上八點鐘起飛！」迪克表情有些痛苦。

聽起來不像單純的出差行程，KK滿臉疑惑。

迪克拿著《民主思潮》的「祝壽專刊」雜誌，以及一疊KK在波麗路咖啡廳與雜誌社慶功的照片：「我在國府的好朋友拿給我的，他偷偷告訴我，國府準備三天後抓人，礙於你是美國公司雇員以及美援的特殊背景，最好的方式是讓你事先飛到美國，如此才不會造成尷尬，看在我們美國的面子上，他們給你兩天的時間。」

迪克比著雜誌靠在耳朵旁邊：「他們說，名字印在這雜誌的人統統都要抓！」

KK難以置信，也不願相信。

「迪克先生！我沒惹事！」KK辯解著

迪克咆哮著：「沒惹事？你的文章害國府的化肥政策破局，害一堆坐領高薪盜賣化肥的外省退伍軍官丟掉工作，害幾個省府高官下臺……」

「再見，我最好的朋友！我已經安排美國的住所，也安排了懷特公司的工作，如果不喜歡，我可以介紹你到我的家鄉愛荷華州當高中老師……」

KK發洩後，很感激老朋友的安排：「為什麼只有我的護照與機票？我的女兒呢？」

迪克一臉歉意：「昨天下午才匆忙去辦，你放心，等你在美國安頓好以後，我會親自送月婷到美國。」

「我現在能做的只有這個了。」迪克說完揮揮手離開。

當一個人走頭無路時，千萬別拋棄最後的尊嚴，這是當年在戰俘營的KK的最後一道防線，但如果是為了女兒，任何底線都不是底線。

KK要在短短兩天內把月婷安頓好，按照迪克所聽到的機密消息，最適合託付的王瑛川夫妻也可能遭到國府逮捕，想來想去只有硬著頭皮去找夏慕雪，至少在月婷心中，夏慕雪既熟悉又值得信任。

受到嚴控外匯與掃蕩民間金融的波及，大稻埕行人稀少，大部分商家拉起鐵門暫停營業，平常聚在永樂戲院聽戲的一干做外銷的生意人或相關金主，有的被抓，有的遠避鄉下，永樂戲院幾百張座位，除了永遠包下前六排的上將以外，空盪盪地宛如廢墟，與戲院外的大稻埕的死城氣氛相呼應。

回家後火速整理好月婷的行李，KK拉著月婷匆忙趕到永樂戲院，不理會開戲的時間與經理的勸阻，逕行衝入後臺夏慕雪的化妝室。

一進門才發現靳上將也在化妝間內。

「哼！這地方竟然讓閒雜人等來來去去，改天把經理給換了！」看見KK，靳上將心裡很不痛快。

「我知道非常冒失唐突，現在可以跟夏老師見個面嗎？」KK知道理虧。

「你不是已經見到了嗎！何必問我？」靳上將瞪了KK一眼，KK毫不懼怕地繼續要求：

「對不起！上將！能否讓我和夏老師單獨見個面，我有很重要的事情拜託她。」KK看著把自己的手牽得緊緊的月婷。

夏慕雪見狀，連忙替KK緩頰求情，靳上將看在夏慕雪的面子悻悻然地離開：

「十分鐘後就要開唱，別讓這個臺巴子耽誤了！」

夏慕雪聽著出這句話所暗示的意義。

「所以，你的打算是？」聽了來龍去脈後，夏慕雪用最小的聲音問著，以免被房外的將軍或他的隨從聽見。

「現在消息很亂，我先把月婷託在妳這兒，你這裡最安全，明天我還要去通知雜誌社與其他老師，叫他們先避一避。」

「你要去美國嗎？」

KK點點頭：「如果我遭到什麼不測，請妳送月婷去北埔張家，然後跟薏心說一聲，我愛她。」

「如果我順利到美國，我的老闆迪克會安排月婷到美國，讓我們父女團聚。」

KK說完後，看了一眼在化妝間沙發熟睡中的女兒，就火速離開，推開門只見靳上將站在門外，對著KK冷笑：「一路好走！」

今晚，夏慕雪臨時變更劇目，改唱《霸王別姬》的虞姬：

自從我隨大王東征西戰，受風霜與勞碌年復年年。恨只恨無道秦把生靈塗炭，只害得眾百姓困苦顛連……

臺下唯一觀眾靳上將看見夏慕雪眼眶含著淚水，醋意大發，把旁邊聽令的副官叫到旁邊：「提前動手抓……」。

第十二章

1

林經理與薏心逐一檢查張家洋樓、舊宅與幾處茶園山林的房地契，拎個公事包準備出門，被吉桑叫了回去。

「這張帶去過戶給……」吉桑塞了張茶園地契給林經理。

「一個星期內要辦妥！把錢借出來！」吉桑小聲地交代

收下地契的林經理不死心地再問一次：「社長！這是脫產，做不得啊！」

「都要破產，還管做得，做不得！要破，我自己一個人破，不用整個北埔鄉親陪著我破產！」吉桑盯著林經理。

「茶農茶販員工的錢一定要先還掉，三萬五萬，對他們來說是逼死一家人的，反正，我都欠幾千萬這麼多了，不差那三萬五萬了。」

林經理明白了，但不苟同：「這會讓你的信用完全破產！」

吉桑看著林經理手上厚厚一疊財產說：

「我能為北埔人做的最後一件事，就是這件事了！」

薏心看見父親的嘴唇在發抖。

「所以我們不能聲張，這幾天公司照常運作，風聲要是傳出去，就沒法去銀行抵押借錢了。」薏心了解父親的心意。

「最早到期的支票是哪一張？」吉桑問著

林經理翻著厚厚一疊資料，一臉不妙地說：「是欠伯公大坪山的票！伯公的票如果退票，風聲會傳得更快！」

吉桑哽咽起來：「那得趕快去辦，」「幾天過後，我就是北埔人盡皆知的敗家子了！」

一盞孤燈，四下無人，文貴在國華的辦公室徹夜加班，埋首於文件、公文卷宗、帳冊、報表數據以及法條，努力地研究如何做帳幫忙日光，很顯然他找到了辦法，但是難度頗高，必須繞過董事會的監管去偽造或變更不少契約。

桌上電話響了，嚇了他一跳，緊張地以為自己想違法的心思被發現。

「是我！」電話是薏心打來的。

文貴鬆了一口氣，確定四下無人摀住話筒，小聲回話：「再給我幾天時間……」

薏心同樣摀住話筒，確定四下無人小聲地說：「不用了，我父親找到辦法了。」

2

林經理與薏心故作輕鬆地來到土地銀行新竹分行，一聽到是日光的新社長蒞臨，新上任的黃經理與陳副理親自迎接。

「有什麼需要，一通電話打來，我們親自去日光公司才對啊！」

原來黃經理就是被上將趕出去的國華公司前任黃董，透過關係勉強找到鄉下銀行的經理缺，急著想靠業績表現，藉此尋求重返臺北商界的機會，而陳副理是原來北埔農會的陳專員，因為幫國府拿下化肥廠有功，升遷到銀行當副理，兩人有個共同特點，就是急著想在短期內衝刺業績。

「為什麼你們臨時需要這麼大一筆錢？」幾百萬的貸款不算小數，黃經理提高警覺。

「那家國華公司，新任的董事長范文貴把綠茶市場吃乾抹淨，我們日光公司只好被迫回頭去做紅茶，需要錢買紅茶機器。」事先演練說詞多次的薏心，發現說起謊來並沒有想像中的困難。

一聽到范文貴三個字，黃經理氣得咬牙切齒：

「那傢伙，做事情從來不給別人留餘地。」

林經理故作神祕地說：「那個忘恩負義的范文貴聽說要搞紅茶大訂單，我們這次絕對不讓他得逞。經理，你也是茶市前輩，要不，試試看我們日光最新的頂級紅茶，看看有沒有辦法讓文貴那小子陰溝裡翻船。」說完後一口氣送上十幾罐茶葉罐，當然，罐內裝的絕對不是茶葉。

「陳副理，你也很懂品茶！」林經理另外又拿出五瓶茶罐給陳副理。

會客室牆上還掛著慶祝黃經理就任的匾額，仇恨心與貪念讓黃經理的戒心消失無蹤。

薏心喝著茶笑看行員們拚命點著鈔票，但內心比上墳還沉重。

黃經理與陳副理心中則盤算著，有了日光這家大客戶，分行的業績絕對可以拚過臺北的分行，升遷到總行指日可待。

辦好貸款，來到北埔鄉公所，林經理壓著印章把幾處茶園的所有人變更成山妹的名字。

在辦公室也沒閒著的吉桑來到北埔鄉公所。

「鄉長！你上個月提到的北埔農會總幹事的人選，我向你推薦林經理……」

「林經理？你是說在你們日光做了二十幾年的林經理？」鄉長一臉錯愕。

吉桑裝出一副捨不得的樣子：「是！我也不想放他走，但日光的生意越來越好，他的身體已經扛不下來，他吵著要退休好幾次了，我希望能夠安排個輕鬆的工作，天天看報喝茶過日子。」

「什麼時候可以上任？」

「越快越好！」

鄉長露出疑惑的神情，吉桑臉一沉斥喝著：「上次農民包圍農會，是誰去幫你擺平的？」

在北埔可說是喊水會結凍的吉桑，他推薦的人，鄉長非買單不可，否則萬一再碰到一次農民包圍農會的事端，鄉長的位子肯定不保。

3

天際剛露出一抹魚肚白，潮濕的空氣讓人喘不過氣，蹲在客廳整理行李的KK，聽到大門被撞破的巨大聲響，一抬頭，幾道陰影擋在眼前。

「劉坤凱！馬上跟我們走。」粗暴的外省口音伴隨著從太陽穴傳來的一陣冰冷，槍管對著KK的頭，KK放下手邊的行李箱，慢慢站起來，看了一眼時鐘，距離他的飛機起飛只剩下四個小時。

手臂被反銬，兩位持槍的憲兵押著出門，KK回頭看著掛在牆上的日曆，日期還停留在一九四七年六月二十日，那是他父親被帶走的日子。

「我能打個電話嗎?」KK問著。

帶頭的隊長用槍托狠狠地敲打KK的額頭,KK連哼都不哼一聲,他不想在這些劊子手面前表現軟弱,因為待了幾年戰俘營的他,知道軟弱並不會帶來任何的同情。

KK瞥見書桌上留著那本曾經借給薏心的字典與竹蜻蜓,沒被憲兵搜走,他笑了。

那隊長看到露出微笑的KK勃然大怒,抓起旁邊憲兵的長槍,狠狠地用槍托敲打KK後腦與背部。

「娘希匹!死臺巴子!」

一陣天旋地轉。

兩個小時後,《民主思潮》辦公室外,憲兵如急驚風地敲打著大門,似乎早知道有這麼一天的徐主編坐在那張屬於知識分子的書桌。

「瑛川!別哭,別在他們面前丟人。」

王瑛川忍住啜泣,拿起話筒想打電話,卻發現怎麼撥都撥不通。

「他們抓人前都會先剪掉電話線,讓你聯絡不到家人。」徐主編想起一九四九年,家人被國民黨特務抓走的往事。

4

幾天後,周日傍晚,蕭條已久的永樂戲院,迎來了開張以來最多的看戲票友。

華，夏慕雪三天前突然對外宣布要告別菊壇，今晚將是她的最後一場演出，戲票早就銷售一空，戲院經理還臨時緊急增加站票，但戲院門口還是擠著幾百個買不到票的戲迷。

「夏老闆！夏老闆！」

戲迷議論紛紛的話題不在今晚的戲，而是夏慕雪引退的各種流言。

「好好的，為什麼要引退？」

「聽說身體不好！」

「我上個月才來聽夏老闆的霸王別姬，唱得好好的，不可能啦！」

「名伶引退，要不是過氣就是有心上人了！」

「心上人！絕世名伶可不好養！」

「傳聞她和某將軍在上海就熟識了，當年還包養過她呢！」

「某將軍？你是說那個靳……」

「別大聲嚷嚷，小心他的特務……」

「怎麼可能，那個靳……已經快六十歲了，夏老闆頂多三十出頭，做他女兒都行了。」

「嘿嘿嘿！這是千真萬確，好幾個當年二十一師的老弟兄都收到喜帖了……」

「聽說嫁他有條件，夏老闆好像是為了救某個小白臉……」

「瞧你瞎說的！」

「反正這些戲子，背後都有一堆男人，扯也扯不清……」

「別吵了，聽戲！」

夏慕雪今晚唱的是崑劇《牡丹亭》，由於是最後演出，所以她選了來臺灣後從來沒唱過的折子，一齣濃縮過後的戲目，只唱《尋夢》與《驚夢》，把堆花全部刪除，臺上只留生旦淨末丑扮演的十二花神，不安排柳夢梅出場，徹徹底底是杜麗娘的獨角戲。

情不知所起，一往而深。生者可以死，死可以生。生而不可與死，死而不可復生者，皆非情之至也。

夏慕雪先來段吳儂口音的開場，眼神充滿了哀戚，似乎是對著夢中那虛無縹緲的柳夢梅。

為我慢歸休，款留連，
聽、聽這不如歸春暮天。
難道我再到這庭園，難道我再到這庭園，
則掙的個長眠和短眠？
知怎生情悵然，
知怎生淚暗懸？

不論杜麗娘是身處真實無比的夢境，還是縹緲虛空的現實，追求愛情不顧禮教，叛逆與淒苦的杜麗娘，活脫脫被夏慕雪從戲中釋放出來。

落幕！臺下掌聲如雷，放盡力氣的夏慕雪踉踉蹌蹌地走下舞臺。夏老闆的崑曲成為絕響，永樂座的繁華、大稻埕的茶香隨她一起落幕。

5

隔天早晨，北埔張家的洋樓大門被打開，異常安靜。

「幫我謝謝社長！」

「莫要聲張，靜靜地走吧。」阿榮千叮萬囑。

陸續送走好幾位茶農，洋樓二樓還有幾十個人排成長排，每個人手上拿著帳單、欠條、請款單，茶農茶販鄉親茶工家僕，由春姨維持秩序，很有默契不發一語，慢慢排隊等著進吉桑辦公室。

「下一位，烈伯！」春姨小聲對著坐在辦公室的吉桑。

吉桑面前有張大桌子，桌上擺滿現金，旁邊坐著比對帳冊的林經理，站在一旁的薏心把上面寫著烈伯裝著現金的信封交給烈伯，核對了欠條或借據後，然後一張張地撕掉。

「這是欠你的茶菁款！辛苦！」烈伯難過的緊握吉桑的手依依不捨。

「阿烈叔啊！要握手改日再來，領了錢，快點走！記得！不要讓別人知道！」林經理催促著。

茶農茶販往來小商家都發完後，輪到日光員工。

薏心拿起桌上的信封交給吉桑，吉桑把裝錢的信封依序發下去。

「這些是工錢，你們點一下。」吉桑對員工很不捨。

「我跟化肥廠講好了，你們下個月就可以去上班了。」

吉桑給山妹兩張地契，山妹一臉驚愕。

「我不能收！」山妹小聲地婉拒

「第一次見面，我們就約定好了，妳要是來我日光當總茶師，妳老屋前面那片小茶畑，我就送給妳。」

吉桑輕聲地回答

「太貴重了！」

「沒有自己茶園，做什麼茶師！」吉桑堅持，山妹勉強收下。

「可以幫北埔栽培出好茶師，是我的福氣！」吉桑嘴角上揚。

確認每個員工與家僕都領到吉桑給的紅包後，吉桑張望著：

「阿榮！你要去化肥廠，還是別間茶廠上班？鄉長欠一位司機，我幫你安排！」

阿榮站在桌子面前，表示都不要：「我要跟著社長！」

「我無父無母，從小就在張家長大，我是張家人，社長你去哪，我就去哪！」阿榮哭著。

「順妹來！」順妹流著淚站在吉桑面前，平常愛嚼舌根的她此時一句話也說不出來。

薏心拿起寫著順妹的信封交給她。

「順妹想要去哪？」吉桑問。

順妹流著淚不講話看著團魚，團魚這時候出聲了：

「她跟我在一起。」

現場一陣鼓噪，二人有點不好意思。

「喝喜酒要通知我！」吉桑終於笑了。

「嗶嗶！莫打！來！」

二人走過來看著信封後馬上退回說：

「社長！我們的工錢沒那麼多，算錯了！」

「多出來的錢給你們開鐵工廠，當作是我的投資，嗶嗶的好勝、莫打的幹勁，生意一定會不錯，賺大錢的時候要記得給我分紅。」二人感動收下。

「好好做，我會常去巡。」

薏心對吉桑暗示還有站在一旁的春姨，吉桑看了看春姨：

「妳是我張家的人，薏心嫁人時，大桌會留一位給妳。」春姨哭得跟淚人似的。

最後，吉桑從抽屜內取出一張公文給林經理：

「林仔！我知道你不差錢，所以沒替你準備，這張是農會的公文。」

吉桑攤開公文對眾人說：「我已經安排林經理明天就去農會出任總幹事，我張福吉掛保證，我一手訓練出來的經理，他對於處理帳務，很有經驗，他一定會好好照顧北埔鄉親的福利，他很會……」吉桑哽咽說不下去了，淚眼望著林經理，張家上下與日光員工聽到這些話全都紅了眼眶。

聽到脫產風聲，一身白衣白褲白皮鞋的伯公，帶著七十多張支票領著法院人員趕了過來。

為了阻止吉桑脫產，伯公等人把人群和桌子隔開，並把團魚的信封搶下來，團魚、嗶嗶哥跟莫打三人聯手直接勒住伯公的脖子，才把包著現金的信封搶回來。

伯公漲紅著臉，一臉激動地叫囂著：「吉桑，你現在做的是脫產行為！」

吉桑一副理所當然：「債務清還，員工是第一順位。」

法院人員也喝止：「不能繼續分了！」

吉桑早有準備：「阿伯！請教你，我今天退票的金額是多少？」

伯公有點語塞：「兩萬五！」

吉桑笑開了：「退你一張兩萬五千塊的支票，你居然叫法院來查封，林經理！」

林經理很有默契地從桌上剩下不多的錢堆中點了兩萬五千塊錢，拿到伯公面前：「伯公！請點收！」

無計可施的法院人員對伯公說：「既然清償了，就沒有退票了！」

伯公不甘示弱地拿出幾十張支票：「可是……」

吉桑遞上伯公最愛的洋菸說：「阿伯！看清楚！那些票都還沒到期。」

被頂得啞口無言的伯公氣呼呼地抽著悶菸。

「你如果一定要查封我的資產，我告訴你，我欠銀行還有好幾千萬，你如果去法院告我，你不一定可以拿得到錢！」吉桑一派輕鬆地說。

伯公問了問一起來的法院人員。

「社長的話沒錯，一旦查封下去，我們法院會通知所有債權人，一起協商債務償還，日光剩下的財產會按照欠債的比率清還，而且你這種民間債權，分配順位通常會排在最後面。」

吉桑對慌亂不知所措的伯公說：「阿伯！進去會客室講話！」

兩人走進會客室，吉桑把門關起來，會客室還掛著盛文公臨終前留的筆墨匾額：「風神」。

「有時，我也在想，阿公怎麼會把祖傳的大坪山傳給我爸？而不傳給你？」吉桑看著匾額有感而發。

「從小，我就看著我阿爸，每天就是嘴開開，看著那吃鴉片的火，吞雲吐霧……我爸也要我吃鴉片，他講，這就是張家要我們做的本分事，『吃鴉片的人，不會玩，不會賭，不會喝，又不會走，不是很好嗎？』這是做大戶人家螟蛉子的命。」

「你知道我為什麼三番兩次阻止你的化肥廠？處心積慮想要回大坪山嗎？」

吉桑替伯公回答：「我知道，但我就是沒聽話，不認命，看倒底誰可以對北埔庄的人做比較多的事，幾十年來，我帶著北埔庄的人，一起衝，一起拚，那麼大的事業在我手裡建起來，也在我手裡收起來，我爸他最怕我做了張家的敗家子。至少，我試過了，螟蛉子也可以替北埔人做些事。」

「我就是怕你把祖產敗掉啊！」伯公態度也有點軟化。

「哈哈！張家這麼大的家族，每一個人都像阿伯你一樣，怕冒險，只想安分地吃祖產，只想每天過一樣的日子，安定？死去的人最安定啦！」吉桑越講越激動。

「不過！我生意失敗了，說這麼多都沒用啦……」吉桑拿出已經準備好的大坪山地契的過戶書給伯公：

「還你，張家的祖產就麻煩阿伯好好守住。」

看了看已經用印的過戶書與地契，伯公鬆了口氣，當著吉桑面撕了所有支票，輕放在盛文公的匾額下面。

「大坪山過戶給我，我們債務就一筆勾銷。」

吉桑與伯公兩人站了起來，一起看著盛文公匾額下的一排小字：

莫賣祖宗田，莫忘祖宗言，若忘祖宗言，吃虧在眼前

紙包不住火，日光脫產的消息很快就傳開，銀行黃經理與陳副理氣急敗壞地趕到日光公司。

「什麼東西都不能動！」黃經理激動的抓住吉桑的衣領，但見到北埔鄉親與日光員工聚集過來，形勢比人強，只能鬆開抓住吉桑的手。

「你這麼做，我也會死人的。」陳副理急著哭了出來。

「吃飯沒？」沒想到吉桑只回了這句話。

「我銀行讓你倒了幾百萬了，哪有心情吃飯！」黃經理沮喪地攤坐在洋樓門口地板上。

「來！粄條端出來。」吉桑吆喝。

春姨、順妹、團魚、阿榮等人端出一碗碗的粄條，每人發一碗。

「今日是我吉桑最後一次請大家吃飯！」

吉桑狼吞虎嚥吃了好幾口：「春姨做的，最好吃。」

見黃經理、陳副理與法院人員等人都不吃，吉桑笑著問：

「春姨做的番薯餅更好吃，要來一些嗎？」

吉桑打了個飽嗝站在洋樓面前：

「各位鄉親，這幾十年來感謝各位的支持，日光才能走到今天，全靠大家幫忙，茶金時代，日光跟鄉親一起打拚賺錢，但到這個時代，就真的沒有辦法了，很歹勢，我張福吉今天要對大家宣布破產了！」

所有人面色凝重，鄉親一片譁然！

吉桑滿臉歉意地對著黃經理等人說：「很抱歉，欠你幾百萬，不過，這些錢對你們銀行來說是小錢，但是在場的鄉親與員工，差個十萬八萬可能就要淪落到賣兒賣女。」

「沒有我吉桑還不起的債，這次是最後一次還債，還麻煩大家過來關心，這麼多年，我張福吉跟日光承蒙大家了！」

吉桑跟薏心兩人，對眼前所有鄉親眾人九十度鞠躬。

6

薏心走在昔日忙碌的萎凋區，成排的綠茶機器即將面臨查封，她不捨地一一打開眼前的揉捻機，轟隆的聲音，吉桑、山妹、阿榮、嗶嗶哥及莫打聞聲而來。

吉桑關掉機器電源：「這些機器已經不是日光的財產，不能隨便亂動！」但他的手還是放在機器上去感受慢慢冷卻的溫度。

倉庫內的毛茶也趕在被查封之前，運送給下訂單的客戶，偌大的廠房倉庫只剩下搬不走的機器和幾個捨不得離開的日光員工。

林經理氣喘吁吁地跑了過來。

「你不是去農會上班了！」

林經理笑著說：「中午休息，來這裡散散步，習慣了！」說完後拿起一張電報說著：

「大衛從英國拍電報過來！問今年的博覽會，我們還要參加嗎？」

眾人面面相覷，日光連機器、茶園都快要被查封了，怎麼參展？

「林經理，請你回覆大衛，謝謝他看得起，不過，日光倒了，我們永遠去不了。」吉桑看著空蕩蕩的茶廠。

吉桑看著從臺北趕來的文貴說：「北埔茶不會死，走！大家再去巡最後一次茶園！」

車子開到峨眉湖畔停下，吉桑與薏心看著一望無際的茶園。

跟著過來的文貴嘆息著：「我還以為是什麼好辨法，結果是……」破產兩字說不出口。

薏心笑了笑：「我爸堅信，飛鳥要起飛時，不會把水弄髒。」

吉桑走進茶園與幾個茶農一一道別，然後用手比著文貴，文貴急忙走過去。

「社長！」

「文貴，當初你來日光報到的時候，我告訴你，你看得到的茶全是我收的，記得嗎？」

「記得啊，社長的茶園，大到，鳥飛三天三夜也巡不完。」

吉桑表情很嚴肅地對文貴說：「現在也是鳥飛三天三夜也巡不完！」

「社長！」文貴聽不懂。

「文貴！這些茶農與茶園，要麻煩你照顧了！」吉桑對文貴鞠躬，嚇得文貴也連連回禮。

「我拒絕你的幫忙，是希望你的前途不要被日光拖下水，要敗，一家敗就好。」

吉桑指著滿山遍野的茶園說：「日光茶廠和茶園現在都是銀行與政府的，他們一定會找個信任的人接手經營，沒有意外的話，那個人當然是你，我不能把你拖下水。」

文貴有點哽咽。

「日光倒了！北埔不能倒！希望你這個新社長比我做得好！」吉桑伸出手幫文貴整理領帶、撥了撥領口的塵土：

「男人在外面，要懂得穿好吃好！」

噗噗噗的聲音從遠到近劃破茶園的寧靜，只見嗶嗶哥騎著一部摩托車朝吉桑這邊過來。

「做頭家就風神！還騎 Kawasaki 呢！」吉桑笑著。

「社長！社長！烏面叔！快去看烏面叔的茶園啊，著蜒啊！滿山紅火啊！」

烏面叔生前遺留的茶園離峨眉不遠，吉桑等人很快就趕到，只見山谷一片褐紅，在斜陽的照射下像著火般，閃著紅光，所有人都驚愕地望著眼前從未見過的景象。

吉桑激動地大叫：「天皇茶，阿土師採收天皇茶茶菁的那天，就是這麼紅！」

匆匆趕來的山妹、莫打、林經理、團魚等更是看得目瞪口呆。

嗶嗶哥吹了一聲口哨讚嘆著：「原來，傳說中天皇茶是真的！」

「今年著蜒茶產量都不好，烏面叔死後，這片茶園沒人打理，怎麼能如此紅火？」莫打納悶著。

「誰說沒人打理？社長叫我每三個月來這幫烏子除草一次啊。」嗶嗶哥澄清著。

山妹摘下一把茶菁，聞了許久問嗶嗶哥：「你有用化肥嗎？」

「我沒有農民身分，不能領化肥啊！」嗶嗶哥解釋著。

「嗯！我猜也是，這片沒人種的茶園應該是沒有使用化肥與農藥，所以小綠葉蟬特別多！」山妹推測著。

嗶嗶哥想了一會說：「大概吧！不管了，時機正好，快採收啦！這批著蜒茶一定可以做出去英國參展的好茶！」嗶嗶哥始終沒忘記想要參展，說完後就拉著莫打、山妹、阿榮等人，立刻採茶。

林經理潑了大家一桶冷水：「就算這次能夠再度做出天皇茶，寄過去也來不及了！」大衛電報上頭的時限是兩個禮拜後，海運寄到倫敦的時間至少一個月。

滿懷希望的嗶嗶哥失望地蹲在茶園，山妹看著滿滿的著蜒茶葉也長長嘆了口氣。

薏心卻堅定地說著：「誰說來不及，只要做得出來，我親自搭飛機把茶樣送過去。」

茶。

「送去英國？」

薏心點點頭，繼續彎著腰採著茶菁。

「文貴，別發呆，下來幫忙！」文貴也跟著挽起袖子。

雖然尚未查封，但日光的機器已經屬於債權銀行所有，吉桑堅持不能使用機器，大家只好靠手工製茶。

「傳統炭焙法，山妹最拿手了！」吉桑頗有信心。

「炭火焙茶，比較費工耗時，但味道才能永久入味。」山妹解釋著。

山妹與嗶嗶哥兩位資深茶師先用手去浪青，初步萎凋後的茶菁鋪在簸箕上，讓茶菁可以均勻走水。

薏心、莫打、阿榮，及張家下人全員到齊，各個認真「擊炭」，浪青與擊炭的聲音相互交會，敲擊聲猶如天籟，大家邊做邊聊起洋樓與公司過去的種種往事。

「以前大小姐常常像擊炭這樣在彈琴。」團魚比喻著，順妹調皮地敲打出幾個音符。

「有一陣子，每天晚上都能聽到那個咻踫！」順妹回憶著。

「啥？」

「咻踫！放鞭炮聲嗎？」嗶嗶哥問著。

「就是咻踫啊！」順妹哼出幾段音節，大家不明白盯著順妹看。

「蕭邦啦！哈哈！」薏心開懷大笑。

「笑什麼，很久沒聽到，記不清楚也是應該的！」順妹有點尷尬。

在笑聲中，山妹把一堆堆的稻殼覆蓋在擊碎的木炭上說：「點火！」

等稻穀慢慢被炭火烤白後，在上面放置蒸籠，小心翼翼地把浪青後的茶菁鋪在一層層的蒸籠裡。

「這是老一輩茶師手工焙茶方法，三十年前阿土師就是這樣焙茶。」吉桑回憶著。

山妹用手心手背來回摸著茶籠，有樣學樣的薏心也跟著做，但她不明白：

「翻來翻去是做什麼？」

「手心、手背感受到的溫度是不同的，來回翻著摸，更能掌握真正溫度，焙火次數越多，茶可以更耐泡。」

春姨端出綠豆湯，對大家擠眉弄眼後，從圍裙口袋中掏出一只紅包，塞到薏心手上：

「我們大家一起包了個紅包，給妳去英國的旅費！」

薏心聽見後呆住，雙手僵在茶籠上，吉桑不明就裡地看著春姨。

「日光社長與新社長照顧我們這麼多年！這是我們一點心意！」

「英國很遠，多帶點錢，比較安心！」

父女倆人從未接受過下人資助，一幫下人圍住吉桑與薏心，滿心期待。

「英國這麼遠，我們去不了，為了日光茶，我們也想出一份力，一點心意！」春姨說完後把紅包硬塞在薏心手上。

春姨見吉桑還想推辭，臉色拉下來叨念著：

「你也不想想已經破產，錢都被法院查封，你不顧自己就算了，薏心跑那麼遠，多帶點索費比較安心！」

吉桑聽了不生氣反而還很高興，因為只有自己人才能如此毫無忌憚的講話。

「大家的心意，那，一定要收！」吉桑的笑聲中帶點感慨。

薏心突然離開茶廠，大家誤以為紅包刺激到薏心的自尊心，現場氣氛沉重無比，沒有人敢講半句話，只剩炭火嗶嗶剝剝的聲音。

洋樓二樓傳來琴聲，琴聲裡透露出濃濃的哀愁。

「是咻蹤！上次文貴退婚，小姐就是彈這一首！」順妹閉著眼睛聆聽享受著。

薏心的情緒都宣洩在鍵盤的黑與白之間，這回，她毫無保留讓整屋人都聽見自己心情。

忙了一整晚，山妹捧著做好的毛茶走到審茶室，拿了十只品茶杯，每人手上緊握著品茶湯匙，看著山妹沖出一杯又一杯的新茶。

大家又興奮又緊張地一杯一口地品著，直到最難突破的第十泡，所有人如賭徒般睜大眼，看著第十泡所倒出來的茶湯。

前兩泡的茶湯顏色較深，第三到第九泡的茶湯顏色轉淺，最關鍵的第十泡，嗶嗶哥把倒扣茶杯翻了起來，眾人朝杯裡一看，茶湯再度轉深呈現金黃的琥珀色。

吉桑率先拿著品茶匙審茶，品完後不發一語，滿臉苦惱的模樣。

大家見狀心情一沉，山妹心中揪了好幾下，嘆了口氣。

吉桑嚴肅地說：「這不是阿土師的天皇茶！」

聽到吉桑的話，嗶嗶哥心有不甘，拿起品茶匙舀起茶湯再喝一小口。

「不會啊！這是我這輩子喝過最好的茶啊！」眾人都很認同嗶嗶哥的話。

「這不是阿土師的天皇茶！但這杯是日光有史以來最好的茶！」吉桑這才把後半段講出來，山妹從沮喪到欣喜，忍不住嚎啕大哭起來。

「山妹，阿土師傅的『天皇茶』已經過去了，永遠不會再有，這是妳獨一無二的『日光茶』！」吉桑對山妹點頭認可。

7

收拾好行囊的山妹，站在已經被查封的張家洋樓門口，與吉桑、薏心話道別，旁邊站著歐文。

「謝謝社長的栽培，我會好好學做茶！」

「妳真心要去日本學做茶？」情同姊妹的薏心捨不得。

「剛好東京的美軍需要工程師，所以我就跟歐文……是妳勸我不要放棄的，小姐，妳忘了？」山妹點點頭，心意已決。

「還是……妳去臺北學做茶，或者我打聽看看有什麼厲害的茶師可以教妳。」薏心還是不死心。

吉桑伸出手握住山妹，笑著說：「薏心！全臺灣最厲害的茶師現在站在妳面前啦！要學綠茶當然要去日本學！以後回來貢獻給北埔！」

「保重！」

「妳也是！」

嗶嗶哥、莫打、團魚與阿榮賣力抬著「實心大眠床」，搬到停在院子的卡車上。

手上捧著心愛小盆栽的吉桑告訴法院查封人員：「我只搬走這張床，還有這盆栽！」

「PAPA，為什麼要帶一張眠床走？」薏心好奇地問。

「要不然晚上睡哪？」吉桑抽著菸斗。

吉桑小心翼翼地把盆栽放在床上說：

「這張眠床是我挑給妳當嫁妝，妳結婚之前，我一定帶在身邊。」

吉桑與薏心爬上卡車，坐在床上望著已經不屬於他們的洋樓。

「妳阿公死前都不忘跟我講，叫我千萬不要做敗家子……如果人生可以重來，也許，真該聽他的話乖乖在家吸鴉片。」吉桑抽著菸斗，學著盛文公倒下抽鴉片的樣子。

「不准 PAPA 這樣想。」

「做茶，做到最後，除了這張床什麼也沒留給妳，真是罪過罪過！」

車子已經發動，坐在卡車的床上的吉桑和來道別的員工與鄉親揮揮手，薏心別過頭閉上眼不忍心看這種場面。

車子駛出北埔市區，旁邊的茶園呼嘯而過，薏心此時才張開眼，對著父親說：

「我要感謝 PAPA 讓我有機會，過著很不同的自由人生！你讓我過得很精采很痛快。」

薏心站起身來對吉桑鞠躬：「多謝社長栽培！」

吉桑看著女兒，聞著路邊傳來的陣陣茶香回了禮：「這幾年妳辛苦了，新社長！」

父女二人相視而笑，仰望滿山遍野的茶園及火紅的夕陽。

「看來……」

「明天是個好天氣！」

「這些茶一定會著蝝！」吉桑表示同意。

沒有八抬花轎、鳳冠繡鞋，也沒有迎娶禮俗，夏慕雪就這樣把自己嫁掉了，與其說是嫁，還不如說是被納妾。

六桌的簡單喜酒、不張揚的眷村深處，夏慕雪的親友只來了戲院經理和穆老，穆老曾經是夏慕雪師傅的丈夫，父母雙亡的她也只能請乾爹穆老坐上主桌。

雖然外面早已傳得沸沸揚揚，元配還深陷「匪區」的靳上將，為了仕途官運也只能低調不張揚地「迎娶」夏慕雪。

「抱歉！我只能給妳這樣的婚禮。」靳上將滿臉愧疚。

「別這麼說，你願意擺幾張酒席熱鬧熱鬧，我就很滿足了！」夏慕雪恭敬地回答。

「這幾桌都是當年跟著我從大陸一路抗戰剿匪的弟兄，也算是我的兄弟，今天只請家人不請賓客！」靳上將對夏慕雪介紹前來敬酒的客人。

「將軍一直很照顧我們二十一師的弟兄，我先乾為敬。」

「吳營長！謝謝！」上將笑著回敬。

一直坐著陪笑的夏慕雪聽到二十一師，差點叫了出來，她目不轉睛看著吳營長。

喝多了的吳營長纏著上將灌酒：「當年靳師長，哎呀！我都叫師長慣了，一時改不過來，我們這批弟兄是和將軍一起搭船來臺灣，三年前將軍卸下師長後，一路官運亨通，虧他照顧我們，他叫我們往東，我們絕對不敢往西，師長叫我們去死，絕對沒有弟兄敢活著。」

「吳營長！你喝多了，將軍今天大喜之日，你這王八在那裡死啊活啊！」旁邊的人糾正。

吳營長對著夏慕雪堆起笑容：「嫂子！我是大老粗，不會講話！我自罰三杯！」

夏慕雪總算認出眼前這位吳營長了，他那沙啞的川音是夏慕雪一輩子都不會忘記的。

一片划拳勸酒聲中，夏慕雪的思緒回到當年的淡水河邊。

「預備！舉槍！發射！」吳營長一遍又一遍的口令，每兩人綑綁一起，每輪處決二十人。

「慕雪！妳怎麼了？」上將看到滿臉慘白的夏慕雪，疼惜地問著。

「妳放心，我是個鐵錚錚的漢子，答應妳放劉坤凱，就一定會放。」上將誤以為夏慕雪不信任自己做過的承諾。

「沒事！應該是喝多了！」

「妳要不要先回房休息？」再也無法與這些人共處的夏慕雪勉強點了點頭。

酒過三巡，喜宴的甜湯都上了，照習俗該是新娘送客，靳上將吩咐幾個女傭：

「去把夫人攙扶出來送客！」

「呀～～～」房內傳來陣陣悽慘的尖叫，上將與穆老聞聲衝了進去，只見夏慕雪雙腳懸空搖晃不已，身上還換了大紅鮮豔的送客衣著。

桌上留張紙條：

殺吾父者二十一師

9

看著飛機飛過天際，吉桑在臺北租屋處的屋頂問：「倫敦在哪個方向？」阿榮指出西方，吉桑對天膜拜保佑女兒平安。

從下榻的旅館步行穿過海德公園，一身純白洋裝手上抱著幾瓶茶樣的薏心，來到位於騎士橋旁的哈洛斯百貨（HARRODS）。

「準備好了嗎？」大衛已經等在門口。

薏心緊抱著茶罐，向上仰望七層樓高的百年建築物：「大衛叔叔，這就是世界的中心！」

博覽會在哈洛斯百貨的七樓舉行，來自全世界上百家茶商在此擺著參展攤位，大衛與薏心的展覽攤上，寫著大大的「FORMOSA hoppo tea」。

每家茶商都有二十分鐘的時間上臺展示，薏心整理著茶具茶罐，走到審茶桌前，對著大衛說：

「很多人不知道我們是如何走到這一步，但眼前的一切，都是真的！」

KK醒來，發現自己置身在山洞中，只有個小鐵門，門上有個小洞透著細微弱光，無法辨別是自然天光還是燈泡，也不清楚到底被關在這裡多久，一隻手和一隻腳被鐵鍊緊緊地鎖在牆上，KK不想掙扎。

每一段時間就有饅頭與水送進來，但送來的人不願意交談，幾乎喪失時間感的KK只能利用鐵鍊的有限空間鍛鍊身體，這是他當年在戰俘營的禁閉室中的習慣。

KK不怕刑求，刑求意味著對方有求於你，至少還有活下去的機會，但是現在的他，卻沒等到訊問，沒有刑求也沒有審判，這才讓人感到可怕。

ＫＫ夢見了他和另一位日本軍官起爭執，那位大佐執意要槍決被俘虜的克拉克；夢見了聯軍攻破他負責防守的俘虜營基地，日本少佐給ＫＫ一把軍刀要他幫忙切腹；夢見了自己在英軍俘虜營被毆打關禁閉，夢見了在大吉嶺親自看到自己生產出來的化肥滋養出滿山滿谷的茶樹，夢見了夏慕雪一起在河床上挖掘一具具屍體，夢見了一起和薏心站在夕陽下，夢見了月婷的竹蜻蜓。

整個七樓會場只有薏心一張東方臉孔，薏心面前擠滿了好奇的客人，她緩緩地取出茶樣，對眾人笑了笑：

「這茶的外表很醜，在臺灣稱之為膨風茶，它是被小綠葉蟬咬過的茶，天生就是傷痕累累的茶，但是，恰恰就是因為這個傷口，讓它有了獨特的味道。」

將熱水沖入茶身，蓋上茶蓋，薏心繼續對客人說明：

「人跟茶一樣，傷口，可以讓人脆弱，也可以讓人堅強，正是傷口，讓這杯茶、讓喝這杯茶的人變得與眾不同……」

撲鼻的茶蜜香吸引越來越多的圍觀客人。

「也有人稱這種被蟲咬過的茶 Oriental Beauty Tea！」大衛看著專心泡著茶陷入沉靜的薏心後，有感而發脫口而出。

薏心倒了幾杯茶給坐在第一排的幾位女士：「我們來自臺灣，FORMOSA hoppo tea 是全世界最難掌握、最難製作，也最難採收的茶葉，茶園必須付出被蟲咬傷、產量銳減的嚴重代價。」

「從一片茶葉到一杯茶，不過只要五分鐘，但是，你們手上的這一杯，好像歷盡苦難的 FORMOSA，這條路對我們而言是如此漫長……」

「茶是大自然的禮物，天冷了，茶可以給你溫暖，天熱了，茶可以給你清涼，它永遠陪著你去看世界的大山大海，打開眼界，直到你找到自己為止。我們都是自己等待的人，散發著獨特的味道，我們每個人都有內心的傷痕，就跟這杯茶一樣……」

一位打扮莊重的老婦人品了幾口茶後看著茶身說：「這的確不是長相完美的茶，但卻是我喝過最難忘的茶。」

現場客人聽到這位老婦人的讚美，都搶著到「福爾摩沙」攤位前，薏心高興地為前來品茗的客人奉茶。

鐵門傳來被粗暴撬開的聲音，KK驚醒，眼前刺眼的光讓他張不開雙眼。

二名穿著中山裝的政工站在他對面。

「姓名？」

KK不想回答，越快回答意味著離死亡越近，夢中的薏心與月婷讓他萌生強烈的求生意志。

不料，對方也沒有如KK預期地對他拳打腳踢。

「你不想講！我替你講，劉坤凱！」

說完後拿起照相機對KK拍照，這時KK才發現自己早已被換成囚衣，上頭繡了編號：「一九七四」。

拍完照的政工有點驚訝，他發現KK對著鏡頭笑，笑得很開朗，在這裡的囚犯來來去去，從來沒有人可以挨得過拘留室的恐慌。

「笑什麼？」

「以後如果有人看見我的照片，我希望讓他們看見的是希望。」

「不會的！沒有人會看見的。」那政工有點心虛。

「你們拍照的目的就是要讓別人看見！」

那政工憤怒地斥責：「閉嘴！」

KK依然維持著笑容說：「至少你看見了！哈哈哈！」

門外來了一批新的政工，與訊問KK的人交頭接耳，只見他們幾人臉色一沉。

「上頭的命令改了！」

此時，會場主席臺上，一個白髮蒼蒼的英國紳士點燃一支一英吋長的蠟燭，現場所有人聚集在主席臺前，屏息以待。

「這是老習俗，茶葉博覽會都會用『Candle Auction』這種方式來烘托氣氛，當那一英吋的蠟燭燒掉時，主席的槌子就會落下……」大衛對薏心說明博覽會的傳統。「就會宣布哪一家的茶，是本屆博覽會的金牌。」

蠟燭越燒越短，燃燒殆盡的那一刻，臺上幾位評審交頭接耳再度確認後，白髮老紳士用力敲下主席槌宣布：

「今年的金牌，印度大吉嶺金孔雀莊園！」

現場尤其是印度人，興奮地歡呼著，所有人都趨前與金孔雀茶印度莊主道賀恭喜。薏心與大衛頗為失望，尤其是千里迢迢來此的薏心，但還是保持風度熱烈鼓掌表示慶賀。

新來的政工看起來位階更高，端來一碗豬肉、一杯高粱酒、幾根香菸，對命運已經改變的 KK 嘆了口氣：

「你還想要什麼？」政工逕自點了香菸，直接放到 KK 嘴裡，KK 雖然憤怒，但知道這是他最後一根菸，他吸了一口，用力地把菸吐在對方臉上。

萌生求生意志的 KK，雙腿使不上力，跌坐在山洞的地上。

胡亂抽了幾口菸後，緩緩地說：「我要一杯茶！」

沒多久，有人端來一杯茶，茶杯上的圖樣正是印著三個紅色三角形，以及寫著「中美日光化肥廠　敬贈」的字樣。

政工見 KK 手抬不起來，要幫他倒進嘴裡。

「我自己來！」

KK 端詳著杯子好一陣子後，先吸了一口在嘴巴，發出嗽嗽的聲音，對政工說：

「難喝死了！國民黨用這種茶餵養你們，哈哈！」

兩個政工，在等著他喝完茶的那一刻。

主席桌上又傳來一聲木槌敲打聲，所有人驚訝地看著臺上議論紛紛。

此時主席臺前站著一位老婦人，薏心認出是剛剛來喝茶的那位年長貴婦。

大衛靠近薏心的耳朵說著：「這位女士是哈洛斯百貨的最資深品茶師，也是博覽會主席團的榮譽主席埃文斯夫人。」

「今年還有一個金牌！」埃文斯夫人重新點燃一根蠟燭。

「在還沒有宣布另一個金牌得主之前，容我跟大家說一段往事。」埃文斯夫人比著大衛。「大衛，我們的老朋友，當年怡和公司的經理大衛，相信在座有不少人認識他。」

大衛笑著向大家致意，但心中卻狐疑著為什麼榮譽主席要特別點名自己。

「十年前，倫敦天天遭到德國飛機空襲，當時世界陷入一片苦難，印度茶園被戰火摧殘到沒法生產一片茶葉，十年前，我們的老朋友大衛冒著生命危險從亞洲幫倫敦人帶來茶葉，讓深受戰火煎熬的我們，至少還有一杯下午茶可以喝，有了下午茶，我們英國人就有希望。」

淚流滿面的大衛脫帽向埃文斯夫人致意。

埃文斯夫人繼續說下去：「我永遠記得，在防空洞品嘗著從亞洲帶回來的第一杯茶的滋味，而大衛當年替英國人帶回來的那第一杯茶，今天也回到現場，就是福爾摩沙日光茶，所以我宣布本屆有兩個冠軍，臺灣北埔日光茶與大吉嶺茶並列冠軍。」

說完之後又用力敲了一下主席槌。

薏心和大衛二人由失望轉為興奮，如做夢般難以置信，開心地跳起來，會場鐘聲響起剛好是下午四點鐘。

在臺上的埃文斯夫人對著大家頑皮地眨了眨眼說：

「我們全都知道，只要到了下午四點鐘，所有一切都將停止，為了我們手上這杯下午茶！」主席吹熄了燭火。

大家笑得很開懷，現場眾人把薏心與大衛團團圍著，心神不寧的薏心看著窗外。

黑布蒙著ＫＫ雙眼，完全黑暗中，只聽見自己的呼吸聲。

兩響槍聲，ＫＫ倒下！斷氣前他抓了把泥土！

10

ＫＫ家門被輕輕推開，玄關處還擺著來不及帶走的行李箱，薏心慌張地環顧四周，書桌上擺著那本被翻到爛的日英字典，裡頭夾著那張一塊錢美金鈔票，夾頁處恰好是「CRIMSON」單字，她看著ＫＫ寫在旁邊的註解：

「很多感覺在字典裡找不到定義……」

「阿爸去哪裡？」跟在後面的月婷害怕地緊抓著薏心裙襬。

薏心看著一塊美金淚眼迷濛地說：「一定是去美國了！」

薏心在書桌底下找到一隻竹蜻蜓，讓月婷拿在手上。

11

半年後。

春節祭祖，昏暗的北埔宗祠如往常，主祭者依然是伯公與大房長孫張大欽張醫師。

司儀看著手表，時辰已到拉開嗓門：

「吉時到，各正衣襟！」

伯公與張醫師往堂前走，原本散亂的人群排成整齊的陣列隊伍，每人手裡握著一炷香，香火的煙霧讓天井更為昏暗。

「第一房，向前拜祭。」大概有二十多人手拿著香出列，屋頂天井剛好有道陽光斜斜射入，照在對著祖宗牌位拜祭的族人身上。

「第二房，向前拜祭。」眾人祭拜後轉頭看著大門。

穿著白衣服白皮鞋，士紳派頭的伯公也盯著前方大門。

「福吉那一房又遲到了！」

「已經破產還擺什麼派頭！」族人中有人竊竊私語。

「沒關係！他們遠從臺北來，我們等！」露出威嚴神情的伯公替遲到的吉桑緩頰。

話才剛說完，現場突然變得安靜，吉桑與薏心總算趕到，和往年不一樣的是，跟在薏心後面還有位小女孩，月婷拿著香站在薏心身旁對著祖先牌位祭拜。

伯公瞇著眼見吉桑前來，還帶個新成員，嘴角微微揚起，鬆了口氣。

「這細妹是誰？」

「聽說是薏心收養的。」

「沒結婚卻收養，不會是薏心在外面……」伯公狠狠地盯著亂嚼舌根的人，這才讓他們閉上嘴。

月婷見大人們好奇盯著她看，感到有點害怕，薏心緊緊牽著她的手不放。

伯公接下吉桑的香笑著說：「賢侄，你又來晚了！」

「來得早不如來得巧！」吉桑雙手合十對牌位膜拜。

伯公接下吉桑三人的香，插入香爐，插滿了幾十根香火的香爐，在幽暗祖宗牌位前格外亮眼。

坐在計程車上的吉桑一家人，經過洋樓時，忍不住朝自家張望，緊閉的大門與窗戶，貼著褪色的封條，吉桑要司機暫停一下，走下車的吉桑和月婷兩人，透過門縫往內張望，祖孫二人連左右搖擺姿勢都一模一樣。

站在自己在茶金時代建起的洋樓前，吉桑對著月婷說：

「有一天，我們會再回來，因為這是我們的家！」

薏心捧著獲得倫敦博覽會金牌的茶樣玻璃瓶，走到茶廠，茶廠已經屬於國華公司，雖然營運依舊但人事全非，少數老茶工認出薏心，薏心微笑點點頭走上二樓的審茶室旁的神明桌，把金牌茶樣瓶子放在天皇茶與總理大賞茶的獎牌旁邊。

「別忘了，全世界的杯子還等著我們的茶呢！」薏心對著金牌膜拜許願。

「妳這麼風神，到底像誰呢？」吉桑看著金牌取笑薏心。

幾道日光從天空的烏雲隙縫間灑下來，車子經過烏子的茶園，當年吉桑教烏子的「插茶秧」終於發出了新芽。

「看來，是個好天氣！」

「這些茶一定會著蜂！」

文學叢書 663

茶金

作　者　黃國華
故事原創　徐青雲　湯昇榮　羅亦娌　徐彥萍　黃國華　林君陽　張可菱
出　品　公共電視　客家委員會
總 編 輯　初安民
審　訂　陳慈玉
責任編輯　陳健瑜
美術編輯　陳淑美
校　對　孫家琦　陳健瑜

發 行 人　張書銘
出　版　INK 印刻文學生活雜誌出版股份有限公司
新北市中和區建一路249號8樓
電話：02-22281626
傳真：02-22281598
e-mail:ink.book@msa.hinet.net
網　址　舒讀網 http://www.inksudu.com.tw

法律顧問　巨鼎博達法律事務所
施竣中律師
總 代 理　成陽出版股份有限公司
電話：03-3589000（代表號）
傳真：03-3556521
郵政劃撥　19785090 印刻文學生活雜誌出版股份有限公司
印　刷　海王印刷事業股份有限公司

港澳總經銷　泛華發行代理有限公司
地　址　香港新界將軍澳工業邨駿昌街7號2樓
電　話　852-2798-2220
傳　真　852-2796-5471
網　址　www.gccd.com.hk

出版日期　2021年 9 月　初版
2024年 8 月15 月　初版六刷
ISBN　978-986-387-476-8
定價　550元

國家圖書館出版品預行編目(CIP)資料

茶金/黃國華著.
--初版. --新北市中和區：INK印刻文學，2021. 09
面； 14.8 × 21公分. --（文學叢書；663）
ISBN 978-986-387-476-8 (平裝)

863.57　110014342

舒讀網